CRWYDRO BRO MORGANNWG

CHRISTOPHER DAVIES

Crwydro Bro Morgannwg

ANEIRIN TALFAN DAVIES

CYFROL 1

Cyhoeddwyd gyntaf yn 1972
gan Christopher Davies (Cyhoeddwyr) Cyf.,
Llandybie, Sir Gaerfyrddin
Argraffwyd yng Nghymru
gan Wasg Merlin,
Llandybie

SBN 7154 0032 0

ER COF
am
MARI
fy mhriod annwyl ac un o blant y Fro
a'i rhieni
George ac Abigail Evans
a'i cododd yn Gymraes yn y Barri

Cynnwys

Darluniau

ix

Diolchiadau

Dymunaf ddiolch i nifer o bobl am eu cefnogaeth wrth baratoi'r gwaith hwn.

I Mr. Dafydd Jenkins, M.A., Llyfrgellydd, Llyfrgell Genedlaethol Cymru a'i staff, am eu cymorth parod.

I Mr. T. J. Hopkin, B.A., adran ymchwil Llyfrgell Caerdydd, am ei ddiddordeb a'i gymorth parhaus, ac am imi gael elwa ar ei wybodaeth eang o hanes Bro Morgannwg a'r dogfennau amdani. Hefyd, am ei amynedd yn darllen y llawysgrif.

I'w gymrawd Mr. Brynmor Jones am ei barodrwydd yn chwilio a chynghori ar lyfrau, ac am fwrw golwg dros y proflenni. Hefyd, am gymorth gyda'r Mynegai.

I'm brawd-yng-nghyfraith Mr. J. Idris Morgan am y lluniau sydd wrth ei enw.

I Mrs. Phyllis Jones am gymorth gyda'r teipio.

Yn olaf, i Miss Margaret Jenkins, B.A., am fy nghadw ar lwybr cul orgraff a gramadeg, ac am bob symbyliad mewn cyfnod digon anodd.

Ond na ddoder unrhyw feiau neu ddiffygion yn y gyfrol hon wrth ddrws neb o'r cyfeillion hyn.

Mae fy niolch hefyd i Weisg ac unigolion am ganiatâd i ddyfynnu.

Gwasg Prifysgol Cymru : *Traddodiad Llenyddol Morgannwg,* G. J. Williams; *Iolo Morganwg,* G. J. Williams; *Joseph Parry,* Owain T. Edwards; *Gerallt Gymro,* Thomas Jones; *Place-names of Dinas Powys,* Gwynedd O. Pierce. Hefyd i Wasg y Brifysgol a Mr. Trefor Owen, M.A., F.S.A., am gael defnyddio'r map o'r Fro, a ddefnyddiwyd gyntaf yn *Iolo Morganwg.*

Gwasg John Penry : *Hanes Annibynwyr Cymru,* R. Tudur Jones.

Llyfrfa'r Methodistiaid Calfinaidd : *Heddychwr Mawr Cymru,* E. H. Griffiths.

Llantwit Major Local History Society : *Llantwit Major. A History and Guide.*

Y Gorfforaeth Ddarlledu Brydeinig : *Iolo Morganwg,* G. J. Williams.

I'r Dr. Iorwerth Peate am ganiatâd i ddyfynnu o'i *Canu Chwarter Canrif,* a Mr. Brian Evans am ganiatâd i ddefnyddio cerdd ei dad, Wil Ifan, "Ym Mhorthcawl".

Dymunaf ddiolch hefyd i Gyngor Sir Forgannwg, trwy ei Archifydd, Miss M. Elsas, am hwylustod i chwilio papurau'r As Fach, a dyfynnu ohonynt, ac am ganiatâd i atgynhyrchu darn o lythyr Iolo Morganwg.

Llyfrgell Rydd Gaerdydd am ganiatâd i ddefnyddio darluniau David Jones, Wallington.

I Terence Soames (Cardiff) Ltd. a Mr. V. C. Hardacre (a Llyfrgell Dinas Caerdydd) am y lluniau wrth eu henwau.

Margam

• Y PIL

• CYNFFIG

• LLANGEWYDD
• Cwrt Colman

Tre'r·bryn   • Tre-groes
• Y COETY   PEN-COED   • LLANILID

• TRELALES

PEN-Y-BONT
AR OGWR

• LLANGRALLO

Pantylliwydd,

AFON OGWR

• LLANDUDWG

AFON EWENNI   TRE-OS

EGLWYS FAIR Y MYNYDD

• LLANSANWY

Y DRENEWYDD
YN NOTAIS

MERTHYR MAWR

• LLAN-GAN

• PORTH-Y-CAWL

Tregawntlo

• EWENNI

• PEN-LLIN

• TREGOLWYN

Y BONT-
FAEN

SAINT-Y-BRID

• LLANFRYNACH

• LLANFLEIDDAN

• LLYSWYRNY

• LLANDOCH

Tregiement •

• LLANDW.

Dwn-rhefn

• Yr As Fach

LLANFIHANGEL
Y BONT-FAEN

• Y WIG

TRESIGIN

LLAN-
FAIR

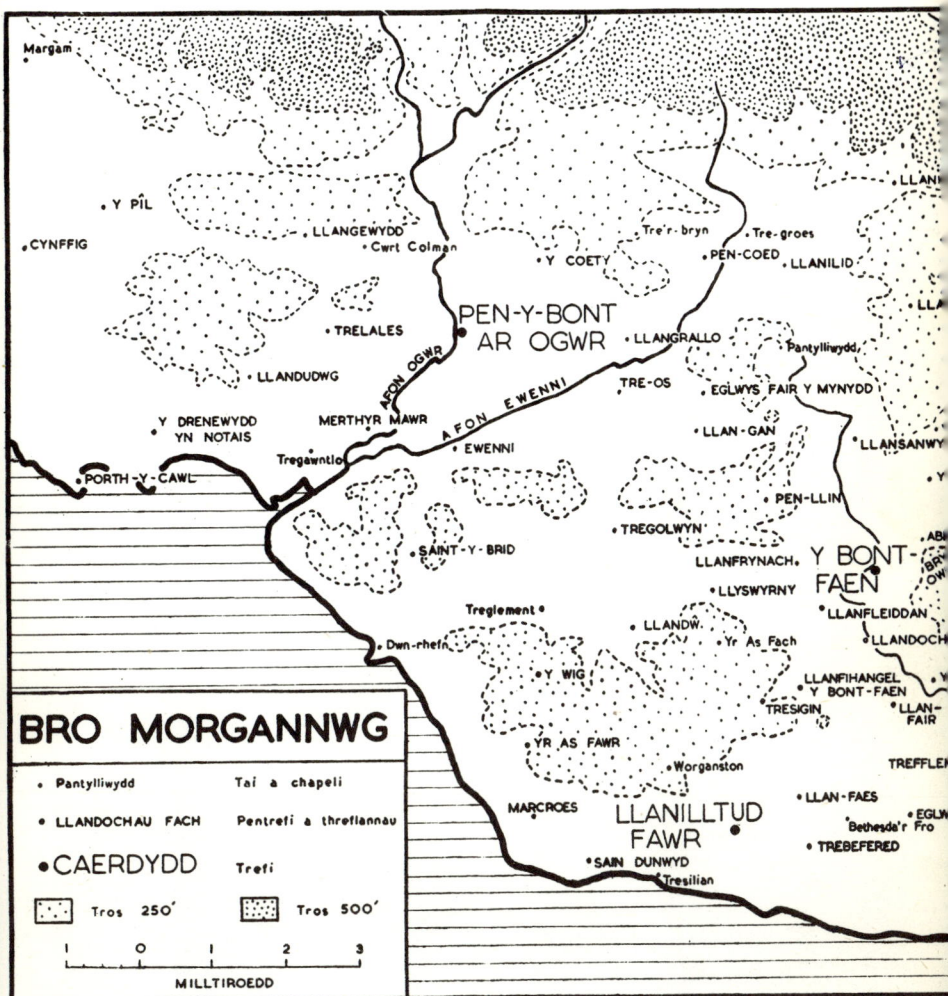

BRO MORGANNWG

YR AS FAWR

• Worganston

TREFFLEI

• Pantylliwydd   Tai a chapeli

• LLANDOCHAU FACH   Pentrefi a threflannau

MARCROES

• LLAN-FAES

EGLW

•**CAERDYDD**   Trefi

LLANILLTUD
FAWR

• Bethesda'r Fro

• TREBEFERED

⌷·:· Tros 250'   ⌷···⌷ Tros 500'

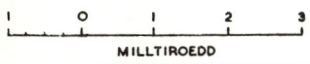

• SAIN DUNWYD

• Tresilian

1   0   1   2   3

MILLTIROEDD

LLANTRISAINT

LLYS-FAEN

PONT-Y-CLUN

Y GROES-FAEN

LLANISEN

AFON TAF

Tal-y-garn

Capel Llanilltern

Rhydlafar

YR EGLWYS NEWYDD

RHYMNI

Hensol

Radur

TREDELERCH

Brynhelygen

Gabalfa

LLANDAF

Y SBIAT

STRADOWEN

LLANSANFFRAID - AR-ELÁI

TYLLGOED

PENDEULWYN

SAIN FFAGAN

MAENDY

LLANBEDR - AR - FRO

SAIN SIORYS

LLANFIHANGEL - AR-ELÁI

TRELÁI

CANTWN

CAERDYDD

LLANDDUNWYD

Croes-y-parc

AFON ELÁI

RTHIN

Y Cotrel

Coedrhiglan

CAERAU

SAIN NICOLAS

TRESIMWN

Tre-hyl

LECWYDD

SAINT HILARI

LLWYNELIDDON

LLANDOCHAU FACH

LLANTRIDDYD

GWENFÔ

LLANFIHANGEL - Y - PWLL

Bewpyr

Dyffryn Golych

Wrinstwn

PENARTH

AFON DDAWAN

TRE - GOF

Llanfeuthin

TREWALLTER MIDDLE HILL

SAINT ANDRAS

DINAS POWYS

N

LLANCARFAN

MOLLTWN

LLANBYDDERI

PENNON

COGAN

S BREWYS

LLANCATAL

PEN - MARC

MERTHYR DYFAN

TREGATWG

SAIN TATHAN

Ffwl-y-mwn

SILSTWN

Y BRITWN

SILI

LARNOG

ABERDDAWAN

Rhws

Y BARRI

PORTHCERI

I.M.O.

Rhagair

"Matthews biau'r Fro", ebr Crwys yn un o'i ganeuon; Iolo Morganwg, yn ddiau, ddwedai'r diweddar Griffith John Williams. Trwy astudiaethau'r Athro dysgedig o waith a bywyd Iolo Morganwg y daeth y Fro hon yn rhywbeth byw inni. Ni all neb o hyn ymlaen, sgrifennu dim ar y Fro heb gydnabod ei ddyled i'w weithgarwch diflino. Ni all neb, bellach, grwydro'r Fro heb glywed sŵn troed 'y gŵr o Waelod-y-garth' yn ei ddilyn gam a cham. Un o drasiedïau ein cyfnod ni yw iddo farw cyn cael cyfle i gwblhau ei gofiant i Iolo Morganwg. Mae cyfrol gyntaf y cofiant hwnnw yn gampwaith ynddi'i hun, ond hanner adeilad a welwn; gofidiwn am na welir mwyach yr adeilad yn llawn. Ni allwn fod wedi sgrifennu'r gwaith hwn onibai am y toreth o ddefnyddiau ar y Fro a gyhoeddwyd ganddo. 'Roedd yn un o ysgolheigion mawr Cymru, ond yn ysgolhaig â greddf y crefftwr a'r artist yn cyniwair drwyddo. Llawer tro y clywais ef, a'i frawd y Dr. Mathew Williams, yn sôn am artistwaith gofiaid cefn gwlad Sir Aberteifi. 'Roedd y ddau yn feibion i un ohonynt, gof Cellan, ac 'roedd eu parch at eu tad ac at ei ddawn fel crefftwr yn ddi-ben-draw.

Petawn yn sicr na chamddëellid fi, dywedwn fod yn G. J. Williams radd helaeth o ysbryd Iolo : cariad angerddol at y Fro, gwybodaeth ddi-derfyn am ei thraddodiadau a'i hanes, a mwy o rym nag oedd gan Iolo druan i osod trefn ar ei ymchwil a'i chyhoeddi. Credai G. J. Williams fod y Fro yn Gymraeg ei hiaith tan ddegau olaf y ganrif ddiwethaf; mor Gymraeg, ebr ef, â Cheredigion neu Feirionnydd. Efallai y caiff llawer anhawster i gredu'r gosodiad hwn, yn enwedig wrth brofi mor gwbl Saesneg yw'r Fro heddiw. Ond wedi blynyddoedd o grwydro'i phentrefi fe'm gorfodwyd i gredu hynny fy hun. Rhaid cofio, wrth gwrs, na fu'r Fro yn hollol Gymraeg wedi goresgyniad y Normaniaid. Fe fu'r iaith ar drai am flynyddoedd wedi'u dyfodiad hwy, ond daeth tro ar fyd yn ei hanes, ac o dipyn i beth caed adfywiad, ac yn raddol daeth y teuluoedd Normanaidd, lawer ohonynt, i fod yn Gymry Cymraeg ac yn noddwyr ein beirdd. Cyfrannodd nifer ohonynt lawer i stôr ein diwylliant, ac i fywyd diwylliannol y Fro.

Fe wnaeth y Dr. R. T. Jenkins sylw craff rai blynyddoedd yn ôl, mewn erthygl yn *Y Llenor*. Ebr ef : "Nid 'byddigions', ac nid *tired business men* yw preswylwyr y Fro, eithr hen ŷd y wlad. Y mae yno ddau *fywyd,* a'r ddau'n wironeddol hen, yn byw ochr yn ochr. Yn y Blaenau, o leiaf cyn y dirywiad sydd ohoni, chwi gaech fywyd Cymreig mewn ffrâm Gymreig; ond yn y Fro, fywyd Gymreig mewn ffrâm Seisnig (neu Normanaidd): y faenor, y pentre hardd ffiwdalaidd a'i lecyn helaeth o dir glas, y "Tŷ Mawr"—a'r eglwys a'r rheithordy megis dan ei adain."

Yn y gwaith hwn ceisiais roi'r pwyslais *pennaf* ar y bywyd y tumewn i'r ffrâm. Mae hwnnw wedi diflannu bellach,—yn ddim mwy na darlun treuliedig mewn ffrâm ddigon siabi. Mae sydynrwydd y newid a ddaeth dros y Fro yn syndod. Fe ddeuthum i i'r casgliad mai un o'r pethau a gyfrannodd fwyaf at ddirywiad yr iaith oedd Deddf Addysg 1870, ond mae ffactorau eraill, megis rhai economaidd. Pan gychwynnodd y Chwyldro Diwydiannol, ac agor y pyllau glo yn y cymoedd, gwelwyd gwŷr ieuainc o ffermdai'r Fro yn ymfudo yno am fod y cyflogau'n frasach. Gadawsant wagle ar eu hôl, ac fe'i llanwyd gan weision ffermydd, a thyddynwyr o Wlad yr Haf, a rhannau cyfagos o Loegr, ac aeth y Fro'n Seisnicach beunydd.

Ond ym 1834 medrai Gwallter Mechain ganu cywydd i'r Fro a'i chanmol am ei Chymreigrwydd.

> Ym Morgannwg, mawr gynnydd,
> Cymraeg fu, a Chymraeg fydd.
> Tra Dawon i'r don ar daith,
> Ac i'w chel ni el eilwaith, . . .
> Bydd Brython eon di-wg
> I gynnal iaith Morgannwg.

Heddiw, ar un olwg, crwydro mynwent,—mynwent yr iaith—yw crwydro Bro Morgannwg. Eto, mae arwyddion dadeni y byddaf yn sôn amdanynt yn y gwaith hwn. Ond os ŷch chi am weld y Fro rywbeth yn debyg i'r hyn a fu, yna rhaid ichi frysio. Mae'r Fro'n newid, nid er gwell ysywaeth, o flaen ein llygaid. Nid galanastra'r maes awyr yn Sain Tathan yw'r peth gwaethaf a ddigwyddodd iddi; fe gadwyd hwnnw, fwy neu lai, o fewn ffiniau'r gwersyll. Ond pan ddechreuwyd troi'r Fro yn *dormitory* i wŷr proffesiynol Caerdydd, yna nid oedd unman yn sanctaidd, ac yn araf mae'r pla'n cripio dros ei hwyneb fel brech lidiog. Ond hyd yma mae digon o'r hen ogoniant yn aros i wneud crwydro'r Fro yn bleser.

Yn aml iawn mae pentrefi'r Fro yn gorwedd mewn pant cysgodol, a deuir ar eu traws yn sydyn a di-rybudd. I weld y *Fro* rhaid ichi ddringo i ambell fryn uwch na'i gilydd, megis Bryn Owen uwch-law'r Bont-faen, y Twyncyn ym mhlwyf Saint Andras, Castell Pen-llin, neu'r bryn y mae trosglwyddydd Gwenfô yn sefyll arno. O'r mannau hyn cewch olwg ehangach ar y Fro a'i phentrefi. Hyd yn oed y tuallan iddi medrwch ddringo i bentref Llantrisant, neu fynydd y Garth, a chael golwg ardderchog ar y gwastadedd hudol hwn.

Un gair am un gair bach a ddefnyddir yn y gyfrol hon—pwrtwai. Hon yw'r ffordd a adweinir ar y map fel yr A48, sy'n arwain o Gaerdydd i Abertawe. Fe ddefnyddid yr enw gynt i ddisgrifio'r '*port-way*' o Lundain i Aberdaugleddau. Credais ei bod yn werth atgyfodi'r enw er mwyn osgoi defnyddio disgrifiad y map, neu amrywiadau ar y ffurf, 'y ffordd sy'n rhedeg o Abertawe i Gaer-dydd', byth a hefyd.

Fe dyfodd y gwaith hwn dan fy nwylo, nes bod economeg wedi gorfodi'r cyhoeddwyr i'w gyhoeddi'n ddwy ran. Mae'r ail ran yn barod, a gobeithiaf y gwêl olau dydd yn fuan wedi cyhoeddi'r gyfrol hon.

A.T.D.

1. Sain Tathan. J. Idris Morgan

1

Sain Tathan, Eglwys Brewys, Bethesda'r Fro

Nid yw Sain Tathan yn bentref prydferth o bell ffordd; mae fel petai'r crycymalau arno, ac os ŷch chi'n gall, fe gymerwch ofal wrth ddynesu ato, ac wrth fynd ar hyd y ffordd onglog sy'n eich arwain drwyddo.

Cefais le cyfleus i barcio'r car, a chyfle i droi o gwmpas. 'Does fawr ddim i'n cadw yn y pentref ei hun, ac felly troais i mewn i'r eglwys, lle y claddwyd John Williams, yr emynydd, a chyfaill mynwesol Thomas William, Bethesda'r Fro, a'r gŵr a roes Sain Tathan ar fap Cymru dros fyth.

Euthum i mewn drwy'r porth deheuol i'r eglwys a chael bod y drws gorllewinol yn llydan agored. Ar lwybr y fynwent, gwelwn y Ficer yn llewys ei grys, yn ymosod ar berth drwchus o lawryf gwyrdd, ac yn teimlo ychydig, gallwn feddwl, oddi wrth bwys a gwres y dydd. Cerddodd ataf a'm cyfarch. Cael ei fod yn Gymro Cymraeg o Sir Gaerfyrddin, ac yn gefnder i'r Parchedig T. Eirug Davies. Yr oedd ei wreiddiau ym mhentref Gwernogle, a dywedodd ei fod yn yr un dosbarth â'r cyn-Athro Llewelfryn Davies, Aberystwyth. Yr oedd wedi bod yn Ficer yn Sain Tathan am flynyddoedd, ac yn debyg o orffen ei ddyddiau yno, ebr ef wrthyf. Yn garedig iawn, tywysodd fi'n gyflym o gwmpas yr eglwys, gan ddangos ei phrif nodweddion imi, ac yna fy ngadael ar fy mhen fy hun i grwydro o gwmpas y lle.

Dywed Baring-Gould a Fisher yn *Lives of the British Saints* fod traddodiad yn dweud mai Gwyddel oedd Tathan, a dywedir yn ei fuchedd ei fod yn unig fab, ac i'w rieni ei osod gyda gwŷr eglwysig i'w hyfforddi a'i baratoi ar gyfer gyrfa yn yr eglwys. Mewn breuddwyd, meddir, gorchmynwyd iddo gan angel i ddyfod drosodd i Brydain. Croesodd mewn cwch gydag wyth o ddilynwyr yn ddi-lyw, di-hwyl a di-rwyfau! Glaniasant ar arfodir Sir Fynwy, yn Porth

Sgiwed, nepell o adfeilion yr hen dref Rufeinig Caer-went. Yn ôl yr *Iolo MSS*, fe'i claddwyd yn Sain Tathan, neu Landathan, ond ni fentraf i ymhellach i'r maes peryglus hwn, rhag glanio mewn cors Ioloaidd, ddu!

Ym 1911 fe gloddiwyd ym mherllan Ficerdy Sain Steffan yng Nghaer-went, lle y tybiwyd bod 'coleg' Sain Tathan, ac yng nghanol pentwr o olion Rhufeinig daethpwyd o hyd i ryw ddwsin o sger-bydau. Yr oedd un ohonynt mewn arch amrwd o garreg, ac fe all mai hwn oedd Sain Tathan. Fe symudwyd y gweddillion hyn yn Ebrill 1912 i lawr ystlys ddeheuol yr eglwys blwyf, ac fe welwch arysgrif Ladin uwch ben y fan. Efallai ei bod yn werth nodi bod yr Athro E. G. Bowen, gan ddilyn Wade Evans, yn credu y gall mai un o'r Gwyddelod o'r rhan honno a adwaenwn heddiw fel Sir Gaernar-fon, oedd Tathan, efallai Tathal o Gaer Dathal, ac iddo symud i lawr ar hyd yr arfordir, rhag lluoedd Cunedda, ac ymsefydlu yng Nghaer-went. Ond pur annelwig, ar y gorau, yw ein gwybodaeth am gyfnod cynnar Cristionogaeth yng Nghymru.

Ychydig a wyddom, felly, am ddechreuadau'r eglwys hon yn Sain Tathan, rhagor na'i bod yn debyg mai adeilad go amrwd ydoedd ar y dechrau, fel y rhan fwyaf o'r adeiladau cyn cyfnod y Norman-iaid. A'r dylanwad Normanaidd a welir amlycaf yn yr eglwys hon. Wrth fynd i mewn trwy'r porth deheuol, codwch eich golygon tua'r to, ac fe welwch arfbais teulu Berclos, neu'r *Berkerolles*. Yn nhran-sept deheuol yr eglwys mae delwau'r teulu hwn. Yn gyfochrog â'r mur deheuol y mae delwau Syr Roger Berclos a'i wraig, o'r bed-waredd ganrif ar ddeg, ac yn yr ymyl ddelwau cynharach, ond o'r un ganrif, o Syr Wiliam Berclos a'i wraig yntau, sef rhieni Syr Roger. Mae'r gwŷr mewn lifrai rhyfel, a'r arfbeisiau wedi'u lliwio— yn gymharol ddiweddar. Fe honnodd Iolo mai gwaith Iorwerth Fynglwyd y bardd yw'r beddrodau hyn, a hynny, ebr G. J. Williams, oherwydd iddo weld cywydd o'i waith lle mae'n bygwth rhoi delwau o fân feirdd y Fro yn eglwys Saint-y-brid! Ond nid oes mwy o wirionedd yn hyn nag yn llawer eraill o chwedlau rhamantaidd Iolo!

Fe enwir Syr Roger Berclos gan J. E. Lloyd, fel un a ymunodd â marchogion eraill Morgannwg yn erbyn lluoedd brenin Lloegr. Efallai y bydd rhai o ddarllenwyr y geiriau hyn, fel minnau, yn fwy cyfarwydd â mab Syr Roger, Syr Lawrens Berclos, a oedd yn un o elynion anghymodlon Owain Glyn Dŵr. Dyma'r gwr y byddem ni

2

blant yn adrodd amdano yng ngeiriau cân Syr John Morris-Jones,
sy'n adrodd am Owain Glyn Dŵr, pan oedd "yn tramwy Cymru
gyda'i was", yn dod

> i blas Syr Lawrens Berclos,
> Llefarodd yn nhafodiaith Ffrainc;
> A mawr y croeso gafodd yno,
> Fe'i rhoddwyd ar yr uchaf fainc;
> Hyfryd, hyfryd fu'r ymddiddan,
> Llwyr y canwyd llawer cainc.

Ond ni wyddai Syr Lawrens pwy oedd ei westai bonheddig. Treul-
iasant y noson yn dawnsio a gwledda, a sôn am y "cynllwynwr
mall", Owain Glyn Dŵr, a'r modd i'w ddal. Pan ddaeth awr ymado,
dyma'r gŵr hwnnw yn cyfarch ei letywr :

> Diolch am dy holl ledneisrwydd,
> Am bob rhyw fwyniant, pob rhyw fri;
> O barth i'th fwriad dithau ataf,
> Dyma'm llaw a'm llw i ti,
> Na chofiaf mono, chwaethach dial—
> "Yn iach", medd ef, "Glyn Dŵr wyf fi !"

Dywed yr hanes i Syr Lawrens gael ei daro â mudandod :

> Ac ni chadd Lawrens byth ei barabl,
> Os gwir yr hanes, wedi hyn.

Adroddir yr hanes hwn, hefyd, gan Iolo Morganwg, ac fe'i ceir yng
nghyfrol atgofion Elijah Waring amdano.

Trigai teulu Berclos yn y rhan o blwyf Sain Tathan sy'n dwyn yr
enw *East Orchard,* lle y ceir olion prin hen gastell ar lan afon
Ddawan. I'r gorllewin o'r pentref, yn ymyl *West Orchard Farm,* y
mae *New Barn* lle y ganed Edward Matthews, Ewenni. Dyma a
ddywed J. J. Morgan, cofiannydd y pregethwr, a chyfaill mawr i
'nhad, gan iddynt gael eu geni y drws nesaf i'w gilydd yn yr un
pentref, Ysbyty Ystwyth :

"Ganol haf, 1898, cafodd Daniel Davies, Ton, fod gwahaniaeth
barn ymysg hynafgwyr yr ardal parthed ei le genedigol, canys taerai
rhai mai yn *West Orchard,* y ffermdy nesaf at *New Barn,* y ganwyd
ef; ac ar ôl ymchwil oriau anobeithiodd gyrraedd sicrwydd, a
chyfaddododd trwy gyhoeddi darlun o'r naill dŷ a'r llall ynglŷn â'i

erthygl yn *Cymru* am Chwefror 1899. Yr oedd tystiolaeth ddiamwys yn ymyl : yn y gân "Fy Chwaer", gan Fatthews ceir y ddwy linell hon :—

Cof am y ffynnon yn y cae islaw
Yn y tŷ y trigem yn y pentref draw.

Yng ngodre'r maes islaw *New Barn* byrlyma un o'r ffynhonnau ardderchocaf, ail i Ffynnon Gwenfrewi; ohoni y tynnir dwfr i ddiwallu preswylwyr y ddwy ffarm. Sonia bryd arall am chwarae ar ddwy erw o flaen y tŷ. O flaen *New Barn* y mae'r cyfryw faes."

Y mae'r ddau dŷ yno o hyd, a gellir dod o hyd iddynt trwy gymryd y ffordd a arweiniai i Drebefered gynt, ond sy bellach yn gorffen wrth ffin y maes awyr. Yn ymyl *New Barn* fe gewch olion yr ail gastell yn Sain Tathan; nid ŷnt erbyn hyn onid nifer o dwmpathau gwelltog, a gwartheg yn eu pori, yn atgof o'r hyn a fu unwaith yn gartref marchog Normanaidd; mwy o faenordy na chastell, efallai.

Y mae David Jones, Wallington,* yn ei nodion llawysgrif yn cofnodi stori ryfedd a dwys am un o farwniaid *West Orchard*. Ymddengys iddo fyned allan i Balesteina i ymladd yn y croes-gadau. Pan ddychwelodd cafodd fod ei wraig wedi bod yn anffyddlon iddo, ac fe'i dedfrydwyd i farw drwy gael ei chladdu yn y ddaear hyd ei gwddw. Nid oedd neb i fentro cynnig bwyd na diod iddi. Yr oedd chwaer iddi yn byw yng nghastell *East Orchard,* a chaniatawyd iddi ymweld â hi bob dydd, ond gwaherddid iddi hithau hefyd gyrchu bwyd a diod iddi. Ar glais y dydd âi i weld ei chwaer druan, a gadawai i odre'i gwisg laes lusgo ar hyd y borfa a chasglu'r gwlith iddo, yna mynd heibio i'w chwaer a gadael iddi hithau wlychu'i gwefusau crin ag ef.

Ond yn ôl â ni at eglwys Sain Tathan. Yn ymyl y porth saif y bedyddfaen, crwn, sy'n perthyn i'r cyfnod Normanaidd, ac yn sefyll ar garreg sgwâr. Mae'r clawr pren yn un o'r ychydig hen gloriau yn y Fro. Cewch o leiaf ddwy enghraifft arall, y naill yn Silstwn, ar llall yn Saint-y-Brid.

Mae'r ffenestri, nid y gwydr, yn y transept deheuol yn perthyn i'r bedwaredd ganrif ar ddeg, y dull a elwir 'addurnol Seisnig' ac yn yr un transept fe sylwch ar y "squint", yr agoriad yn y mur, y gellir

---

* Ceir hanes y gŵr yma o **Lanfleiddan,** yn yr ail gyfrol.

trwyddo gael golwg ar yr allor fawr. Os edrychwch chi dan y grisiau
pren sy'n arwain i'r tŵr, y transept gogleddol, fe welwch garreg ag
arni'r pennill hynod hwn.

> *In earth below deprived of life,*
> *Lies Morgan John and Jane his wife,*
> *With children several great and small*
> *Unprofitable servants all.*

Beth, tybed, yw'r stori y tucefn i'r llinellau trist yma? Ar y mur
gyferbyn, o'r golwg braidd, mae carreg fedd teulu'r Spenseriaid. Ein
diddordeb ni ynddi yw, iddi gael ei cherfio gan Iolo Morganwg.
Mae'r garreg hon yn enghraifft dda o lythrennu Iolo. Ceir hyder ac
ynni yn y naddiad. Gŵr ifanc yn dangos ei gampau sydd yma. I mi,
mae gormod o amrywiaeth llythrennau arni i wneud cyfanwaith
artistig. Ond nid oes amheuaeth nad oes gan y crefftwr ifanc, ryw
ychydig dros ugain oed ar y pryd, ddawn arbennig; nid oes angen
gwneud dim mwy na chymharu hon â'r rhelyw o gerrig beddau yn y
fynwent i ganfod ei rhagoriaeth. Barn Daniel Walters, mab John
Walters, y geiriadurwr o Landochau'r Bont-faen oedd hyn. "Without
pretending to any skill or Judgement in Sculpture, I can pronounce
that stone to be a masterly performance".

Ac wrth sôn am Iolo, cofiwn mai yn yr eglwys hon, ar yr wythfed
o Dachwedd 1744, y priodwyd Edward Williams o bentref Silstwn,
ryw filltir i'r de, ac Ann Matthew o Lan-maes, ryw ddwy filltir i'r
gorllewin; ac wrth gwrs, mab y ddau yma oedd Iolo Morganwg,
saer maen y Fro, a saer maen y greadigaeth honno a gerfiwyd ar gof
y genedl â chŷn a morthwyl ei ddychymyg byw. Y tuallan i'r eglwys,
ar y mur dwyreiniol, mae carreg fedd ag arni'r geiriau hyn:

"Underneath lyeth the Body of Edward Gamage, Rector of this
parish who died 27th June 1734, aged 51."

Carreg syml, geiriau syml i nodi gorweddfan un o offeiriaid llengar
Bro Morgannwg. Ar waethaf yr hyn a ddywedwyd gan y Dr. R. T.
Jenkins, o'r braidd y cafodd offeiriaid Cymru eu haeddiant gan
haneswyr y ganrif hon. Hwy, yn aml iawn, fu ceidwaid ein tradd-
odiadau crefyddol a diwylliannol. 'Roedd Edward Gamage yn
perthyn i'r cwmni yma, ac yn un o'r llu offeiriaid llengar yn hanes
Bro Morgannwg. Perthynai i un o deuluoedd mwyaf dylanwadol y
Fro, Gameisiaid y Coety, a chyfeillachai â theuluoedd bonheddig fel

y Mawnseliaid, y Stradlingiaid a Charniaid Ewenni. Fe gododd y teulu hwn nifer mawr o offeiriaid ar hyd y cenedlaethau i wasanaethu'r Eglwys yng Nghymru nid yn y Fro yn unig, ond ar hyd a lled Cymru. Ymddiddorai Edward Gamage yn llenyddiaeth Cymru ac 'roedd yn gyfeillgar â chlerwyr ei ddydd a chasglodd eu gweithiau i lawysgrif sydd wedi'i diogelu yng nghasgliad Llanofer.

Ond cyn ymadael rhaid rhoi tro am fedd y gŵr fydd yn dod ar unwaith i feddwl Cymro wrth sôn am Sain Tathan,—John Williams, yr emynydd. Gwelir ei garreg fedd wrth y mur ar y llaw dde i borth deheuol yr eglwys. O'r braidd y gellir ei darllen erbyn hyn; mae'r tywydd wedi hen ddileu'r llythrennau. Ond ar y mur uwch ei phen, mae carreg newydd, a osodwyd yno gan *Gymrodorion* y Barri ac eraill, trwy ymdrechion y Parch. J. Gwyn James, Llanilltud Fawr.

Ar yr hen garreg fe ellir darllen rhyw ychydig o'r geiriau, sy'n nodi mai yno y gorwedd John Williams; yn Saesneg, yn rhyfedd iawn y gwneir y cofnod. Dywedir iddo farw ar y pymthegfed o Awst, 1806, yn 78 mlwydd oed. Yn ôl Gomer Roberts, nid yw hyn yn gywir, oherwydd cyfeiria at gerdd goffa Thomas William, Bethesda'r Fro, sy'n dweud iddo farw ar Awst y chweched ar hugain, a dyna sy ar gofrestr y plwyf. Ar y goflech newydd ceir yr arysgrif yma.

Gosodwyd/y goflech hon Gor. 1927/I nodi gorweddle y Perganiedydd/John Williams/1728-1806/Awdur yr emynau—

"Daw amser prysur bwyso"
"Pa feddwl, pa 'madrodd, pa ddawn"
"Pwy welaf o Edom yn dod" ac eraill.

Coffadwriaeth y cyfiawn sydd fendigedig.

Un o blant Sir Gâr oedd John Williams, ac yr oedd yn hannu o Landyfaelog. Cylchwr, neu gowper, oedd ef wrth ei alwedigaeth, a bu fyw y rhan helaethaf o'i oes yn Sain Tathan, a dywedir iddo gadw siop yno tua diwedd ei yrfa.

Yr oedd ef a Thomas William, Bethesda'r Fro, yn gyd-aelodau yn Aberthin, hyd nes i ffrae godi ynglŷn â daliadau diwinyddol Peter Williams. Fe gofnododd y ddau ei teimladau ynglŷn â'r gŵr mawr hwnnw,—Thomas William, mewn marwnad, a John Williams, mewn cerdd go gignoeth, ond sy'n ddigon cydnaws â natur dadleuon y cyfnod.

6

> Mi glywes am gyfarfod creulon
> Wrth ochr afon *Towy* las,
> Oedd debyg iawn i'r *inquisition,*
> Taflu'r cywir gred i maes.

Hwn oedd cyfnod yr ail-genhedlaeth yn hanes y Diwygiad Methodistaidd, ac fe geir tinc o hiraeth am yr arweinwyr, y Tadau, mewn llinellau fel rhain.

> Mae'r hen frodyr wedi 'mado,
> Hen *Rowlands* fwyn, a *Harris* fawr;
> *John Harris* dduwiol, o Sir *Benfro,*
> A'r gwr *Glan-Cothi,* yn y llawr :
> A'r brodyr ieuaingc yn ymchwyddo,
> Fel cwmwl gwag o flaen y gwynt;
> Ac ambell hen-ddyn wedi *ei reibio,*
> Megis y *Galatiaid* gynt.

Ymwahanodd John Williams a'i gyfaill â'r Methodistiaid Calfinaidd yn Aberthin, a sefydlu achos yn y Britwn. Fe fu John Williams farw ychydig fisoedd cyn gweld agor yr adeilad newydd, Bethesda'r Fro.

Efallai mai'r peth rhyfeddaf yng nghymeriad John Williams yw iddo fedru gwneud cyfeillion o ddau ddyn mor gwbl wahanol â Thomas William a Iolo Morganwg. Fe ddywedir na fu fawr o gymdeithas rhwng Thomas William a Iolo, er i'r ddau fyw am dymor hir yn Nhrefflemin. Efallai fod elfennau rhy debyg i'w gilydd yng nghymeriad y ddau. Mae'n hawdd deall sut y byddai John Williams yn gymeriad mwy cydnaws â'r breuddwydiwr o Drefflemin. Yr oedd John Williams, fe ddywedir, yn canu'r delyn, a'i ddiddordebau ychydig bach yn fwy 'bydol' na'r eiddo Thomas William. Canai yn null tribannau'r Fro, ac mae Iolo wedi cadw rhai ohonynt ar glawr. Fe'u dyfynnir gan Gomer Roberts yn ei lyfryn gwerthfawr, sy'n casglu ynghyd, mewn cwmpas byr, bron y cyfan y gellir ei ddweud am "emynwyr Bethesda'r Fro". Dyma ddau bennill o waith John Williams.

> Tri pheth sydd am y gwaetha.
> Gŵr ffraeth mewn gwisg cardotta,
> A hwnnw'n feddwyn drwg ei naws,
> A'i gell heb gaws a bara.

> Un peth sy'n anhebygol,
> Dŷn gwlyb yn ŵr profiadol,
> Bod hwnnw'n dilyn cwrw'n hir
> Ac eto'n wir grefyddol.

7

Dyma ddefnyddio mesur triban Morgannwg i ddibenion moesol. Fe gasglwn oddi wrth dystiolaeth G. J. Williams, fod gan Iolo ddylanwad ar ei dwf fel bardd, ond y Diwygiad a orfu yn ei hanes, ac fe'i hadnabyddir heddiw ar sail o leiaf ddau emyn mawr :

'Pwy welaf o Edom yn dod' a

'Pwy feddwl, pwy 'madrodd, pwy ddawn'.

Ychydig, mewn gwirionedd, oedd ei gynnyrch, a llawer o hwnnw heb fod yn codi uwchlaw cyffredinedd poenus. Pan gyhoeddodd *Cân Ddiddarfod* ni allai gael gwell disgrifiad o'r cynnwys na "Penillion Addysgiadol". Yr elfen 'ddysgu' hon a'i cadwodd rhag codi i dir yr ychydig emynau a phenillion a gadwodd ei enw'n fyw ar dafod leferydd crefyddwyr o bob enwad. Mewn cân o saith o benillion digon cyffredin, y ceir y pennill grymus hwnnw :

> Fel fflamau angherddol o dân
> Yw cariad fy Anwylyd o hyd,
> Fe losgodd bob rhwystr o'i flaen,
> Fe yfodd yr afon i gyd;
> Fe ymaflodd mewn dyn ar y llawr,
> Fe a'i dygodd â'r Duwdod yn un,
> A'r pellder oedd rhyngddynt mor fawr,
> Fe a'i llanwodd a'i haeddiant ei hun.

Y mae gwreichion y Diwygiad yn tasgu yn y pennill hwn. Fe gysylltwyd pennill arall o eiddo John Williams â hwn, ac fe genir y ddau fel emyn cyfan heddiw, fel y gwnaed yn *Crynodeb o Egwyddorion Crefydd*, Thomas Charles o'r Bala, a gyhoeddwyd yn 1789. (Fe gyhoeddwyd *Cân Ddiddarfod* yn 1793). Y pennill hwn yw,

> Pwy feddwl, pwy 'madrodd, pwy ddawn,
> Pwy dafod all osod i ma's
> Mor felys, mor helaeth, mor llawn,
> Mor gryfed Ei gariad a'i ras :
> Afonydd sy'n rhedeg mor gryf
> Na ddichon i bechod na bai
> Wrthsefyll yn erbyn eu llif
> A'u llanw ardderchog di-drai.

Pe canasai John Williams ar y lefel yma trwy ei holl waith, mi fuasai yn un o emynwyr mawr Cymru. Ond tybed nad yw bod yn awdur yr emyn hwn a "Pwy welaf o Edom yn dod", yn ennill ei le iddo ymhlith y mawrion? Y mae'n aros un eironi, hefyd, ynglŷn â John Williams. Canwyd llawer ar y pennill,

> Daw amser prysur bwyso
> Ar grefydd cyn bo hir,
> Ceir gweld pwy sydd a sylwedd,
> Ceir gweld pwy sydd a sylwedd,
> A phwy sydd heb y gwir.
> Fy Nuw! rho i mi weled
> A oes arnaf ôl dy law,
> Cans dyna'r nod a'r argraph,
> Arddelir ddydd a ddaw.

gan gynulleidfaoedd y Methodistiaid Calfinaidd, heb sylweddoli mai pennill ydoedd yn tarddu o'r frwydr yn Aberthin, a bod yr awdur yn fflam-goch o blaid yr 'heretic' Peter Williams! Ond wrth feddwl, mae llyfr emynau yn aml yn llawer lletach na daliadau dadleuwyr diwinyddol. Cofiaf fod emyn o waith y 'dwyfundodwr' Iolo Morganwg, yn llyfr emynau'r Eglwys yng Nghymru, *Emynau'r Eglwys*, ac ni warafunodd y Methodistiaid ei le i Newman y Pabydd rhwng cloriau eu Llyfr Emynau hwythau.

Nid yw'n bosibl, bellach, leoli cartref John Williams yn Sain Tathan. Fe ganodd Thomas William gân "ym mhen pedwar ugain o fisoedd wedi claddu fy hen hawddgar gyfaill Mr. John Williams, o St. Athan, wrth fyned heibio i'r tŷ lle y buasai yn byw", sy'n awgrymu bod newid wedi digwydd hyd yn oed bryd hynny. Fe ddwedir i'r tŷ gael ei droi'n dŷ tafarn wedi ei farwolaeth.

> Ai hon yw'r annedd hono bu Williams ynddi'n byw?
> Er gwybod, prin 'rwy'n credu mae'r annedd hyny yw;
> Mae'r myrtwydd mân a'r tulip, a'r lili gwyn eu gwawr,
> A muriau'r tŷ'n mynegu mai ereill sy' yma'n awr.

Ac mae'n cofio am yr oriau dedwydd a dreuliasai yn y cartref hwn, a llenwir ei galon â hiraeth dirwymedi.

> Mewn hiraeth mi âf heibio i'r tŷ lle'r oeddyt ti,
> Ac mi ddof 'nôl drachefn a hiraeth gyda mi;
> Mewn misoedd bedwar ugain un gronyn llai nid yw,
> Fy nghyfaill fydd mae'n debyg byth bellach tra fo'i byw.

Ond teyrnged ddwysaf, a'r fwyaf awenyddol o eiddo Thomas William i'w gyfaill yw'r gân, "Llef Eliseus ar ôl Elias," a phennir naws a chynnwys y darn gan adnod o ail lyfr y Brenhinoedd: "Ac fel yr oeddynt hwy yn myned dan rodio ac ymddiddan, wele gerbyd tanllyd, a meirch tanllyd, a hwy a'u gwahanasant hwy ill dau. Ac Elias a ddyrchafodd mewn corwynt i'r nefoedd. Ac Eliseus a lefodd,

Fy Nhad, fy Nhad, cerbyd Israel a'i farchogion; ac nis gwelodd ef mwyach". Teyrnged i'r gân yw ei bod yn amhosibl dyfynnu pennill yn unig, heb ddistrywio ei chyfanrwydd. Mae'n enghraifft o ddawn Thomas William ar ei gorau, ac yn profi y gwyddai gryn lawer am grefft y bardd, ac y gwyddai mai ymatal yw nod angen canu o'r math yma, a bod ymatal yn dwysáu'r ymdeimlad o golled.

Daeth cerbyd Israel, daeth
  A hardd farchogion hy',
I gyrchu o'i garchar caeth,
  Fy hen gydymaith cu;
Oer yw fy llef yng nghanol lli',
  Gadawyd fi, cymerwyd ef.

Cyd-aethom yn gytun,
  Trwy ddyffryn Baca dro,
Heb wybod gronyn p'un
  Ai gynta' o'r dywyll fro :
Oer yw fy llef, gwahanwyd ni,
  Gadawyd fi, cymerwyd ef.

Y meirch a'r cerbyd tân,
  Pa le safasant hwy?
'Dwy'n deall dim yn lân,
  Ni thal ymofyn mwy;
Ond aros dydd, cawn lewyrch gwell,
Dirgelion pell yn amlwg fydd.

'Rwy'n ildio, ni thal im'
  I geisio'th ddilyn di;
'Dwy'n gwybod fawr neu ddim
  Yng nghylch eich gwynfyd chwi :
'R ysbrydion byw, cymanfa fawr,
Sydd fel y wawr yng ngwydd eich Duw.

Er colli o'n byd ni'n mhell,
  Ein hen gyfeillion cu;
Fe'u cawd mewn byd sydd well,
  Tu draw i'r dyffryn du;
O gwyn fyd hwy, uwch poen a thraul,
Dan lewyrch haul na fachlud mwy.

O Sain Tathan awn ar hyd ffiniau maes awyr enfawr gyda'i erodrôm anferth a'i stadau o dai a fflatiau, tua Bethesda'r Fro. Ar y chwith, ryw filltir, fwy neu lai, cyn cyrraedd yno, trown ychydig lathenni oddiar y ffordd i gael golwg ar Eglwys Brewys, un o eglwysi lleiaf y Fro. Adeilad digon amrwd ydyw, ond yn perthyn i'r drydedd

2. Bethesda'r Fro cyn yr atgyweirio.   J. Idris Morgan

ganrif ar ddeg. Gwelir olion ei gyntefigrwydd ar bob llaw—y cawg dŵr swyn yn y porth; y tu mewn, olion croglofft a drws i fyned iddi, a thrawstiau hynafol ag ôl anhraith pryf y coed yn drwm arnynt.

Mae carreg i goffáu merch i un Miles Basset a'r dyddiad 1643 arni. Ar y muriau ceir y 'Credo' a 'Gweddi'r Arglwydd' a'r dyddiad 1654 wrthynt,—arwydd o'r trawsnewid a ddaeth yn sgil y Diwygiad Protestannaidd.

Methais â dod o hyd i hanes Sant Brewys, ond mynn rhai mai nodi cysylltiad â theulu de Breos a wna'r enw. Daliai'r teulu hwn eiddo ym mhlwyf Llan-maes a hefyd ym Mro Gŵyr. Aeth yr eglwys yn eiddo i'r Seisiaid yn yr unfed ganrif ar bymtheg. Mae ychydig o dai annedd hŷn na'r ganrif hon o gwmpas, ond mae'n debyg na fu yno erioed fwy na rhyw lond dwrn o dai. Dywed Iolo Morganwg mai dim ond rhyw bump o deuluoedd oedd yno yn ei ddyddiau ef. Yn y Cyfrif yn 1801 rhif poblogaeth pentref Brewys oedd 33, a hanner canrif wedi hynny, 24.

11

Ym mhentref Brewys y cafodd Thomas William, Bethesda'r Fro
ei wraig, Jane Morgan, a phriodwyd hwy ym 1790 ac aethant i fyw
i ffermdy Ffwl-y-mwn.

Ond yn ôl â ni i'r ffordd ac ymlaen ar hyd ffiniau'r maes awyr
heibio i ffermdy *Fisher's Bridge,* ac ymhen ychydig gannoedd o
lathenni down at Fethesda'r Fro. Wrth agosáu at y capel bach ni
allaf ymatal rhag cofio geiriau W. J. Gruffydd, a osododd yn rhag-
ymadrodd i'r stori a weodd o gwmpas gweinidog cyntaf yr achos,
Thomas William, a gyhoeddwyd yn *Y Llenor,*

"Mae Bethesda'r Fro yng nghanol diffeithwch. Mae'r heolydd
bychain troellog, a'r gwrychoedd drain a'r ffosydd wedi diflannu;
nid oes yn awr ond strydoedd concrit a rhes ar res o dai brics, a
phob math o hoewal a thyrau ac adeiladau dieithr. Ar drawiad
amrant, megis, troed yr ardal dawelaf yng Nghymru yn ffatrïoedd a
chytiau. Ar gwr y milltiroedd diffaith hyn, mae'r hen gapel bach
yn llechu, fel dyn ofnus ar ymyl tyrfa o'i elynion, yn gobeithio
na chymer neb sylw ohono. Wrth ochr y capel mae bedd Thomas
William, emynydd cwynfannus Bro Morgannwg, gweinidog cyntaf
Bethesda."

3. Eglwys Brewys.   David Jones

Bûm droeon yn y fangre hon, cyn nesáu o'r anghyfanedd-dra hwn ac wedi hynny. Mae'r ymddadfeilio cyson a ddigwyddodd i'r capel yn y blynyddoedd diwethaf hyn wedi dwysáu y drych o dristwch a welodd W. J. Gruffydd. Efallai nad oes fangre trwy'r Fro, na thrwy Gymru gyfan, na chastell hen nac eglwys hynafol, sy'n alluog i ysgwyd dyn i'w waelodion fel yr olwg gyntaf ar y capel gweddw hwn, gyda'i ffenestri dall, y cloriau wedi cau, y drysau tan glo, y muriau'n malurio'n araf ond yn sicr, y fynwent yn anialwch, a bedd yr hen weinidog bron ar goll dan donnau di-hidio'r gwair a'r gwellt.

Ond nid yw'n debyg y byddai sôn am y capel bach o gwbl, oni bai am y gŵr 'cwynfannus' hwnnw, Thomas William. Bellach, pa beth bynnag a ddigwydd i'r adeilad distadl hwn, ai diflannu o'r golwg dros fyth, ai peidio, fe erys ar femrwn cof y genedl tra pery'r Cymraeg, a thra pery Cymry i ganu

> Adenydd fel c'lomen pe cawn,
>   Ehedwn a chrwydrwn ym mhell,
> I gopa bryn Nebo mi awn,
>   I olwg ardaloedd sydd well;
> A'm llygaid tu arall i'r d'wr,
>   Mi dreuliwn fy hoedel i ben,
> Mewn hiraeth am weled y Gŵr
>   Fu a'i ddwylaw dan hoelion ar bren.

> Nis gallaf tra'n byw yn y cnawd
>   Ddim dyodde'r caniadau sydd fry,
> Na llewyrch wynebpryd fy Mrawd,
>   Mae'n llawer rhy ddysglaer i mi :
> 'Nol hedeg a gadael fy nyth,
>   A chuddio fy mhabell o glai,
> Bydd digon o nefoedd dros byth,
>   Ei weled E' fel ag y mae.

> Mi 'rosaf wrth ochr y dw'r
>   Nes mynd o'r anialwch yn lân,
> Fy ngobaith yw concwest y Gŵr
>   A rydiodd yr afon o'm bla'n;
> Mae'n olau, fe rwygwyd y llen,
>   Fe gododd ein Harglwydd i'r lan;
> Mae'n sicr os cododd y Pen
>   Fe gwyd yr aelodau'n y man.

13

Mae bugail y defaid yn fyw,
　A'i braidd sydd i gyd yn ei gôl;
Yn ardal y meirw nid yw,
　Duw'r heddwch a'i dygodd yn ôl;
Y plant roddwyd iddo fe 'gyd,
　Un ewin ohonynt ni choll,
Fe ddywed yn niwedd y byd,
　Mi'u cedwais, ac wele hwynt oll.

Rhydd y Dr. Thomas Rees a gyhoeddodd *Gweithiau Prydyddol y Parch. Thomas Williams,* ddarlun gwahanol o gymeriad yr emynydd, i'r gŵr "cwynfannus" a awgrymir gan W. J. Gruffydd. "Fel pregethwr," ebr ef, "yr oedd yn ffraeth, tarawiadol, ac anarferol o effeithiol. Tua hanner awr fynychaf fyddai hyd ei bregeth, ond yr oedd tra y parhâi mor felus a'r mêl". Wrth gwrs, fe all y ddau ddarlun fod yn wir, ac y mae marwnadau'r bardd yn rhoi lle i gredu bod y pruddglwyf yn rhan o wead ei natur; ac y mae rhywbeth yn swydd y pregethwr, a fyddai'n gorfod esgyn i bulpud ddwy a thair gwaith y Sul, sy'n ei wneud yn ysglyfaeth parod i bruddglwyf. Cofiaf fod yn teithio Iwerddon gyda'r bardd W. R. Rodgers a fu cyn hynny'n weinidog gyda'r Presbyteriaid yng Ngogledd Iwerddon, a gofyn iddo ryw noson, pam y gadawodd y weinidogaeth, a chael yr ateb syfrdanol : "Those bloody Monday mornings !" Ac nid gwamalu yr oedd. Onid oes ychydig o ôl Thomas William ar Thomas Rhys, y gweinidog hwnnw y canodd W. J. Gruffydd farwnad iddo? Blinid Thomas Rhys, lawn cymaint â'r bardd Gwyddelig, gan ormes yr "ymdrech unig chwerw ddi-goffâd ar fore Llun." Y mae digon o dystiolaeth i bruddglwyfni Thomas William yn ei emynau a'i ganiadau eraill, ond y mae hefyd fwy, mi dybiaf i, o olion y ffydd a'i cynhaliodd ar hyd ei bererindod faith a thrafferthus trwy fywyd.

Fel y cawn sylwi wrth ymweld â Thre-hyl a Llan-gan, daeth Thomas William dan ddylanwad y Diwygiad Methodistaidd yn gynnar iawn. Fe'i ganwyd ym Mhendeulwyn ac erbyn ei fod yn ddeng mlwydd oed, pan ymunodd â'r seiat yn Nhre-hyl, yr oedd y Diwygiad ar gerdded o ddifrif trwy'r Fro, a gwŷr fel Howel Harris, Daniel Rowland, Williams Pantycelyn, John Wesley ac eraill yn gyfarwydd â'i llwybrau culion, a'i thai annedd lle y cyfarfyddai'r seiadau cynnar. Yn y Fro ei hun yr oedd David Jones yn Llan-gan, Christopher Basset yn Aberddawan, Howell Howells yn Sain Nicolas, "yn hau a hau drachefen".

14

Ond cweryl diwinyddol a roes fod i gapel Bethesda'r Fro; mewn gwirionedd 'capel sblit' ydoedd. Aeth pethau ben-ben yn yr achos yn Aberthin, oherwydd anghytuno anghymodlon ynglŷn â diarddeliad Peter Williams gan y Methodistiaid Calfinaidd oherwydd ei 'Sabeliaith'. Fel Methodist Calfinaidd y cychwynnodd Thomas William ei yrfa, ond yn Aberthin pleidiodd achos Peter Williams, ac yn y diwedd ymadawodd ef a nifer o'r ddiadell yno, a ffurfio cynulleidfa newydd yn y Britwn, ym mhlwyf Pen-marc. Galwyd ar Thomas William i fod yn weinidog arnynt, ac fe'i hordeiniwyd "i gyflawn waith y weinidogaeth trwy gyfodiad dwylaw yr henuriaid, yng nghyd âg ympryd a gweddi". Arwyddwyd y cofnod hwn ar ran y gynulleidfa gan ei gyfaill, ei gyd-emynydd o Sain Tathan, John Williams. Ceir nodyn diddorol ar waelod y cofnod, sy'n taflu ychydig o oleuni ar stad trefniadaeth y gwahanol enwadau yn y cyfnod hwn. Dywed John Williams : "Mae y ffordd uchod o ordeinio i'w gweled yn y llyfr a elwir *Gospel Church,* gan Dr. Owen; hefyd yn llyfr Dr. Chancey ar Ddisgyblaeth; hefyd dyna fel yr ordeiniwyd Morgan John, gweinidog cyntaf New Inn." Yr oedd hyn yn 1798, ac nid oedd y gynulleidfa honno y pryd hwnnw, yn gysylltiedig ag unrhyw enwad. A'r Britwn, gan mwyaf, oedd canolfan y garfan yma o gyn-aelodau Aberthin tan 1806, pan gafwyd tir yn ymyl ffermdy *Fisher's Bridge* i godi capel arno. Yn y flwyddyn honno y codwyd Bethesda'r Fro. Y mae ychydig o amheuaeth ynglŷn â dyddiad agor y capel, ond barn Gomer Roberts yw mai 1807 ydoedd; dyna sydd i'w weled ar y mur : Bethesda'r Fro 1807. Rhoddwyd y tir i godi'r capel arno gan Thomas Redwood o Drebefered, a gwahoddwyd ef i bregethu yn y cyfarfod agoriadol. Y pregethwr arall, wrth gwrs, oedd Thomas William, y gweinidog newydd.

Gellir cael rhyw syniad am deimladau Thomas William tuag at Peter Williams yn ei farwnad danllyd iddo.

Peter, mae llyth'rennau d'enw
    Yn creu hiraeth dan fy mron :
Dyn a gerais, dyn a'm carodd,
    Meddwl dy fod dan y don.

15

> Annwyl oeddem yn ein bywyd,
> Cu iawn genyf oeddit ti,
> A thu hwnt i gariad gwragedd
> Oedd dy gariad ataf fi.

Y mae angerdd y pennill hwn, gyda'i gyfeiriad, neu yn wir ei arall-eiriad o alargan Dafydd ar ôl Jonathan, yn nodweddiadol o lawer o ganu Thomas William. Y farwnad hon yw un o'i ganeuon cynharaf, ond erbyn i'w awen gyrraedd ei hanterth, cawn ganddo farwnad feistraidd fel honno a ganodd ar ôl ei briod a honno ar ôl ei gyfaill John Williams, a ddyfynnais eisoes. Yn wir, y mae rhywbeth cydnaws â'i awen, a'i ysbryd efallai, yn y farwnad. Mae'n grefftwr ymwybodol, a chanddo glust at ffurf. Mae hefyd, yn hyddysg iawn yn nhraddodiad barddoniaeth Gymraeg a Saesneg. Sylwer yn fanwl ar y farwnad a ddyfynnais, ac fe welir ar unwaith nad rhywbeth wedi'i chlytio at ei gilydd rywfodd rywsut yw hi, ond cân gelfydd ag ôl llaw crefftwr medrus ar bob llinell.

'Rwy'n credu bod cytundeb ym mhlith ein beirniaid llenyddol fod Thomas William ymhlith goreuon ein hemynwyr. Onid yw'n bryd dwyn allan argraffiad newydd o'i emynau a'i gerddi eraill? Araf iawn fu ysgolheigion ein Prifysgol i ymgodymu â gwaith emynwyr y ddeunawfed ganrif. Oni bai am weithgarwch gŵr fel Gomer Roberts, tenau iawn fyddai hi arnom. Ond mae arwyddion fod pethau'n dechrau gwella.

Rhoddir lle mawr i angau yn emynau Thomas William, ond fe'i hachubir rhag morbidrwydd gan hyder y gobaith Cristionogol sy'n waelod i'w fywyd a'i fuchedd. Yn un o'i ganeuon,—o'r braidd y gellir ei galw'n emyn—mae'n myfyrio ar gorff yr ymadawedig yn y bedd, fel y gwnaeth Siôn Cent gynt, ond mewn ysbryd gwrthwyneb i'w eiddo ef.

> Y pen fu'n llawn dolur a chur,
> 'Does ynddo na gwayw na gwŷn;
> 'R amrantau na chauodd yn hir,
> A gauodd, a melus yw'r hun;
> Y llygaid galarus fu cy'd
> Yn wylo gan ofid mor brudd,
> Fe sychodd y ffynnon i gyd,
> Ni wlychir byth eto mo'r rudd.

16

Y galon a gurodd yn ddwys,
  Heb orphwys flynyddau tra mawr,
Sy'n esmwyth dan geudod y gwys,
  Heb guro un ergyd yn awr;
Y nwydau naturiol i gyd
  Ddiffoddwyd, ddont mwyach i'w gwrdd, ·
Eiddigedd, a ch'wilydd a llid,
  O'i fynwes a ffoisant i ffwrdd.

Mae Bedwyr Lewis Jones wedi sylwi ar y modd y mae Thomas
William yn diriaethu ei brofiad. Ceir ef dro ar ôl tro yn ein gosod
yn solet yng nghanol y sefyllfa, neu'r olygfa sy'n sail i'w emyn. Ai
hyn a wnaeth yr emyn "Y Gŵr ar ffynnon Jacob" yn un mor bob-
logaid yn Niwygiad 1904? Gyda llaw, Elfed, ebr Mr. J. T. Jones,
y Rhos, wrthyf, pan holais ef am y Diwygiad hwnnw, a fu'n gyfrifol
am ddwyn yr emyn hwn i fri yr adeg honno. Rhaid i mi gyfaddef
nad oeddwn i wedi sylweddoli, tan y pryd hwnnw, mai Thomas
William oedd yr awdur. Ie, diriaethu profiad a chysondeb delweddu
yw nod angen ei ganu. Dyma ichi enghraifft fach; y testun yw
"Gobaith—angor yr enaid".

Gobaith yw angor f'enaid drud,
Wrth groesi ce'nfor garw'r byd;
Mawr iawn yw grym y gwynt a'r dòn,
Yn f'erbyn trwy'r holl fordaith hon.

Addewid ddianwadal Duw
Yw unig obaith f'enaid byw;
Mi dafla f'angor yma 'lawr,
Yng nghanol tònau moroedd mawr.

Os tònau ddaw, a gwynt sydd fwy
Na'r rhai a gwrddais gynt â hwy,
Mae gafael f'angor uwch y nen,
A'm Iesu fry tu fewn i'r llen.

Dywedir mai fel ymestyniad o'i destun a'i bregeth y cyfansoddwyd
llawer o'i emynau, a dyna'n ddiau yw'r emyn hwn sy'n codi o adnod
19 yn Hebreaid vi. Nid oes angen dyfalu testun y bregeth y can-
wyd yr emyn hwn ar ei gyfer.

O'th flaen, O Dduw, 'rwy'n dyfod, gan sefyll o hir bell,
Pechadur yw fy enw, ni feddaf enw gwell;
Trugaredd wyf yn geisio, a cheisio eto wnaf,
Trugaredd i mi dyro, rhaid marw oni chaf.

Pechadur wyf, mi wela', O Dduw, nad alla'i ddim,
'Rwy'n dlawd, 'rwy'n frwnt, 'rwy'n euog, O bydd drugarog im' :
Mae'n debyg na fydd gennyf, trwy'm bywyd hyd y bedd,
O hyd ond gwaeddi pechais, nid wyf yn haeddu hedd.

Mi glywais gynt fod Iesu, a'i fod ef felly 'nawr,
Yn derbyn publicanod a phechaduriaid mawr :
O derbyn, Arglwydd, derbyn fi hefyd gyda hwy,
A maddeu'r holl anwiredd, heb gofio'r camwedd mwy.

Y mae rhyw unplygrwydd gwylaidd yn y geriau hyn a heb ddeall
y fath emyn â hwn nid yw'n debyg y gallwn ddirnad nerth y
Diwygiad Methodistaidd, na symbyliad canu ei emynwyr.

Mae bywyd Thomas William yn rhychwantu'r Diwygiad o'i
ddechrau brwdfrydig tan oerni cynyddol ei ddiwedd. Ym 1827, pan
fu farw ei wraig Jane, canodd farwnad iddi, ac yn hon fe geir mwy
nag awgrym o'r hyn oedd i ddigwydd.

O Bethesda anniolchgar
    Ac anghofus iawn o Dduw,
Wedi hau a hau drachefen,
    Braidd eginyn sydd yn fyw;
Mae'r hen frodyr, ond rhyw 'chydig,
    Wedi myned draw i dre'
Ac nid oes arwyddion nemawr,
    Am rai eraill yn eu lle.

Deuai i gof awelon hyfryd gwanwyn a haf y Diwygiad, a'u heff-
eithiau ar y bobl.

Ble mae'r hen awelon hyfryd,
    Bywiog, grymus, glywais i?
Torf yn crynu, rhai yn gwaeddu,
    Trowch ni o'r fyddin, clwyfwyd ni.

Profiad anorfod diwygiadau yw hyn, wrth gwrs. Ni all pobl fyw eu
bywyd, er ei fyrred, ar yr uchelfannau.

Ond beth ddwedai heddiw pe gallai weld yr hen gapel bach
adfeiliedig? Bu farw yn Nhrefflemin ar y 23ain o Dachwedd 1844
yn 83 mlwydd oed.

18

Wedi sgrifennu'r uchod, teithiais unwaith eto tua Bethesda'r Fro —y tro hwn ar nos Sul melyn o hydref. Yr oedd y Fro ar ei gorau, yr heolydd yn amddifad o'r pererinion di-hidio a fu'n tramwy ar hyd-ddynt yn anterth yr haf. Yr oeddwn wedi clywed eisoes am y gweddnewid a ddaeth dros y capel bach, ond digwyddwn fod ar wyliau ddiwrnod yr ail-agor ar Orffennaf 21ain, 1969.

Gwasanaeth dwy-ieithog a gafwyd ar ddydd yr agoriad, fel yn wir, yr un wrth agor yr adeilad cyntaf, pryd y pregethwyd gan Mr. Thomas Redwood, yn Saesneg, ar destun pwrpasol o Eseia, "Agorwch y pyrth, fel y dêl y genedl gyfiawn i mewn, yr hon a geidw wirionedd", a Thomas William ei hun, o Lyfr Genesis, yr adnod lawn mor bwrpasol : "Ac efe a ofnodd, ac a ddywedodd, Mor ofnadwy yw y lle hwn ! nid oes yma onid tŷ i Dduw, a dyma borth y nefoedd".

Yr argraff a roddir gan Thomas William am ei weinidogaeth ym Methesda'r Fro yw ei bod yn aneffeithiol ac aflwyddiannus. Ac os yw cynnydd achos i'w fesur wrth gynnydd rhif y gynulleidfa, yna mae'n debyg fod yr hen emynydd yn go agos i'w le.

Deg-ar-hugain o flynyddoedd bûm yn hau trwy hyd y rhai'n,
Syrthio wnaeth yr had gan mwyaf, wrth y ffordd, y graig, a'r drain.
Mewn tir da ni syrthiodd nemawr, nemawr iawn—fe syrthiodd peth,
Gwlith y nef aroso arno, fel nad elo byth ar feth.

Hyd yn oed yn nyddiau olaf Thomas William, yr oedd newid wedi dechrau, newid yn arferion dynion, ac nid oedd Thomas William yn gwbl ddall i'r cyfnewidiadau oedd yn digwydd yn y Fro, fel y canodd yn ei farwnad drist i'w wraig :

4. Bethesda'r Fro wedi'r atgyweirio.   R.A.F.

Mae proffeswyr a'u teimladau
'Nawr mor dyner, nad ânt trwy
Wres nac oerfel i addoliad,
O fewn milltir fach neu ddwy;
Rhaid cael temlau'n agos, agos,
Tŷ cwrdd yma, tŷ cwrdd draw,
Gormod taith yw cerdded milldir,
Chwaethach cerdded wyth neu naw.

Nid oedd gwres y Diwygiad, bellach, i'w cynhesu a'u cynnal rhag yr oerfel; yr oedd y 'pasiant' bron â bod trosodd, ac ychydig gysur a fyddai i Thomas William, pe bai gyda ni ar y noson hyfryd hon o hydref; ychydig o ôl tynnu tua'r tŷ a welir heno. Rhyw naw neu ddeg a ymlwybrodd tua'r Cysegr; a hithau'n noson Gymun, hefyd.

Wrth nesáu at y capel, a chofio'r drych oedd arno pan ymwelswn ag ef ddiwethaf, yr oedd yn rhaid arafu cam, a sefyll i syllu arno ar ei newydd wedd. Yr oedd y to a phob llechen yn ei lle; y caeadau pren wedi'u symud oddiar bob ffenestr; y muriau'n wynion llachar, ond bod gwawr fach felen arnynt heno dan haul yr hwyr; y fynwent yn lân a chymen; y festri'n dwt a diddos, a oedd gynt yn agored i'r gwynt a'r glaw; O'r fath drawsnewid! Cynhesai calon dyn wrth y Caplan, y Parchedig J. H. Couch, gweinidog gydag Eglwys Bresbyteraidd Cymru, a roes ei amser, ei ddawn a'i egni i atgyweirio'r cysegr hwn. Gweithiodd â'i ddwylo ei hun, a cheisiodd gadw popeth fel y bu; ac fe lwyddodd.

Ar y mur, gyferbyn â'r pulpud, a'r sedd fawr, sy'n rhedeg ar hyd ochr yr adeilad, ac nid wrth ei dalcen, ceir maen coffa teulu Thomas William, a'r pennill o deyrnged i'r gweinidog ei hun.

Rhagorol weinhidog gwych enwog a chu,
A disglaer oleuad i fagad a fu.
Fe ganodd yn beraidd tra parodd ei oes;
Yn rhad y pregethodd yr Iesu a'i Groes.

Tybed mai cyfeiriad at y ffaith a groniclir gan Thomas Rees yn ei 'ragdraeth' i'r *Gweithiau Prydyddol*, sydd yn y llinell olaf, sef i Thomas William roi ei wasanaeth i'r eglwys heb ofyn unrhyw dâl; "ac felly cafodd yr aelodau a'r gwrandawyr eu gadael trwy yr holl flynyddau heb gyfranu ond y peth nesaf i ddim at achos y Gwaredwr". Hyn, ym marn Thomas Rees, oedd un o achosion pennaf aflwyddiant Bethesda'r Fro.

20

Yn hongian o'r nenfwd o flaen y pulpud yr oedd tsaen bres yn dal cwpan pres, a fu gynt yn dal lamp olew. Yr oedd hon yma yn nyddiau Thomas William, ond erbyn hyn y mae'r lamp ei hun ar goll. Ond y noson honno yr oedd yr haul fel pe'n arllwys pelydrau melyn-fwyn i mewn drwy'r ffenestri gan oleuo'r capel bach â golau nid anhebyg i eiddo'r lamp olew y dɑrllenwn wrth ei golau yn nhŷ capel Clos-y-graig, ers llawer dydd.

Cododd y Caplan ei destun o Lyfr Samuel, lle sonnir am lampau'r deml a losgai ddydd a nos, a dechreuodd ei bregeth trwy sôn am y tsaen weddw o'i flaen, a'r ymdrech a wnaeth i ddod o hyd i lamp olew i'w gosod wrthi, i gwblhau'r atgyweirio, a dwyn y capel yn ôl i'r union stad yr oedd ynddi yn nyddiau Thomas William.

Nid oedd yn anodd dychmygu'r emynydd yn ôl yn ei bulpud.

5. Pulpud Bethesda'r Fro.   R.A.F.

Dywedir ei fod yn "ei ieuenctid yn un o'r dynion harddaf o gorff yn yr holl wlad, a'i fod o ymddygiad boneddigaidd iawn." Meddyliai tad Edward Matthews y byd ohono. "Yr oedd gan fy nhad", ebr Matthews, "barch diderfyn, welwch chi, i Thomas William, Bethesda'r Fro . . . ac ni allai ddioddef i neb ddywedyd gair bychanus amdano". Yr oedd Edward Matthews ei hun yn ei adnabod yn dda, yn ôl Mr. Davies, Ton, a sgrifennodd ei hanes yn teithio "yma a thraw yn y Fro", yn *Cymru* Owen M. Edwards.

"Arferai fyned i'w wrandaw yn fynych pan yn llanc ieuanc gartref yn Sain Tathan a Phenmarc a mynnai ef ei fod yn un o'r pregethwyr gorau a wrandawodd erioed. Yr oedd yn ddyn mawr o ran corffolaeth, a'i olwg yn urddasol ac awdurdodol; meddai ar un o'r lleisiau goreu, a byddai yn gwneyd defnydd da ohono. Yr oedd yn llawn o dân y Diwygiad . . ."

A throi o gwmpas Thomas William a wnawn wrth wrando ar y bregeth. Yn Saesneg yr oedd y gwasanaeth, wrth gwrs, ac wedi'r bregeth disgynnodd y caplan o'r pulpud i weinyddu'r Cymun. Gwnaeth hynny yn ôl defod Eglwys Bresbyteraidd yr Alban, a rhaid i mi gyfaddef ei bod yn litwrgi syml a dwys. Wrth dorri'r Bara ni allwn lai na dwyn i gof emyn Thomas William :

> Wel, cofiwn air ein Iesu mawr,
>   Y gair dd'wedodd E',
> Gwnewch hyn er cof amdanaf fi
>   Fu farw yn eich lle.
>
> Fy nghnawd sydd fwyd, a'm gwerthfawr waed
>   Gwledd wir Ysbrydol yw;
> Bwytewch ac yfwch bawb o hwn,
>   Fe'ch ceidw byth yn fyw.

Diau mai ar gyfer Gwasanaeth y Cymun ym Methesda'r Fro y cyfansoddwyd yr emyn hwn fel llawer iawn o'i emynau eraill.

Wedi'r gwasanaeth cefais air gyda'r Caplan, a dangosodd imi hen Feibl lledr, trwsgwl braidd, a llinynnau lledr wrth y cloriau. Ar y tudalennau gwyn, yr oedd nifer o emynau wedi'u sgrifennu. Arno hefyd ceir y geiriau hyn : "Thomas William, Aged 23, 1776," sy' ar unwaith yn codi problemau. Cefais gyfle i drafod y Beibl hwn gyda'r Parchedig W. Rhys Nicholas, a'i farn ef yw nad Beibl Thomas William, Betnesda'r Fro ydyw; nid ef chwaith a sgrifennodd yr emynau ynddo. Felly, er mor braf fyddai dweud imi fod

yn trafod â'm dwylo feibl yr hen emynydd ei hun, nis gallaf. Copï-
wyd y cyfan a sgrifennwyd ar y Beibl gan Mr. Nicholas, a diau y
cawn oleuni pellach ar ddirgelwch y cwbl. Er hynny, dangosodd
T. J. Hopkins, Llyfrgell Caerdydd, imi gopi y gellir dweud gyda
sicrwydd iddo fod ym meddiant Thomas William. Ysgrifennodd ar
yr wyneb-ddalen, Thomas William his Book 1790. Fonmon in the
Parish of Penmark. Argraffiad Trefeca, 1790, o Feibl Peter
Williams! Ceir amryw nodiadau yn llaw'r emynydd, ar ddalennau
gwyn a rwymwyd yn y llyfr.

Ymadewais â Bethesda'r Fro â'r haul ar fachlud, a rhyw olau
melyn, mwyn yn gorchuddio'r Fro. Teimlwn yn ysgafnach fy
ysbryd fod Bethesda'r Fro wedi'i adnewyddu; tybed a fydd adfyw-
iad crefyddol eto yn y Fro a gyfiawnha lafur a lludded yr hen berer-
inion a dramwyai ei ffyrdd culion ar eu ffordd tua mynydd Seion?

2

Saint Andras, Dinas Powys, Llandochau Fach, Lecwydd, Llanfihangel-y-Pwll

Yr oedd yn brynhawn o heulwen gwan yr hydref pan oeddwn ar fy ffordd yn ôl o'r Barri ar hyd yr hewl dop, fel y byddwn ni yn ei galw, pan dynnwyd fy sylw at fynegbost, ychydig cyn cyrraedd pentref Gwenfô, ac arno'r enw *St. Andrews Major,* pentref na fûm i erioed ar ei gyfyl o'r blaen, er i mi fod yn y plwyf, yn wir yn pregethu yn eglwys San Pedr, yn Ninas Powys. Erbyn heddiw mae San Pedr wedi disodli Saint Andras, gan fod y boblogaeth wedi'i chanoli yn Ninas Powys.

Dim ond rhyw filltir wedi troi o'r ffordd fawr a dyma ni yn Saint Andras,—ychydig o dai o gwmpas yr hen eglwys yn y pant, a choed ffawydd—y pertaf o'r coed, yn ddeiliog neu yn ddi-ddail, yn fy marn i—yn ei hamgylchynu. Prin iawn yw'r eglwysi ar enw Saint Andras yng Nghymru. Ceir Llanandras yn Sir Faesyfed, ac y mae'n gyd-nawddsant â Dewi yn yr eglwys gadeiriol yn Nhyddewi. Ond nid yw'r ffurf *Saint Andrews* yn hŷn na'r ddeuddegfed ganrif, yn ôl Gwynedd Pierce, yn *The Place-names of Dinas Powys Hundred.* Mae'r ffurf Saint yn yr enw Cymraeg wedi'i fenthyca o'r Saesneg Saint, ac nid y lluosog o'r 'sant' Cymraeg. Fe gollir y *'t'* o flaen cytsain, fel yn Sain Ffagan neu Sain Siorys. Llanandras oedd yr enw a honnai Iolo Morganwg ar y lle, ond ei wneuthuriad ef ei hun yw'r enw hwnnw. Fe fu Saint Andras ar dafod leferydd Cymry Cymraeg y Fro, ebr Gwynedd Pierce, ond bellach diflannodd y ffurf honno'n gyfangwbl.

Troais i mewn i'r fynwent. Yr oedd yn ddiwrnod oer, gwyntog, ar waethaf yr heulwen dwyllodrus, ac fe'm twyllwyd i adael fy nghot fawr yn nhŷ; nid mynwent yw'r lle gorau ar ddiwrnod fel hwn! Gwneuthum sgawt o gwmpas y cerrig beddau a synnu bod cymaint ohonynt yn Gymraeg, neu o leiaf yn ddwyieithog. Yn wir, prin oedd y cerrig â Chymraeg yn unig arnynt, ond ceid nifer dda â phennill,

25

neu adnod yn Gymraeg. Yr oedd y dyddiadau'n ddiddorol. Gwelais v rhai a ganlyn, heb honni unrhyw drylwyredd wrth chwilio : 1819, 1822, 1848, 1851, 1854, 1855, 1871, 1878, 1889, 1896.

A dyma bennill a godais oddiar un garreg, i'r neb sydd â diddordeb mewn arysgrifau o'r fath.

> Tywyllwch sydd yn fynych
> Yn toi y fuchedd hon;
> Ond yn y ddinas sanctaidd
> Ceir byth oleuni llon.

Dyma dystiolaeth i Gymreigrwydd y Fro, gynt. Tybed a fu Edward Williams, tad Iolo Morganwg, yn gyfrifol am naddu rhai o'r cerrig beddau hyn? Oherwydd yma yn Saint Andras y bwriodd ef brentisiaeth fel saer maen cyn iddo symud i fyw i Silstwn.

Fel y sylwais yn barod mae'r eglwys mewn pant, o olwg y môr a'r gelynion o wledydd y gogledd a ddeuai i'r arfordir ar gyrchoedd ysbeilgar. Mae ei dechreuadau ynghudd yn niwl y gorffennol, ond mae'n debyg fod cysylltiad rhwng y fangre hon a Llandochau Fach, ryw ddwy filltir i ffwrdd. Erbyn cyfnod y Normaniaid cawn fod arglwyddi maenor Dinas Powys, a oedd yn cynnwys Saint Andras, yn talu degwm i Abaty Tewkesbury, fel llawer eraill o faenordai'r Fro. Gwelir olion Normanaidd yn yr eglwys, yn wir, gellwch ddarllen llawer o'i hanes yn ei muriau, y trawsnewidiadau o'r cyfnod cyn-Normanaidd, trwy'r Normanaidd â'i fwa crwn, i fwa pigog y cyfnod Seisnig cynnar.

Dywed Iolo Morganwg iddo weld ffenestri lliw yma,—gyda'r gorau ym Morgannwg, yn ôl rhai, ebr ef, ond pan ymwelodd â'r lle eilwaith, ym 1789, prin bod traean ohonynt ar ôl, a'r rheini wedi'u difetha. Awgryma Miss Chrystal Tilney, a sgrifennodd hanes byr o'r plwyf, y gall fod y ffenestri hyn wedi goroesi difrod y Reffformasiwn, a brwdfrydedd distrywgar gwŷr Cromwell, i ddisgwyl eu llwyr ddifodi gan esgeulustra'r ddeunawfed ganrif, 'Oes Rheswm'.

I'r cyfarwydd mae digonedd i'w weld ym meini'r eglwys hon, fel yr awgrymais eisoes, ond efallai taw'r creiriau prydferthaf yw'r llestri Cymun, y Cwpan a'r paten, â'r dyddiad 1576 arnynt. Mae arnynt hefyd waith cywrain y gof arian. Mewn gwirionedd, ddylwn i ddim bod wedi defnyddio'r gair 'creiriau', oherwydd defnyddir rhain o hyd yn yr eglwys, yn enwedig ar ddyddiau Gŵyl.

Yn ymyl yr eglwys mae'r hen reithordy; curais wrth y drws, a chael bod fy hen gyfaill y Canon Hilary Jones, a fu unwaith yn rheithor y plwyf, yn byw yno. Mae'r rheithordy newydd yn ymyl eglwys San Pedr yn Ninas Powys. Mrs. Jones a'm cyfarchodd wrth y drws, ac i mewn â mi a chael y Canon yn gwylio angladd y Cadfridog De Gaulle, ar y teledu.

"Fe'ch gwelais neithiwr", gan gyfeirio at y teledydd. Ymddangosais mewn ffilm ar *Richmond* a Chatraeth, yng nghyfres Ifor Rees, "Ble Carech chi Fynd?"

Mae'n rhyfedd fel mae sylw felna yn llonni calon dyn. Wrth deledu a darlledu yn Gymraeg, mae dyn yn aml yn cael rhyw deimlad ei fod yn siarad â'r awyr wag. Yr oedd y ffaith fod ganddynt set liw, wedi'i gwneud hi'n bosibl iddyn-nhw fwynhau golygfeydd Richmond a Chatraeth yn eu holl ogoniant.

Yna holi am Gymreigrwydd y pentref a'r plwyf.

"Pryd, tybed, y diflannodd y Gymraeg o'r plwyf?" gofynnais.

"Tua dechrau'r ganrif hon, 'rwy'n meddwl. Ydych chi wedi gweld llyfr Miss Chrystal Tilney? Naddo? . . ."

Ac allan ag ef o'r ystafell, ac ymhen eiliad dyma fe 'nol â llyfryn Miss Tilney yn ei law, a'i roi imi'n anrheg.

Daeth Miss Tilney o hyd i gofnod yng nghyfrifon y Wardeniaid yn sôn am dâl o £1-10-6 am Lyfrau Gweddi Cymraeg a Saesneg ar gyfer yr eglwys. 'Roedd hyn yn 1841. Mae'n debyg mai'r ysgol ddyddiol oedd prif achos diflaniad y Gymraeg o'r plwy. Ni ddechreuwyd dysgu Cymraeg yn yr ysgol tan 1905, yn ôl Miss Tilney, a methiant fu ceisio trefnu gwasanaeth Cymraeg yn eglwys y plwy. Erbyn hyn 'roedd Dinas Powys yn datblygu'n brif ganolfan y plwy, ac yno, ar dir a roddwyd gan arglwydd y faenor, codwyd eglwys haearn (*The Iron Church,* fel y'i gelwid ar dafod leferydd) i wasanaethu poblogaeth gynyddol y rhan yma o Saint Andras.

Ond nid felly yr oedd hi yn y ganrif ddiwethaf. Ceir hanes diddorol am ddigwyddiad yn y plwyf sy'n rhoi cipolwg ar fel 'roedd pethau tua chanol y ganrif. Mewn ysgrif yn yr *Haul* gan John Rowlands ('Rheidiol') adroddir yr hanes yma.

"Yr oedd yr arferiad o benodi offeiriad heb fod yn alluog i ddarllen, gweddïo, na phregethu yn nhafodiaith y bobl yn *rampant* yn yr esgobaeth yr amser hwnnw. Mae yn wir fod curad o Gymro yno (h.y. yn Saint Andras). Er fod Mr. Windsor Richards (yr offeiriad) yn Gymro nid oedd yn hyddysg yn yr iaith. Ar ei ôl ef dyrchafwyd un Mr. Sampson i'r fywoliaeth. Gwrthdystiwyd yn benderfynol yn ei erbyn, ac nid heb achos, oblegid nad oedd yn deall dim o'r iaith Gymraeg; ac os ŷm yn cofio'n iawn gwrthwynebodd yr Esgob ef, a gorfodwyd yr Arglwydd Ganghellydd i benodi Cymro, yr hwn oedd y Parch. John Morgan, ficer Llanychhaiarn a Llangwyryfon."

Dyma dystiolaeth arall i draddodiad Cymraeg y Fro. Dylwn ddweud i Mr. Rowlands fod yn athro yn y plwy ar yr adeg y mae'n sôn amdano. 'Roedd yn newyddiadurwr prysur, ac yn gyfrannwr i'r *Haul*. Yn wir, ar farwolaeth Brutus, golygydd y cylchgrawn hwnnw, galwyd ef i gynorthwyo'r golygydd newydd, William Spurrell, ac am flynyddoedd cyfrannodd lithiau dan y ffugenw "Giraldus" iddo.

Wedi sgwrs hyfryd hebryngodd y Canon fi trwy'r fynwent, a safasom ein dau gerbron cof-golofn Dewi Wyn o Esyllt, Thomas Essile Davies (David). Nid yw'r gŵr hwn yn cyfrif rhyw lawer yng nghanon y traddodiad llenyddol Cymraeg, erbyn hyn, er ei fod yn ddigon enwog yn ei ddydd. Ond mae'n dda inni gofio bod gan y sêr lleiaf, eu lle yn ffurfafen ein traddodiad. Oni bai amdanynt hwy, ychydig o obaith a fyddai am sêr mwy, ac ambell i blaned fawr. Bedyddiwyd Dewi Wyn o Esyllt yn yr eglwys hon, er mai Methodist Calfinaidd ydoedd, ym 1820, ac yn y plwyf yma y bu fyw, mewn bwthyn y tucefn i'r Felin yn Ninas Powys. Yn yr eglwys hon, hefyd, y priododd Jane, merch Edward a Catherine Matthews. Fe ddywed Watcyn Wyn, mewn ysgrif o deyrnged iddo ar ei farwolaeth, fod Catherine yn gyfnither i Edward Matthews, Ewenni, Rhychwantodd ei oes y rhan fwyaf o'r ganrif ddiwethaf; fe'i ganwyd yn 1820 a bu farw yn 1891.

Ar y garreg fedd mae hir a thoddaid gan 'Brynfab', Thomas Williams, ffarmwr, a anwyd yng Nghwm Aman, ond a symudodd i fyw i Dreorci, ac yna i blwyf Eglwysilan. Bu farw yn Sain Tathan. Dyma'r hir a thoddaid.

Dewi Wyn o Essyllt a'i awen ysol
Wefreiddiai Hanes ei wlad Farddonol;
Ei loew ysgrifbin a'i fin safonol
Rymusai dyrau y maes awdurol.
Hithau'r iaith ar ei ôl yn wylo sydd
Am ei Haddolydd a'i chawr meddyliol.

Er na ellir honni bod yma farddoniaeth, mae'r darn yn dangos yn lled gywir farn ei gyfoeswyr am Dewi Wyn o Essyllt. Codwyd y gofadail "gan Gyfeillion y Bardd ym Mhontypridd a'r Cyffiniau." Symudasai Dewi a'i deulu o Saint Andras i Bontypridd, ac yno y daeth i gyffyrddiad â 'chlic y Bont'.

Yn ei ddydd yr oedd yn fardd toreithiog, yn olygydd Y Gwlad-garwr, yn awdur llu o erthyglau hanesyddol, a beirniadaeth len-yddol. Ond yr Eisteddfod oedd ei brif atyniad, a chystadlodd yn gyson ar hyd ei oes. Dywedodd Watcyn Wyn amdano, mewn ysgrif goffa nodweddiadol Watcynaidd, "Gwnaeth Dewi Wyn o Essyllt wrth gystadlu fwy o bres o lawer nag a wnaeth Ceiriog wrth ysgri-fennu caneuon, a chyhoeddi y cyfryw." Tybed nad yw awduron llyfrau barddoniaeth a rhyddiaith yn well eu byd heddiw? Ebr Watcyn Wyn, ffraeth, "Faint o farddoniaeth raid i Fardd Cymreig droi allan ar bapur gwyn glân cyn cael ugain punt gan Hughes Wrexham?—ac mae y boneddwr hwnnw yn talu cystal â neb."

Rhaid cytuno â T. J. Morgan a ysgrifennodd ei hanes yn y Bywgraffiadur, mai ychydig o waith Dewi Wyn o Essyllt "sydd o deilyngdod a gwerth arhosol." Tipyn o fwrn yw ceisio darllen y gyfrol drwchus o chwe chant o dudalennau, a gyhoeddwyd yn ddeg o rifynnau. Ceir ynddi ei awdlau Eisteddfodol, telynegion, a darnau eraill, caeth a rhydd, sy o leiaf yn dangos rhinwedd dyfalbarhad, os nad dim arall. Fe noddwyd y gyfrol hon gan y Barnwr Gwilym Williams a'r Ardalydd Bute. Mae'n ddiddorol gwybod iddo werthu 1700 o gopïau!

Un o siomedigaethau mwyaf ei fywyd oedd colli yng nghystad-leuaeth y Gadair yn Eisteddfod Lerpwl yn 1884. Dyfed aeth â hi, er bod Dewi wedi cael ar ddeall mai ef fyddai'r buddugwr. Gadawn ef, a Saint Andras gyda dyfynnu englyn digon cymeradwy Nathan Dyfed i'w goffadwriaeth.

> Dewi Wyn wedi huno—a'i osod
>   Yn isel mewn amdo;
> Essyllt o dan dywyll do
> A chaddug i'w orchuddio.

Yr oeddwn i'n bur gyfarwydd â Dinas Powys, fel lle, ers blyn-yddoedd, heb wybod fawr ddim am ei hanes. Awn heibio i'w gyrion bron beunydd, ar fy nhaith i'r swyddfa yng Nghaerdydd. Weithiau awn drwy'r pentref a heibio i'r hen felin, y byddai fy mhriod yn ymweld â hi yn blentyn, a thros 'lôn-y-*turnpike*' (cymysgfa ryfedd o Gymraeg a Saesneg) ac yna cysylltu â'r ffordd fawr rhwng y Barri a Chaerdydd, yn ymyl Lecwydd, â'i hen eglwys ar y llechwedd. Lecwydd yw'r ffurf a awgrymwyd gan Gwynedd Pierce, a'i dilyn gyda thoreth o dystiolaeth ysgolheigaidd, ac felly chwalu'r dyb gyffredin yn yr ardal mai o'r gair 'llechwedd' y tarddodd yr enw. Y mae *Topographical Dictionary* Samuel Lewis yn rhoi dwy ffurf ar yr enw, "llêchwedd' a 'llêchwydd', ac mae Dafydd Morganwg yn rhoi'r enw Llanfihangel Legwydd. Ond gwell i ni lynu wrth ysgolheigion ein Prifysgol, er imi droeon wrth ddringo'r llechwedd ar fy ffordd adref i'r Barri, feddwl mor bwrpasol oedd yr enw! Cofiaf hen bont garreg, yn croesi afon Elái, cyn gwneud ffordd newydd a chodi pont goncrit, gadarn yn ei lle.

Fe ail-adeiladwyd eglwys Sant Iago, ar y bryn, yn y ganrif ddiwethaf.

Ond dowch inni gael troi yn ôl o Lecwydd, a thros lôn-y-*turnpike,* a chyn pen llai na milltir fe gewch fynegbost yn eich cyfeirio tua phentref bach prydferth, diarffordd Llanfihangel-y-pwll.

Yn ôl Gwynedd Pierce, eto, un o enwau cynharaf y pentref hwn a gofnodir yw *Michelstowe,* yn cyfuno enw'r sant a'r gair *'stowe'* yn golygu cysegrfan, neu'r man lle cyferfydd pobl. Ceir y ffurf Llanfihangel-y-pwll mewn dogfennau cynnar iawn. Yr enw cynharaf yw *Sancti Michaelis de Reigny*. Bu, hefyd, ŵr o'r enw John de la Pole yn arglwydd maenor Llanfihangel am beth amser, a chred rhai fod a fynno'r enw presennol ar y pentref, â'i enw ef. Ond os ŷch chi am chwilio hanes dyrys yr enw, trowch at gyfrol Gwynedd Pierce.

Ac mor ddyrys bob dim â hanes enw'r pentref yw cymhlethdodau pensaernïol yr eglwys yno. Saif ar godiad bychan o dir, ac islaw, afonig fechan yn brysio'i ffordd tua Dinas Powys a'r môr. Lluniwyd hi, fel llawer eglwys Normanaidd, ar lun croes, gyda thŵr yn y canol. Ar un o loriau'r tŵr yma, fe ddwedir, y trigai rheithoriaid y Canol Oesoedd; a rhaid mai go gyfyng oedd hi arnyn-nhw! Er bod olion pensaernïaeth Seisnig Cynnar i'w gweld yn yr adeilad, perthyn yr eglwys fel y mae i'r bedwaredd ganrif ar ddeg. I'r neb sydd â diddordeb yn y fath bethau byddai ymweliad â Llanfihangel-y-pwll yn werth y drafferth. Mae angen ditectif pensaernïol i bennu cyfnodau gwahanol rannau'r adeilad. Un nodwedd a dynnodd fy sylw i oedd y meinciau cerrig wrth y mur. Yn yr hen oesau, sefyll ar ei thraed a wnâi'r gynulleidfa, gan fynd ar ei gliniau ar adegau arbennig yn y gwasanaeth. Ond i'r musgrell a'r oedrannus fe geid noddfa'r meinciau cerrig, wrth y mur. A dyna, mae'n debyg, ystyr yr ymadrodd, "Mae e' wedi mynd i'r wal", hynny yw, mae'n rhy hen i sefyll ar ei draed ei hun.

Dim ond un arysgrif Gymraeg a welais i yn yr eglwys, a honno uwchben carreg goffa i Thomas Matthews, o blwyf Lecwydd, a'i wraig, gyda'r dyddiadau 1755 a 1772. Uwchben y garreg ceir arfbais ag arno'r arwyddair, "A Fynno Duw Y Fudd". Pwy oedd y Thomas Matthews hwn tybed? Mae'n amlwg ei fod yn perthyn i deulu niferus a dylanwadol Matheuaid y Fro.

Mae pulpud yr eglwys yn werth sylw; mae ar lun y pulpudau trillawr a ddaeth i fri wedi cyfnod y Refformasiwn, pan ddaethpwyd fwy-fwy i osod pwyslais ar y bregeth. Nid yw'r pulpud yma ond cysgod o'r rhai anferth a geir mewn rhai eglwysi mwy eu maint. Os byth y dowch chi yma, cofiwch gymryd golwg ar y ddwy gadair dderw gerfiedig yn y gangell, ag arnynt y dyddiad 'Ano Dom. 1615'. Y tucefn i un mae cerfiad o *"King Charles at Hurst Castle"*, ac ar y llall, *"Charles at Battle of Naisby"*. Gan i frwydr Naseby gael ei hymladd yn 1645, mae'n amlwg i'r cerfiad gael ei osod yno ar ôl llunio'r cadeiriau. Yn y cadeiriau hyn, yn ddiau, ceir arwyddion o deyrngarwch i'r Frenhiniaeth ymhlith rhai o drigolion y Fro. Wedi brwydr Sain Ffagan, syrthiodd Maenordy Llanfihangel-y-pwll, a Wrinstwn, ger Gwenfô, i feddiant Philip Jones, Ffwl-y-mwn. Cyrnol ym myddin y Senedd, a chyfaill i Olifer Cromwell. Gwerthwyd y faenor i deulu Rous, Cwrt-yr-Ala, gan Robert Jones, un o ddisgynyddion teulu Ffwl-y-mwn.

6. Llanfihangel-y-pwll.　　　31　　　David Jones

Cyn gadael yr eglwys sylwais ar ffenestr y gorllewin—ffenestr fodern, ddigon hardd yr olwg. Coffáu mab Syr Herbert Merrett, Cwrt-yr-Ala, a wna hon, a chynlluniwyd hi gan Syr Ninian Cooper, y gŵr a gynlluniodd y Gofadail Genedlaethol i feirwon y Rhyfel Mawr, ym Mharc Cathays, Caerdydd. Yr oedd ei dad yn offeiriad uchel-eglwysig yn yr Alban, a chyfaill iddo, John Mason Neale yr emynydd, oedd tad bedydd Syr Ninian.

7. Llandochau Fach. V. C. Hardacre

Wrth adael yr eglwys, cymerais sgawt trwy'r fynwent a chael mai dim ond dwy garreg fedd oedd â Chymraeg arnynt, un Job David a gladdwyd ym 1875 yn 64 mlwydd oed, ac i ŵr arall a gladdwyd ym 1925 yn 75 mlwydd oed.

Un o nodweddion y pentref yw'r coed talgryf sy'n tyfu yno. Hyd yn oed wrth adeiladu'r tai cownsil, sy'n nodweddu cymaint o ben-trefi'r Fro, fe ofalwyd am dorri cyn lleied ag y gellid o'r coed; ac felly, ceir rhesi o goed praff o'u blaen, rhyngddyn-nhw a'r heol. Mae'r tai hynaf â ffenestri dellt iddynt, sy'n rhoi i'r pentref awyr-gylch tebyg i'r hyn a geir yn rhai o bentrefi Lloegr. Wedi gweld y pentref, mae'n demtasiwn troi 'nôl, gan fod y map yn dangos bod y ffordd yn dirwyn i ben wedi gadael y pentref. Ond daliwch ymlaen, ac fe gewch weld un o'r golygfeydd prydferthaf yn y Fro. Arwain y ffordd, mewn gwirionedd, at blasdy Cwrt-yr-Ala, a ystyriwyd fel mangre bosibl i Amgueddfa Werin Cymru. Saif ar ochr y bryn, yn wynebu'r de, ac odditano gyfres o lynnoedd a wnaed trwy gronni'r afon fechan. Wrth sefyll yno, yn edrych ar y wlad goediog, a'r llynnoedd bychain, llonydd, mae'n anodd meddwl eich bod o fewn rhyw bum milltir i ddinas Caerdydd. Gobeithio na ddaw neb i sarnu'r olygfa hon. Ym mis Rhagfyr yr oeddwn i yno ddiwethaf, a'r coed yn noeth, a hwyaden unig ar ddyfroedd oer y llyn. Mae'n ddigon o ryfeddod ar ddiwrnod felly, ond pan ddaw Mai â'i lifrai las, mae'n fendigedig.

Ar odre deheuol yr ystâd, mae olion hen drefedigaeth gyntefig. Yma y bu Leslie Alcock, o Goleg y Brifysgol, Caerdydd, yn cloddio. Ar glogwyn coediog, uwchlaw Cwm Siôr, neu *Cwm George,* fel y'i gelwir heddiw, daeth o hyd i olion helaeth yr Oes Haearn Cynnar, y cyfnod Rhufeinig, y cyfnod Cristionogol Cynnar, hyd at y cyfnod mediefal.

Mae'r gwaith a wnaed yma wedi'i groniclo yng nghyfrol Leslie Alcock, *Dinas Powys,* a gyhoeddwyd gan Wasg Prifysgol Cymru, ac yno fe gewch hanes y cloddio a'r darganfyddiadau cyffrous a wnaed. Dyma'r hen Ddinas Powys a roes ei henw i'r pentref a ymgasglodd yn ddiweddarach o gwmpas y castell y gwelir ei adfeilion yno heddiw.

Y prynhawn hwnnw yn Rhagfyr yr ymwelais â Llanfihangel-y-pwll, teithiais yng nghwmni Mr. a Mrs. Lee o Gaerdydd, am y rheswm syml fod y ddau wedi byw am gryn amser yn Ninas Powys, —Mr. Lee yn yr hen reithordy yn Saint Andras, lle y treuliodd flynyddoedd ei fachgendod a'i lencyndod, a Mrs. Lee, yn Y Felin, lle y ganed hi.

Felly, yn ôl â ni am Ddinas Powys. Wedi ail-gydio yn heol-y-*turnpike,* trown i'r dde tua Dinas Powys ond oedi am funud i gael cip dros y berth ar Ysbyty Llandochau Fach. Mae gen i aml i atgof byw am yr ysbyty hwn. Cofio 'mhriod yno, wedi'i tharo â *cerebral haemorrhage,* ac yn ddiymwybod am ryw bythefnos. Cofiaf fy nghyfaill y Dr. D. G. Morgan, pennaeth yr ysbyty yn fy ffonio ganol nos i ofyn imi ddod draw ar unwaith, gan lwyr gredu fod popeth ar ben. Pan gyrhaeddais yr ysbyty yr oedd cwmni o feddygon o gwmpas y gwely a hithau, fy mhriod, yn gorwedd yno yn ddiymadferth a diymwybod. Gwaeddai un o'r meddygon yn ei chlust, "Mrs. Davies, are you hearing me?" Penliniai dau feddyg arall wrth y gwely yn gwylio a oedd unrhyw arwydd o symudiad yn ei llaw. Nid oedd dim. Un ar ôl y llall yn ceisio, ond nid oedd y llais, debygent, yn mynd trwodd i'r ymennydd. Yna gofynnais innau, yn ofnus ddigon, a gawn i dreio yn Gymraeg, ac awgrymu'n wylaidd, efallai, gan mai dyma'r iaith a siaradem ni â'n gilydd, y gallai fod rhywbeth yn namcaniaethau'r seicolegwyr am yr is-ymwybod. Cytunasant, a gwaeddais innau yn ei chlust, a'r meddygon ar eu gliniau yn ei gwylio, ac yn enwedig y llaw a oedd yn gorwedd fel

8. Ysbyty Llandochau o'r awyr.   Terence Soames (Cardiff) Ltd.

darn o farmor ar y gwely. "Mari, wyt ti'n 'y 'nghlywed i?" gwaeddais, a dyma, er mawr syndod i'r meddygon, gyffro pitw bach yn un o'r bysedd. *"Try again,"* medde nhw, ac eilwaith dyma'r un symud yn y bys. Bûm gyda hi drwy'r nos, ac yn ara deg, ar hyd y dyddiau canlynol, llithrodd yn ôl o fro'r cysgodion i olau dydd.

Flynyddoedd yn ddiweddarach fe'm cefais innau fy hun yn yr

ysbyty, a chael Dr. Morgan yn gymorth cyfamserol imi. Yr oedd ganddo ddiddordeb mawr yn y 'pethe', a deuai draw i'm hystafell gyda'r nos i gael sgwrs am hyn a'r llall. Nid oedd dim yn well ganddo ef, a'i briod, na chael cwmni Cymry Cymraeg ar yr aelwyd. Fe alwn i yno yn bur aml ar fy ffordd adref o'r swyddfa yng Nghaerdydd, a 'doedd wybod yn y byd pwy fyddai no,—gwladwr o gefn gwlad Sir Aberteifi (roedd ef ei hun yn hannu o Bronnant) neu un o enwogion y genedl, neu feddyg adnabyddus o Lundain neu Lerpwl. Bu farw Dr. Morgan yn ddyn cymharol ifanc. Diau i Ysbyty Llandochau Fach, ei meddygon a'i gweinyddesau, fod yn swcwr i lu o bobl ar hyd Deheudir a Gorllewin Cymru, ac mi fyddaf fi, fel un, yn ddyledus am byth i'w gofal a'u hymgeledd. Dyma'n ddiau un o ysbytai gorau Cymru; modern ac ar safle ardderchog.

Nepell o'r ysbyty mae eglwys Sant Dochau, neu Dochdwy. Tynnwyd yr hen eglwys i lawr yn y ganrif ddiwethaf a chodwyd eglwys newydd gan bensaer o Fryste, Mr. Fripp. Fe ddwedir bod y gŵr yma dan ddylanwad Butterfield, y pensaer a gododd eglwys Sant Awstin ym Mhenarth. Adlewyrcha Llandochau arddull eglwys Sant Awstin, ond dim ond cysgod o athrylith Butterfield a welir yma. Yn Llandochau Fach fe welir o leiaf un bwa Normanaidd er bod ôl llaw y pensaer diweddar yn drwm arni. Nid yw'n anodd gweld ei fod unwaith yn fwa prydferth. Pan oeddwn i yn Llandochau ddiwethaf, 'roedd y Ficer yn paratoi ar gyfer ysgol gân y côr, a thynnodd fy sylw at ffenestr y gorllewin.

"Sylwch arni!" ebr ef, "Fel y gwelwch-chi, mae arfbeisiau'r Corbetts (a oedd yn byw yn y tŷ ar odre Penarth, a adweinir yn awr fel "The Elisabethan House"—gwesty a thŷ bwyta) yn un rhes ar draws y ffenestr, ond y mae golwg ryfedd ar y darian olaf, on'd oes e˙."

Ac yr oedd. Nid arfbais a welir ond y llythrennau T.R. wedi eu gweu yn ei gilydd.

"Warden yr eglwys pan godwyd y ffenestri yma," ebr y ficar, "oedd Tomi Rees, gweithiwr cyffredin, ac fe fynnodd gael ei goffáu yn y ffenestr mewn dull a oedd, yn ei olwg ef, mor anrhydeddus â'r Corbetts bob dim."

Chwarae teg iddo!

Cyn gadael mynnwch weld y garreg Geltaidd yn y fynwent, yr *Irbic Stone,* fel y gelwir hi. Mae'r tywydd wedi ei thrin yn arw, a'r geiriau arni, erbyn hyn, bron yn amhosibl eu darllen. Os ydych am gael golwg arni, heb ymweld â'r eglwys, fe welwch *cast* ohoni yn yr Amgueddfa Genedlaethol, yng Nghaerdydd. Mae'n werth ei gweld oherwydd y patrymau Celtig cymhleth a chywrain arni.

Hefyd, cyn gadael Llandochau Fach, mae'n werth nodi mai o'r plwyf hwn yr hannai Edward William, tad Iolo Morganwg.

Ond rhaid inni frysio tua Dinas Powys, ar waelod y rhiw (yr allt). Mae hwn yn bentref go eang erbyn hyn, ac er ei fod ym mhlwyf Saint Andras, mae wedi ysbeilio, ers tro byd, bwysigrwydd yr hen eglwys blwyf, ac yma, bellach, y canolbwyntir y rhan fwyaf o'i weithgareddau. Wrth fynd ar hyd y ffordd isaf o Gaerdydd i'r Barri ni welwch ddim mwy nag ochr ddeheuol newydd y pentref, casgliad o dai wedi'u hadeiladu ar ochr y ffordd fawr, a stad o dai cownsil y tudraw i'r relwe. Mae'r hen bentref dan gysgod y castell ar y bryn, sydd erbyn heddiw yn ddim mwy nag adfeilion di-sylw. Castell mediefal yw hwn, ac nid oes yn aros ond muriau moel yn amgylchynu darn o dir gwastad. Yn union odditano mae'r Felin—ond nid yw'r felin heddiw'n malu. Mae'r tŷ ffarm yno o hyd, ond trowyd y felin yn dŷ byw modern. Yma y ganed Mrs. Lee (Miss Phillips, gynt) i deulu Cymraeg. Yr oedd ei thad, David Phillips, yn flaenor yn Calfaria, Doc Barri, lle'r oedd fy ngwraig yn aelod, a chofiai iddi, yn yr haf, fynd am dripiau Ysgol Sul i chwarae ar y maes o dan furiau castell Dinas Powys. Cofia Mrs. Lee'r felin yn gweithio, a'i thad yn dyfod i'r tŷ yn wyn gan flawd. Rhod ddŵr oedd yn gweithio'r felin, a chofiaf ei gweld flynyddoedd cyn i'r felin gael ei thrawsnewid yn dŷ byw. Mae'n rhaid fod hon yn un o felinau hynaf y Fro, a'r olaf, efallai, i ddiflannu. Cofnododd John Stuart Corbett, yn ei lyfr *Glamorgan, Papers and Notes on the Lordship & its Members,* rai manylion diddorol am godi'r felin yn ystod teyrnasiad Harri'r Chweched. Fe gostiodd y cyfan £8-6-0½ ! Fe dalwyd i'r saer Llewellyn Hopper am ei waith ar y felin a thŷ'r felin, gan gynnwys llifio'r coed a ddaeth o Allt Dinas Powys, y swm anferth o £2-6-8. Rhyw chwe cheiniog y dydd a delid i seiri, bryd hynny. Talwyd 7/8 am fwyd i gant a dau o ddynion a weithiai'n ddi-dâl. Daeth y meini malu o Aberddawan, a thalwyd 5/- i Thomas Lewis a John Warren am eu cyrchu yn eu gwagenni ychen. Pris y meini oedd £1-6-8. Fe ddechreuodd y felin ar ei gwaith yn 1426. Tan yn ddiweddar yr oedd y felin hon yn gyfan-gwbl, ac mae'n drueni na allesid bod wedi'i hachub ar gyfer yr Amgueddfa yn Sain Ffagan. Dywed Mrs. Lee wrthyf fod cocos y peiriant wedi'u gwneud o bren. Wrth droi o gwmpas y lle fe welsom rai o'r meini malu yn addurno'r lawnt.

A mi wedi crybwyll enw John Stuart Corbett, mae'n werth sylwi bod y gŵr yma yn gyfreithiwr i ystad yr Ardalydd Bute, ac yn un a gymerodd ddiddordeb mawr yn hanes Morgannwg. Yr oedd i'w frawd James Andrew Corbett gyfryw ddiddordebau, ac ef a olygodd argraffiad o *Booke of Glamorganshires Antiquities,* Rhys Amheurug o'r Cotrel. Fe ddwedodd Syr John Ballinger am Stuart Corbett :

> *Mr. Corbett was a fine example of those quiet men of marked ability and charm, who pass through life doing such work as falls to their lot with rare efficiency, and occupy themselves with pursuits which increase the sum of knowledge or add to the happiness and well-being of their generation.*

Er nad oedd yn Gymro, yr oedd o dras bonheddig ac yn perthyn i deulu'r Butes, a daeth i Gaerdydd ym 1841, a byw yn ffermdy Rhyd-y-pennau, ger Llanisien, a phriododd ferch o Sir Faesyfed, a symud i fyw i *'Cogan Pill'* yn ymyl Penarth.

Gymaint â hynna, rhwng cromfachau, megis !

Yn ymyl y Felin saif eglwys San Pedr, olynydd i'r eglwys haearn fel y gelwid hi yn y pentref. Mae'n adeilad braf ; cofiaf bregethu yno unwaith, ac mae yno un o gynulleidfaoedd cryfaf y Fro. Er mai eglwys Saesneg yw hi, mae'r rheithor, fel ei ragflaenydd, yn Gymro Cymraeg.

Troisom i mewn i'r rheithordy i gyfarfod â'r Parchedig John Lloyd Richards, mab i'r Canon Daniel Richards, Llangynwyd, ac yn hannu, fel llawer o offeiriaid, o Sir Aberteifi. Ef, y Canon, a fu noddwr pennaf, ac arweinydd yr Ŵyl Gorawl Gymraeg flynyddol, yn Eglwys Gadeiriòl Llandâf, nes iddo ymddeol ychydig flynyddoedd yn ôl, a'i ddilyn gan Trefor Llywelyn Hughes. Y mae pawb sy'n mynychu seremoni'r Cymry Alltud yn yr Eisteddfod Genedlaethol yn gyfarwydd â'i weld ef ar y llwyfan yn arwain y gynulleidfa.

Mae'r rheithor yn Gymro pybyr, ac ef a fu'n gyfrifol am godi Cymdeithas Gymraeg yn Ninas Powys ym 1966.

"Bu'r Gymdeithas," ebr Mr. Richards, "yn foddion i amlygu Cymreigrwydd yn y pentref, ac erbyn hyn fe glywch gryn dipyn o Gymraeg ar y strydoedd". Aeth ymlaen i sôn am ei gweithwarwch, a sut y byddir ar ddiwedd bob tymor yn dathlu Gŵyl Ddewi yn y capeli a'r eglwys yn eu tro.

Mae gan y Methodistiaid Calfinaidd gapel, y'i gelwir hyd heddiw yn 'Welsh Chapel', gan y pentrefwyr; atgof o'r dyddiau pan oedd yr achos yn Gymraeg ei iaith. Heddiw Saesneg yw iaith y gwasanaeth, ond ᴒid oes fawr o raen ar yr achos, ysywaeth.

Pan ofynnais i'r rheithor a oedd yn gweld gobaith i'r Gymraeg yn yr ardal, fe atebodd trwy gyfeirio at gychwyn Ysgol Feithrin Gymraeg yn y pentref. Yr oedd hyn yn ganlyniad uniongyrchol i sefydlu'r Gymdeithas Gymraeg. Fe gynhelir yr ysgol yn y 'Welsh Chapel'. Ys dywed Morgan Llwyd, "mae'r droell yn troi yn rhyfedd . . ." Pwy all ddweud, gyda sicrwydd, ei bod hi ar ben ar y Gymraeg yn y Fro? "Boed anwybod yn obaith!"

Ond yr oedd yn rhaid ffarwelio â'r rheithor, oherwydd cyn iddi dywyllu, mynnai Mr. Lee fy arwain i ben y Twyncyn, y tuallan i'r pentref.

Wrth fynd trwy'r pentref tynnwyd fy sylw at lôn o hen fythynnod, ac arni'r enw, *Broth Lane*. Lôn Gawl, ebr Mr. Lee, oedd yr hen enw. Wedi gadael y pentref awn ar hyd ffiniau comin agored, braf Dinas Powys, a'r maenordy. Yma trigai'r Cadfridog Lee, arglwydd y faenor, a gŵr a fu'n gefn i'r achos yn Saint Andras; mynychai Bill Lee, fy nghyfaill, ei ddosbarth Ysgol Sul am flynyddoedd. Cofiai Mrs. Lee am y ffermwyr yn ymweld â'r faenor ddwy waith y flwyddyn, i dalu'r rhent, ac am y gyfeddach fyddai yno bryd hynny.

Nepell wedi gadael y comin, ar ein ffordd i gyfeiriad Saint Andras, down at dro ar y dde, a ffordd gymharol gul sy'n dringo'n serth i'r Twyncyn. Mae'n werth gwneud y siwrne, oherwydd dim ond o fannau uchel fel hyn y mae cael golwg ar y Fro. O'r fan yma mae golygfa amghymarol; y Fro yn ei holl ogoniant. I'r Gorllewin, islaw, Saint Andras, Gwenfô, y Barri, a'r môr; i'r Dwyrain, Dinas Powys, Llanfihangel-y-pwll a Lecwydd.

Wrth edrych ar y map fe welwch pa mor Gymreig yw'r enwau, —Pencoetre, Coed-yr-argae, Ysgubor Goch, Penllwynog, Coed Maes-y-felin, ac yn y blaen. *"Only the inmate does not correspond"*, ys dywedodd Gerard Manley Hopkins, mewn cyswllt arall.

Ond rhaid cychwyn tua thre, ac i lawr â ni, ac yn ôl i ben Gorllewinol Dinas Powys. Yn ffinio â'r comin y mae Westra, a hefyd Westra-fawr a Southra. Daw'r elfen derfynol i'r enwau yma, yn ôl Gwynedd Pierce, o'r Hen Saesneg am res o dai neu goed, ac fe gafodd dystiolaeth, ebr ef, gan un o hen drigolion Dinas Powys, fod yno gynt, res o dderi praff, ond fe'u torrwyd i lawr erbyn dechrau'r ganrif hon.

Dychwelasom i Gaerdydd ar hyd y ffordd waelod, heibio i stesion y relwe, sydd, er mawr syndod, heb dderbyn o fendithion bwyall Dr. Beeching, ac yna trwy Landochau Fach a Lecwydd i Gaerdydd, a'r nos eisoes ar ein gwarthaf.

9. Capel y Methodistiaid Calfinaidd, Ewenni.   J. Idris Morgan

3

Ewenni

Gellir mentro pennod gyfan ar Ewenni, mi dybiaf, nid oherwydd ysblander y pentref, nad yw'n llawer mwy na stribed o heol a thai digon cyffredin bob ochr iddi, na chwaith, oherwydd y Priordy hynafol a'i hanes hir, ond oherwydd y capel bach ar y rhiw serth sy'n codi o'r pentref i arwain y neb a fynno i Saint-y-brid, neu'r Wig, a Llanilltud Fawr. Mae'r capel, hefyd, yn un digon di-addurn, ac yn fodernach ei ddiwyg na'r stabal wyn-galchog wrth ei dalcen. Yma, dros ddeugain mlynedd yn ôl yr ymlwybrodd Syr Owen M. Edwards. Mae'n werth sylwi bod Syr Owen wedi cael digon o drigolion y Fro i ymddiddan ag ef yn Gymraeg, ac i'w gyfeirio at gapel y Methodistiaid Calfinaidd; a phlant i ddweud wrtho enw'r afon ar odre'r pentre—Ewenni—ac enwau Cymraeg pentrefi fel *Wick* a *Colwinston*. Ofer fyddai chwilio am neb felly heddiw. Daethai Syr Owen i Ewenni o gyfeiriad Pen-y-bont; o Gaerdydd y deuthum i, a chymryd fforch i'r chwith bron cyn cychwyn y darn hwnnw o'r ffordd fawr a adweinir fel "Y Filltir Aur"; mae'r rhan yma o'r A48 yn dilyn ffordd y Rhufeiniaid gynt. Yna trwy Corntwn, ac ar y dde sylwi ar gapel Bethlehem a godwyd, yn ôl a ddywedir ar y mur, ym 1841.

Rhywbeth yn debyg i eiddo O.M. oedd fy ymateb innau wrth ymweld â chapel Matthews gyntaf. Ebr ef :

"Dyma'r capel y cyrchai amaethwyr y wlad iddo i wrando ar feddyliau beiddgar y gŵr oedd yn un ohonynt, ac yn eu deall i'r dim. Ond mor unig yw, ac mor brudd. Mae llwydni'r nos yn cymryd gwawr o ddu yn awr, ond rhaid mai trymaidd yw'r capel ganol dydd. Tywyll a hagr yw gwydr ei ffenestri, a'u hamcan i guddio prydferthwch y dydd rhag y rhai sydd â'u meddwl ar wlad na raid wrth olau haul na sêr ynddi. Yn uwch ar fin y ffordd na'r capel y mae ystabl, a'r llecyn gwyrdd rhyngddi a'r capel wedi ei orchuddio gan dyfiant bras anfaethlon, a'i ddrws yn agored i bob crwydriad

budr esgymun i droi iddi. Nid rhoi rhaff i'm dychymyg yr wyf;
clywais fod ystabl y capel yn noddi 'show o dramps' pryd bynnag
y goddiweddo'r nos hwy yn y gymdogaeth hon. Ni theimlais ddim
erioed mor fud â'r capel hwn, wrth gofio am yr huodledd y bu'n
gartref iddo. Ni welais unlle mor brudd chwaith. Nid pruddle myn-
went oedd, nid oes yno fynwent. Yr oedd y coed trymaidd, y gwydr
di-groeso, a'r chwyn tal yn gwneud yr addoldy yn ddarlun o
anghyfanedd-dra. Ac eto yn ei unigedd a'i brudd-der, yr oedd y
capel yn syml ac yn urddasol."

Os gellid dweud yn nyddiau O.M. "nit oes pwer o aelote yno
'nawr", y mae'n fwy gwir heddiw, a thafodiaith hyfryd y Fro wedi
diflannu'n llwyr i wneud lle i estroniaith ddi-wreiddiau. Ychydig
obaith sydd am weld na chlywed neb fyddai "yn ei gofio (Matthews)
fe'n nêt", fel y dywedodd rhywun wrth O.M. Ond mi fûm i mor
ffodus â siarad â dau, o leiaf, a oedd yn ei gofio. Y tro cyntaf i mi
ymweld â'r capel bach, flynyddoedd yn ôl, yr oedd hen wraig
wrthi'n glanhau. 'Roedd hi'n cofio Edward Matthews yn dda. Dan-
gosodd imi Feibl â'i ddalennau wedi ymadael â'i gilydd bob un, ac
meddai hi : "Dyna Feibl Matthews". Yr oedd enw Matthews yn
ddihareb trwy'r Fro am gam-drin y Beibl. Yr oedd llawer o feiblau
ar hyd pulpudau'r Fro, gallwn feddwl, ag ôl bodio brwd ac anwesu
chwyrn yr hen bregethwr arnynt.

Y tro hwnnw yr oeddwn yn ymweld ag Ewenni i gael deunydd ar
gyfer rhaglen radio, a mentrais ynddi adeiladu ymson yn bennaf ar
gorn sylwadau'r wraig, a mentraf ei chynnwys yma fel portread
bach o'r dyn rhyfedd hwn. Y wraig, wrth gwrs, sy'n siarad.

"Dyn dierth, ifa? Na, na, pidwch cwnnu . . . hen gapal bach nêt,
ontefa? . . . 'N fach? . . . wel oti, spo . . . ond yn ddicon mawr i
ni ar hyn o bryd, oti wir, gwitha'r modd . . . petha weti newid?
. . . otyn, otyn, ma' crefydd weti colli gafal ar y bopol, rhywfodd
. . . faint ŷn ni 'nawr? . . . O dim ond rhyw hannar dwsin—o
Gymry, wrth gwrs—dim llawer rhacor o'r lleill, chwaith . . . pwer o
aelota weti mynd bant . . ac ma'r Sisnag yma weti lladd popeth
. . . 'nawr 'rwy'n cofio atag pan fydda'r ffarmwrs yn dwad i'r capal
. . . ie, dyna lle'r oeddan nhw'n gatal 'u ceffyla, ia, lan fanco yn yr
hen stapal uwchben y capal . . . ia, ac 'rwy'n cofio llond sêt fawr
o flaenoriaid . . . faint ŷn nhw 'nawr? . . dim ond dau, gwitha'r
modd . . . cofio Matthews? wel am otw . . . tase mwy o'i siort e'
yn y pulpud heddi' mi fasa llai o gapeli gwag . . . shwd un ôdd a?

. . . wel, mi weta 'nawr . . . tasech chi'n gofyn i'r gŵr sy'n y tŷ 'co,
fe weta fa wrthoch chi y basa fa, pan oedd a'n grwt ifanc, yn cerad
i'r ochr arall i'r hewl, er mwyn pido bod ar yr un palmant ag e' . . .
shwd un ôdd a o ran corff? . . . wel, o daldra cymedrol 'nawr . . .
ond dyna ichi ben! . . . yr un mwya' weles i eriôd . . 'rodd e'n
shafo'i wyneb yn lân . . . tipyn o steil ynddo fa, welwch chi . . . ac
mi fydda'n cadw'i wallt lawr yn isel ar 'i dalcan fel nad oedd dim
ond 'i hannar a yn y golwg . . . llyced glas, ond fydda fa ddim yn
'u hacor nhw ond pan fydda fa'n etrych i mewn i'r byd arall, fel

10. Edward Matthews.

petai . . . a dyna'i ddannadd a wetyn, rhes o'r dannadd glana'
welsoch chi riôd . . . pan fydda fa yn y pulpud, 'rodd a'n sefyll yn
syth fel lein, ond bydda fa'n gafael yng nghloriau'r Beibl ac yn 'u
troi nhw 'nôl a blaen . . . welwch chi'r Beibl ar y ford 'na . . . na
nid hwn'na . . . hwn'na fan'na, weti rhwygo tipyn ond yw a? . . .
Wel dyna Feibl Matthews i chi . . . ac mi fydda'r capeli o gwmpas
'ma yn rhoi hen Feibl a Llyfr Emynau cyffretin yn y pulpud pan
fydde Matthews yn pregethu . . . yn 'u gofio fa'n pregethu? Wel
am otw'm têd, pwy fasa'n anghofio? Ma nhw mor fyw ar 'y nghof
i heddi' a phan glywes i nhw gynta . . . 'rwy'n cofio rhyw dro 'rôdd
a'n pregethu ar Lasarus yn coti o'r bedd, a dyma fa, ar ôl disgrifio
Mair a Martha'n wylo ar ôl 'u brawd, yn galw bod yr Iesu'n dod, a
dyma ni'n mynd gita fa i lan y bedd, a dyna fa'n gwaeddi dros y
capal i gyd, 'Lasarus, tyred allan"; ac wetyn medda fa, a choti'i
fraich a chyfeirio'i fys at y drws, "A! dacw Lasarus yn dyfod yn fyw
o'r bedd." Cretwch fi neu beidio syr, ond fe droiso' ni, pob copa
walltog ohonom ni at y drws, ac yn wir i chi, syr, 'rôdd hi'n anodd
pito a chretu 'i fod a'n martsio miwn i'r cwrdd . . ."

Ar gwr y pentref, ar ffordd sy'n arwain i Ben-y-bont, yn ffatri'r
crochenydd, cyfarfûm â Mr. David Jenkins, aelod o gapel Ewenni,
a oedd hefyd yn cofio Matthews. Soniai, fel y wraig yn y capel, fel
y byddai plant y pentref yn croesi i ochr arall yr heol pan ddeuai
Matthews heibio—nid gan ofn, ebr ef, ond gan *barchedig* ofn. "Yr
oedd e' fel Duw bach i ni", meddai. Ymwelais lawer tro â'r croch-
endy hwn. Y tro cyntaf yr oedd yr hen ŵr yno, yn gynorthwy i'w
ddau fab; flynyddoedd wedyn, pan elwais i ffilmio'r crochenydd ar
gyfer rhaglen a baratoais ar y Fro i'w dangos ar y teledu adeg
Eisteddfod Genedlaethol Caerdydd yn 1960, yr oedd yr hen frawd
wedi cilio i fro hyfrytach hyd yn oed na Bro Morgannwg. Dywedir
mewn llythrennau breision ar yr adeilad mai hwn yw'r crochendy
hynaf yng Nghymru, sy'n dal i weithio. Fe'i sefydlwyd ym 1610, ebr
un o'r brodyr wrthyf. Ceir digonedd o glai coch y Fro yn ymyl, a
chloddir ef gan y brodyr eu hunain. Bu daearyddwr o'r Brifysgol yn
ymweld â'r pwll clai yma, a'i farn ef oedd i'r clai gael ei wthio yma
yn ystod Oes yr Ia—ond peidiwch â gofyn i mi sut y deuir i'r fath
gasgliad â hwn. Y mae G. J. Williams yn ei gofiant i Iolo Morganwg
yn dyfynnu yr hyn a ddywaid Iolo, ym 1796, am natur y pridd a
geid yn y Fro ar gyfer y crochendai.

"*At Ewenny near Bridgend, Pencoed near the same place, and on*

the great heath near Cardiff are the only places where tollerably
good Brick clay have yet been found in the Vale. At these places,
especially at Ewenny, the Manufacture of Brown Pottery has from
time immemorial been carried on on a pretty large scale, supplying
half South Wales nearly with this useful article."

Ceid saith neu wyth crochendy yn Ewenni yn 1805, ebr ef.

"Oes gennych chi brentisiaid yma?" gofynnais.

"Nac oes, er bod y plant yn dysgu'r grefft."

"Ac mae'n debyg mai arnynt hwy y syrth y cyfrifoldeb am
gadw'r grefft, a'r fusnes, yn fyw yn Ewenni."

"Ie, mae'n debyg".

Y mae cryn dipyn o hanes diwydiannol y Fro yn y gweithdy hwn.
Dyna'r felin i falu'r clai. Fe wnaed hon gan David Lewis o Ben-y-
bont. Ac ym Mhen-y-bont hefyd, y gwnaed y droell. Mae'r felin
falu, sy' 'nawr wedi peidio â throi (oni ddylid ei symud i'r Amgu-
eddfa Werin?) yn debyg i'r melinau a geir mewn llawer man. Yn ei
lyfr diddan *Y Crefftwr yng Nghymru,* fe ddisgrifiodd y Dr. Iorwerth
Peate i'r dim sut y gweithiai'r melinau hyn. "Gweithid y malwr gan
'bart ma's', chwedl y deheuwr neu 'horse-power', chwedl y gogledd-
wyr, hynny yw gan geffyl a sicrheid wrth bolyn i droi rhod gocos
yn union fel y gweithir ambell beiriant malu gwellt neu beiriant
nithio."

Nid yw troell y crochenydd, o ran egwyddor, wedi newid fawr
iawn ar hyd yr oesoedd. Fe'i gweithir o hyd â'r droed, a 'theflir' y
twmpath clai ar y plât crwn, a than anwes grefftus y crochenydd fe
gymer y ffurf a fynno ef. Gellir derfnyddio geiriau'r *Apocrypha*
i ddisgrifio'r crochenydd wrth ei waith heddiw.

"Felly mae'r crochenydd yn eistedd wrth ei waith, ac yn troi ei
droell â'i draed, yr hwn a esyd ar ei waith bob amser yn ofalus, a'i
holl waith ef fydd dan rif. Efe a lunia'r clai â'i fraich, ac a'i medd-
alha ef â'i draed : efe a esyd ei feddwl ar ei blymio drosto, ac a fydd
ofalus i ysgubo'r odyn."

Neu, os caf ddyfynnu cyfieithiad newydd hyfryd y "Jerusalem
Bible" :

> "So it is with the potter, sitting at his work,
>   turning the wheel with his feet;
> constantly on the alert over his work,
> each flick of the finger premeditated;
> he pummels the clay with his arm,
> and puddles it with his feet;

he sets his heart on perfecting the glaze,
and stays up cleaning his kiln."

Y mae llawer o gyfrinachau yn perthyn i'r grefft hon, cyfrinachau
ynglŷn â 'perfecting the glaze', y llathru, a hefyd y lliwiau. Yr oedd
un o'r brodyr wrthi yn arbrofi gyda pherffeithio proses i greu 'lustre'
newydd, a dangosodd imi, gyda balchter crefftwr, lestr hyfryd a
luniasai, a oedd yn agos at berffaith o ran ei lathru, a'i liw a'i lun.

11. Y Crochenydd, Ewenni.

Wrth gwrs, mae'r math o lestri a gynhyrchir heddiw yn wahanol i'r rhai a gynhyrchid yn y ffatri hon yn y ganrif ddiwethaf. Os am weld enghreifftiau o'r hen lestri gwasael (wassail) a'r siwg gamp— siwg a roddai gymaint straen ar grefft yr yfwr ag ar grefft y crochenydd!—yna trowch i mewn i Amgueddfa Werin Sain Ffagan. Mae'r oes fodern hon yn galw am lestri newydd; mae chwaeth yn newid, a ffurfiau'n newid gyda hi, ond deil y grefft yr un o hyd.

Ar y mur o flaen y droell gwelais adnod o'r Epistol at y Rhufeiniaid, mewn llythrennau bras, yn Gymraeg a Saesneg : "Onid oes awdurdod i'r crochenydd ar y priddgist, i wneuthur o'r telpyn pridd un llestr i barch, ac arall i amarch?"

Trydydd brawd i'r brodyr Jenkins a osododd y fersiwn Gymraeg yno—"y crefftwr gorau ohonom i gyd", ebr un o'r brodyr. Bu ef yn weinidog yr Efengyl yn yr Orsedd (Rossett), y Parchedig Glyndwr Jenkins, yn cyhoeddi "golud ei ogoniant ar lestri trugaredd."

Ac yr oedd cynulleidfaoedd y Fro "fel clai yn nwylo'r crochenydd", pan bregethai Edward Matthews. Fe ordeiniwyd Edward Matthews yn Llangeitho ym 1841, ac am ryw hanner can mlynedd bu'n teyrnasu ar bulpudau Cymru, yn dwyn ei ddramâu cysegredig yn nhafodiaith firain y Fro, i filoedd o wrandawyr syfrdan.

Fe ddwedodd Thomas Gee amdano : "Dyna'r dramatist mwyaf a esgynnodd i bulpud erioed", ac fe ddywed ei gofiannydd i Henry Irving gael ei ddenu i eglwys Shirland Road, Llundain, i wrando arno'n pregethu. Ni ddeallai air, ond meddai wedyn : "Pe buasai'r gŵr yna wedi ymgyflwyno i'r ddrama, byddai yn un o'r *actors* mwyaf a welodd y byd". A dramâu i'w hactio oedd llawer, ond nid y cwbl, o'i bregethu. Un o hanfodion drama yw medr y dramodydd i greu deialog dda a chredadwy. Tybed a fu neb yn hanes pulpud Cymru a feddai'r ddawn hon i'r un graddau â Matthews? Gwaith deialog yw creu cymeriadau. Nid digon i'r dramodydd yw disgrifio cymeriadau, rhaid iddo, trwy'u geiriau, eu hymgnawdoli'n gymeriadau byw. Yr oedd dramâu Matthews Ewenni mor fyw, yn aml, i gynulleidfa, nes y byddai ambell wrandawr yn teimlo ei fod yn gymaint rhan o'r ddrama, nes iddo deimlo fod ganddo hawl i gymryd rhan ynddi ei hun, a thorri ar draws y pregethwr. Dyna a ddigwyddodd un tro pan bregethai Matthews y bregeth enwog ar y Mab Afradlon.

Mae'r pregethwr yn disgrifio Etwart, y mab hynaf yn y caeau ar y diwrnod y daeth ei frawd adref o'r wlad bell.

"Ia, ond rhoswch chi, dyw'r hanes ddim weti cwpla 'to, chi'n gweld. Nagyw, nagyw . . . ma' 'na ryw whali ar y buarth 'na ondosa? . . . Pwy sy' 'na hefyd? Wel am ia, Etwart yw a wrth gwrs; Etwart 'i frawd ŷchi'n gweld. Fe fu Etwart yn y caea' trw'r dydd, 'lwch chi, a ma' fa'n ffaelu deall beth yw'r gola' a'r miwsig a'r

12. Edward Matthews ym mhulpud Salem, Cantwn. David Jones

rhialtwch 'lwch chi. 'Dyw a 'riôd weti gweld dim byd fel hyn o'r blaen ichi'n gweld, a ma' Wiliam yr ail was gita fa yn trio'i gael a i ddod miwn, 'lwch chi.

Ia, ia, Wil bach yw a reitiwala, clywch arno fa hefyd!

'Ma'ch tad isho i chi ddod miwn, Etwart, achos fod Dafydd ych brawd weti dod ta thre . . . a fe wetws wrtho i i weud wrthoch chi ma' aros i chi ma' nhw, Etwart, a ma'ch tad ishe chi i ddod, os gwelwch chi'n dda."

"Dwy i ddim yn dod."

Ia, ond 'rhoswch chi funud, fe ddaw a 'nawr, daw, daw, ma' fa dicyn yn styfnig ar y dechra 'lwch chi. Hylo, hylo, pwy yw hwn ta?

A dyma'r pregethwr yn dod â Tomos y gwas mawr i'r llwyfan. Tomos sydd wedi gweld magu'r plant. Dyma hi'n frwydr fawr rhwng Tomos ag Etwart. Ond ni thycia dim. Â Matthews yn ei flaen :

Na drueni ontefa? Ac fe fydd 'na hen ddiflastod dros y gwledda i gyd, 'lwch chi, os na ddaw a . . . O 'na drueni ontefa? Ond rhoswch, pwy sy' na'n croesi'r buarth tuag ato fa? Wel tawn i byth o'r fan 'ma, ond taw hen ŵr ei dad yw a. Diar mi, ma' 'na ryw ysgafnder yn ei draed a heddi' ondosa? 'Drychwch arno fa'n gafal yn ei fraich a . . . Clywch arno fa . . . "Etwart, Etwart, 'y machgen i, 'dwyt ti ddim yn dod miwn w? 'Ry' ni'n aros iti bachan. Ma' Dafydd dy frawd weti dod 'nôl o'r hen wlad bell 'na . . . Allwn ni ddim rhoi gormod o groeso iddo heddi' . . . dere 'nawr, ma' dy frawd yn dy ddishgw'l di".

"Dyw a ddim brawd i fi."

Am clywch ar y dyn! . . .

"Dyw a ddim brawd i fi na mab i chitha 'nhad, ac rŷchi'n ffolach na'ch llun iddi groesawu a . . . y sgempyn ag yw a. Weti dod ta thre, meddech chi . . . hy, oti, ar ôl hela pob dima goch o'dd ar 'i elw a . . ."

"Etwart, Etwart, beth wyt ti'n weud Etwart bach? Dafydd dy frawd yw a, wyt ti ddim yn fo'lon rhoi ticyn o *welcome home* i Dafydd w? Ma' fa weti diodda lot yn yr hen wlad 'co cofia . . . ma'i olwg a'n dweud ma' gwlad lom odd hi, Etwart."

"Pidwch a 'nhemtio i 'nhad . . ." Clywch ar y dyn ffôl! . . . "Rŷchi'n gwpod fel 'rwy i weti'ch gwasanaethu chi, a rhoisoch chi ariôd swpar i fi . . ."

49

"Etwart, Etwart, wyt ti'n galad w; er mwyn y gweision a'r cymdocion w . . . fe fydd dynion yn whali os na ddôi di . . ."

"Dwy' i ddim yn dod."

"Etwart, dos na ddim ond un gair arall genni . . . Etwart, beth pe da dy fam byw heddi' . . . galla'i bod hi'n etrych arno ni 'nawr . . . Etwart, er mwyn dy fam w . . ."

"Dwy' i ddim yn dod."

Yr oedd y gynulleidfa bron ar ymollwng erbyn hyn, ac fel y gwrthodai'r brawd hynaf am y tro olaf, dyma lais o'r gynulleidfa : "Gadewch i'r diawl sefyll ma's i'w grogi, Mr. Matthews, a cherwch chi 'mla'n !"

Rhaid bod y ddeialog gartrefol rhwng y mab a'r gweision a'r tad, yn beth hollol gartrefol i gynulleidfaoedd y Fro, ac nid yw'n debyg y byddai llawer wedi sylwi ar y ffordd feistraidd y cadwai'r ddeialog i fynd rhwng y rhain, a hefyd rhwng y pregethwr a'r gynulleidfa— rhywbeth tebyg i 'asides' Shakespeare. Cymeriadau credadwy, deialog fyw, gwrthdaro, *tragedy,* comedi, a mwy na hynny hefyd. Yr oedd Matthews ar ei orau yn feistr yn ei gynildeb. Nid yw'n gwastraffu ei amser i esbonio. Mae'r chwarae yn ei esbonio'i hun.

Dyna ichi'r bregeth ryfedd arall honno am y ddafad golledig. Dyma enghraifft dda o'r *oblique approach.* Disgrifio bugail ar fryniau Morgannwg a wnâi trwy'r bregeth, ac nid yw'n ymostwng i esbonio pwy ydyw mewn gwirionedd na phwy yw'r defaid chwaith, fel y gwnâi llai meistr ar ei gelfyddyd. Nid oedd ei gyfoeswyr heb sylwi ar y gynneddf hon yn ei bregethu. Cronicla ei gofiannydd, J. J. Morgan, sylwadau un a'i clywsai'n pregethu ar y testun, "Chwi a fwriadasoch ddrwg i'm herbyn." Ebr hwnnw : "A ddarfu ichwi sylwi iddo'n cadw ni am hanner awr gyfan heb enwi Joseff gymaint ag unwaith. Dyna i chwi gelfyddyd. Fedrai neb ond pencampwr mewn pulpud wneud hynna."

Dyma agoriad ei bregeth.

"Os cyll efe un. Yr oedd genni gant o ddefad yn cychwyn, 'lwch chi. Yr oeddan nhw'n gant llawn, fe'u rhifais nhw deirgwaith i fod yn siwr. Oeddan, yr oeddan nhw'n gant, ond gadewch imi weld rhag y gall hi fod yma hefyd, waeth un sy'n eisa, *un,* dim ond *un,* ac fe allwn wneuthur camsyniad am un."

Ac yna y mae'n mynd ymlaen i'w cyfrif eto, sawl gwaith, ac yn y diwedd cael bod un yn eisiau.

"Ble collsoch chi hi?"

"Beth 'wn i i ble yr aeth hi? Dyna yw'r gofid. Taswn i'n 'i gweld hi'n mynd fe elswn ar ei hôl hi y pryd hwnnw, waeth mae defaid yn aml yn troi oddi ar y ffordd . . . Dyna yw'r gofid, welais hi ddim ohoni'n mynd."

"O wel, dafad yw hi, dafad, a 'dyw dafad ddim rhyw gownt mawr. Thor y gollad ddim ohono'i. Dyw'r gollad fel ŷch chi'n gweld, hwnt nac yma. Ond nid matar o gollad yw hi, 'lwch chi, waeth 'dyw hwnnw fel 'rŷch chi'n gweld ddim yn drwm iawn. Un yw hi, ac un mewn cant. Na nid matar o gollad yw hi."

"Na, beth yw hi ynte?"

"Hyn—colli. 'Dyw bugail ddim yn lico colli dafad. Peth cas yw colli. Mae'n well gen i roi, na cholli. A heblaw hynny, mae'r bugail yn mynd yn dipyn o ffrind i'r defaid. . . . Dafad fach ddiniwad oedd hon hefyd . . . y peth mwya' dishifft yn y greadigaeth yw hi . . . mae'n rhaid i mi'i cheisio hi."

Mae'r bugail yn gadael y namyn un pum ugain yn yr anialwch, ac yn mynd ar ôl yr hon a gollwyd.

'Am y dyn! Ydych chi'n mynd i adael y cant namyn un yn yr anialwch? . . . Ydych chi'n mynd i risco y rhai hyn i gyd er mwyn un llwdwn?"

"Am clywch y dyn! Risco! Beth dâl siarad am risco. Ond taw risco yw hi i gyd? Fe risca i bopeth er 'i mwyn hi."

Wrth gwrs, yr oedd dyn fel Matthews yn ffodus yn ei gynulleidfa —pobl oedd yn gwybod y 'cefndir'. 'Sgwn i sawl pregethwr heddiw a fentrai gymaint ar ymateb ei gynulleidfa ag a wnaeth Matthews rhyw fore Sul yn Salem, Cantwn, Caerdydd? Aeth i'r pulpud y bore hwnnw, wedi'i gyffroi gan yr hyn oedd *higher critics* yr Almaen yn ei ddweud am y Beibl.

Wedi codi'i destun, dechreuodd droi tudalennau'r Beibl a rhoi esboniad, rhyw *running commentary*, ar y gwahanol lyfrau yn null y beirniaid uwchfeirniadol hyn. Âi yn ei flaen o lyfr i lyfr, nes bod bron y cyfan o'r Beibl yn un domen ar lawr y pulpud.

"Ma' nhw weti ffindo mês, ichi'n gweld, ma' celw'dd yw llawar o'r Hen Air 'ma . . . otyn siwr . . . 'Does neb yn Germany 'co 'nawr yn cretu'r gwyrthia, 'lwch chi. Taflwch yr hen betha 'ma i'r domen, da chi . . . A pheth os bu E' farw ar y groes? Onid yw pawb yn marw? . . . 'does dim gwatu ar hynny . . . a ma Fe weti marw a rhaid i gladdu E' . . deddfa iechyd sy'n galw am hynny, 'lwch chi, rhag iddo fod fel Lazarus yn drewi, 'lwch chi . . . ia, claddwch E' o'r ffordd . . ."

Dyna ichi strôc o athrylith oedd dwyn enw Lazarus i mewn i'r darlun, yn y fan yma. Ond ymlaen â'r pregethwr—trwy lyfrau'r Beibl o un i un, nes cyrraedd y 'Datguddiad'—

"A chi sy'n y ngwrando i, cerwch 'ta thre, a dechreuwch bechu faint a fynnoch chi . . . 'Does dim Duw yn bod; 'does dim barn yn bod . . . i'r domen â'r hen Feibl yma . . . Dafydd Wiliam! Pidwch chi a 'nghyhoeddi i, Edwart Matho, i bregethu 'ma byth mwy . . . 'dôs dim sens mewn pregethu celwydda . . . Lle ma' nghôt i, i mi gael ych gatal chi . . ."

A dyma fe'n cydio yn ei gôt ac yn ei gwisgo'n araf, ac i lawr ag ef dros risiau'r pulpud a gwneud ei ffordd tua'r drws. Wedi cyrraedd y drws dyma hen wraig yn torri allan dan deimladau dwys : "Rhag ych cw'ilydd chi Mr. Matthews. Ewch yn ôl i'r pulpud yna, canys mi a wn i bwy y credais, dotwch y Beibl 'nôl yn ei le . . ."

Ac yn ôl â Matthews i bregethu ar ei destun : "Gwywa y gwelltyn, syrth y blodeuyn, ond gair ein Duw ni a saif byth."

Oedd, 'roedd yr hen gewri yn sicr o'u cynulleidfa. Dim ond un 'curtain' a oedd yn bosibl i'r 'act' yna yn Salem, Cantwn. Fel cynulleidfa dramawyr Groeg, gwyddai'r gynulleidfa yng Nghymru sut y dylai'r ddrama orffen.

Mae'r storiau am hiwmor brathog Edward Matthews yn lleng. Yn Sasiwn Cwmafon yn 1880, gofynnwyd am eu barn ynglŷn â gwaith Cynddylan Jones yn dwyn Litani y *Llyfr Gweddi Gyffredin* i mewn i'r gwasanaeth yn ei eglwys yng Nghaerdydd. 'Doedd gan Edward Matthews fawr o olwg ar y Llyfr hwnnw, ond fe gondemniwyd Cynddylan yn llym gan Thomas Lefi, ac yr oedd hynny yn ddigon i boethi'i waed, ac meddai : "Yr ŷch chi i gyd yn derbyn *Trysorfa'r Plant*. Ar ei hamlen chwi welwch hysbysiad : "Llyfr Gweddi Teuluaidd," gan Thomas Lefi. "Pris hanner coron." Yr unig wahaniaeth rhwng y ddau yw bod Mr. Jones yn dysgu'r bobl ieuainc i weddïo am ddim, a bod Mr. Lefi yn codi hanner coron am wneud hynny."

Ond trueni fyddai i wendidau fel hyn guddio gwir fawredd Edward Matthews. Yr oedd yn bregethwr mawr, a hefyd yn un o lenorion prysuraf ei ddydd. Dywedir bod ganddo ddawn yr hynafiaethydd, ac iddo ddweud ar ddiwedd ei oes, "ei fod heddyw yn gofidio na buasai wedi sgrifennu llyfr ar Fro Morgannwg, ac nas gwyddai am faes cyfoethocach i'r hynafiaethydd na'r Fro." Mae'n werth cofio bod Edward Matthews o'r un teulu ag Ann Matthew o Langrallo, mam Iolo Morganwg. Fe all dyn gasglu llawer am y Fro, ei harferion a'i hanes, yn ei ysgrifau a'i 'nofelau'. Yr oedd yn llenor wrth reddf, ac mae llawer o'i ddywediadau yn dangos crebwyll a gwreiddioldeb. Wrth gyfeirio at ddylanwad y bardd Young ar Bantycelyn dywed. "Fe roddodd Williams ffurf anfarwol i feddyliau Young, fel y gwnaeth Shakespeare i Holinshed, a dyna'r peth mawr mewn barddoniaeth." Byddai'r beirniad modern yn cytuno ag ef. Fe ddwedodd, yn ei ffordd ffraeth a threiddgar ef ei hun, am Islwyn : "Pw! 'Dyw Islwyn, welwch chi, ddim yn cadw rheolau barddoniaeth; pe baech chi'n meddwl am John Howells, Pencoed (y Bardd Coch), thorrws e' reol erioed !"

Mewn cwmni dywedir y byddai Edward Matthews yn adrodd darnau o Shakespeare a "rheffynnau meithion" o weithiau Pantycelyn. Yr oedd, hefyd, yn hoff o faledi, ac o weithiau Walter Scott. Nid rhyfyg ar ran y Dr. Cynddylan Jones oedd enwi Edward Matthews ar yr un anadl â'r Dr. Lewis Edwards a'r Prifathro Charles. Davies. "Wrth wrando ar y Prifathro Davies," meddai, "dymunwn fod yn dalentog; wrth wrando ar y Dr. Edwards dymunwn fod yn dda; wrth wrando ar Edward Matthews boddlonwn i fod yn unrhyw beth a ewyllysiai Duw, fel clai yn llaw y crochenydd."

Ugain mlynedd cyn bod Daniel Owen wedi cychwyn ar sgrifennu ei *Hunangofiant Rhys Lewis,* yr oedd Edward Matthews wedi cychwyn ar gyhoeddi yn fisol yn y *Cylchgrawn* ei nofel *Taith i Dŷ Rees Hopkin o'r Creunant.* Dros ddeng mlynedd cyn hynny, yn 1851, cyhoeddodd *Siencyn Penhydd,* ac yn 1867 *George Heycock a'i Amserau,* dau 'gofiant' sy' wedi tynnu'n gryf ar ddychymyg yr awdur, ac sy'n ymylu ar fod yn nofelau, neu "ffuglen", yn iaith yr oes honno. Yn ei ddydd, hyd yn oed, nid oedd pobl yn derbyn y gweithiau hyn fel gwir gofiannau. "Y mae'r llyfr fel Almanac Caergybi, peth yn wir a pheth yn gelwydd", ebr un gweinidog wrth Edward Matthews. Fe gyflawnodd Edward Matthews, debygwn i, gyffelyb gamp i'r hyn a wnaeth D. J. Williams yn *Hen Wynebau.* Llunio creadigaethau byw, credadwy ar sail cymeriadau a adnabu yn nyddiau ei blentyndod a'i lencyndod, ac wedi hynny, o ran hyyny. Mae Dafydd William Dafydd, George Watson, Siencyn Penhydd a George Heycock yn greadigaethau artist, yn hytrach na chronicl cofiannydd; ac wrth adrodd amdanynt cawn gipolwg ar y math o gymdeithas a'i lluniodd. Yn y ddau 'gofiant', ac nid oes amheuaeth mai *Siencyn Penhydd* yw'r gorau o'r ddau, cawn ddisgrifiadau o arferion Morgannwg yn ei ddyddiau ef, ac felly dystiolaeth bwysig i haneswyr; cawn hanes am daplasau'r Fro, am ffeiriau, fel ffair Llandâf, a'i cynhyrfodd gymaint, arferion y pulpud a'r seiadau, ofergoelion cefn-gwlad, cymeriadau Morgannwg, ac yn y blaen. Ond maent yn fwy na hynny. Yn ei ddarlith ar 'Y Cofiant Cymraeg' dywedodd Saunder Lewis amdano : "Un yn ymylu ar fod yn llenor mawr oedd Matthews, Ewenni . . . Ar ei orau y mae Edward Matthews yn feistr ar eirfa gyfoethog, ar briod-ddull flasus, dafod-ieithol, ac ar frawddegau byrion grymus. Ni ellir ei ddiystyru; dan ei ddwylo ef y mae'r cofiant yn ymestyn at y nofel. Dywed stori a dengys olygfa ddigrif gyda hwyl a ffraethineb diguro."

Yr oedd Edward Matthews wedi rhagflaenu Daniel Owen wrh seilio ei "ffuglen" ar ddraddodiad y cofiant Cymraeg.

O 1864 tan 1880 cyfrannodd Edward Matthews golofn fisol i'r *Cylchgrawn,* dan y teitl 'Nyth y Dryw'. Ynddi taflai ei olwg dros ddigwyddiadau'r mis, yn boliticaidd, yn gymdeithasol, ac yn gref-yddol. Mae'r ysgrifau hyn yn newyddiaduraeth o radd uchel, wedi eu sgrifennu â grym bachog, a chydwybod effro ac nid oes amheu-aeth na ddarllenid hwy'n awchus gan ddarllenwyr y cyfnod. Wrth ddarllen ambell ddarn heddiw mae dyn yn gofyn iddo'i hun a yw'r byd wedi newid gymaint a hynny? "Y mae America fel pe bae am gymeryd pastwn, a churo pawb, ac arglwyddiaethu ar y byd ! . . . Ond fe allai y daw rhyw amgylchiadau â hwy yn fwy i'w synnwyr ym mhen tipyn." Ydy'r awr honno wedi gwawrio tybed?

Ac y mae blas cyfoes, hefyd, i'r dyfyniad hwn : "Beth ! a ydyw y Saeson ar fedr ein hysbeilio o'n henwogion? Y maent wedi ein hys-beilio o'n dyffrynoedd breision—maent wedi ein hysbeilio o'n cestyll —maent wedi ein hysbeilio o'n gwladwriaeth; ie, a breintiau gwlad a chenedl . . ."

Bu farw Edward Matthews ym Mhen-y-bont, ar y 26ain o Dach-wedd, 1892, ac fe'i claddwyd ym mynwent Nolton.

O ffatri'r brodyr Jenkins ceir golwg braf ar Ewenni dawel yn y pant islaw, a'r Priordy prydferth a'i dŵr castellog, un o wyrthiau'r Normaniaid rhyfelgar. Ar lan afon fach Ewenni, rhed ffordd o waelod y pentref, heibio i'r tŷ lle trigai Edward Matthews gynt. O'i gymharu â darlun ohono a geir ar gerdyn a gyhoeddwyd fel swfenîr i ddathlu canmlwyddiant geni'r pregethwr enwog, a roddyd imi gan un o'r brodyr, mae'r tŷ wedi'i adnewyddu i gydymffurfio â chwaeth fwy modern. O ddilyn y ffordd am ychydig gannoedd o lathenni down at furiau cadarn y Priordy, a'r eglwys ei hun—un o emau eglwysig y Normaniaid yng Nghymru.

Dechreuwyd codi'r eglwys yn Ewenni gan Wiliam de Londres (Wiliam o Lundain), Arglwydd Ogwr, ac mae hanes yn croniclo i'w fab Maurice, yn 1141, roi'r eglwys i San Pedr, Abaty Caerloyw, er mwyn sefydlu cell o fynachod Urdd San Bened yn y Fro. Cadarnhau rhodd ei dad a wnaeth Maurice, mae'n debyg, oherwydd yr oedd ef eisoes wedi cyflwyno'r eglwys i San Pedr. Pan aeth Gerallt Gymro heibio i'r Priordy ar ei ffordd i Dyddewi, wedi ymweliad â Llandâf, ni ddywed fwy yn ei daith-lyfr nag iddo, ar ôl canu'r offeren yn Eglwys Gadeiriol Llandâf, yn ddiymdroi brysuro "ar ein ffordd heibio i gell fechan Ewenni tua chyfeiriad Margam, mynachlog wych 'urdd y Sistersiaid'."

Mae eglwys Ewenni yn un wych, wedi'i hadeiladu ar lun croes, ac yn enghraifft o bensaernïaeth firain y Normaniaid ar ei gorau, ac mae'n dda meddwl y rhoir pob gofal gan yr awdurdodau i'w chadw a'i gosod mewn trefn. Mae rhyw gadernid nerthol yn y bŵau cymesur, Normanaidd. Corff yr eglwys yw'r rhan hynaf ohoni; dyma'r rhan a godwyd gan Wiliam de Londres. Ychwanegwyd y rhan ddwyreiniol at wasanaeth y mynachod, a gellir gweld yn glir y modd y mae'r rhan yma yn fwy addurnol ei gwedd. Defnyddiwyd corff yr eglwys ar hyd y canrifoedd fel eglwys y plwyf, ac felly y pery; mae'r tân ynghyn ar yr allor o hyd. Hyn, yn ôl yr Athro Glanmor Williams, sy'n cyfrif na chwalwyd yr eglwys a'r priordy pan ddiddymwyd y mynachlogydd yn nyddiau Harri'r Wythfed. Yr adeg yma, yng nghyfnod y Refformasiwn, y daeth y priordy i ddwylo'r cyfreithiwr a'r diplomydd enwog Sir Edward Carne. Ef a anfonwyd at y Pab gan Harri'r Wythfed pan oedd hwnnw'n chwilio am ysgariad, ac yn ddiweddarach ymwelodd â Brussels i geisio gwraig arall i'w frenin; ond ymddengys na fu hyn yn rhwystr mawr iddo pan ddaeth Mari i'r orsedd, oherwydd dewiswyd ef, am yr ail waith, yn siryf Morgannwg! Gŵr o ystwythder anghyffredin, fel y gellid disgwyl i ddiplomydd fod, ond eto daliodd yn ffyddlon i Eglwys Rufain trwy ei oes. Gorffennodd ei yrfa yn Rhufain, yn llysgennad Mari. Bu'n rheolwr yr 'English Hospital' am gyfnod, ac fel un o'r comisiynwyr a ddewiswyd i ddifodi'r mynachlogydd, nid yw'n syndod i briordy Ewenni syrthio i'w ddwylo—ei *brynu* a wnaeth, wrth gwrs, yn gyntaf ar brydles, am ryw dâl o ugain punt i

13. Priordy Ewenni a Phen-y-bont yn y cefndir.   J. Idris Morgan

Abad San Pedr, Caerloyw, ond yn ddiweddarach daeth y lle'n gyfangwbl i'w ddwylo, a hynny'n ddi-amod. Meddiannodd diroedd eraill yn y Fro, hefyd; yn fwyaf arbennig, efallai, maenor Tregolwyn, a thiroedd yn Llanfeuthin a Margam.

Yn yr eglwys ceir nifer o feddrodau cerfiedig ag arnynt arysgrifau mewn Ffrangeg-Norman. Mae un o'r rhai hyn, beddrod sylfaenydd y priordy, Maurice de Londres, yn enghraifft hynod gelfydd o grefftwaith seiri maen y cyfnod. Ar y garreg hon ceir cerfiad o'r groes ar lun rhosyn, neu flodyn tebyg, ac oddeutu i'r groes, ceir yr arwydd

IGI GIST MORICE LE FUNDUR
DEU LI RENDE SUN LABUR AM.

Mae'r geiriau mor ddarllenadwy heddiw â phan dorrwyd y llythrennau tua 1200.

Yma y gorwedd Maurice de Londres, y sylfaenydd.
Duw a'i gwobrwyo am ei waith, Amen.

Mae cerrig coffa eraill yn cofféu teulu'r de Londres.

Mae un beddrod arall yr hoffwn sôn amdano sy'n perthyn i'r olaf o deulu Edward Carne (a gladdwyd hefyd yn yr eglwys hon). Onid oes rhyw dristwch anaele yn y pennill bach hwn, sy'n nodi diflaniad un o deuluoedd pwysig y Fro, gyda marwolaeth John Carne, yn bymtheg oed, yn y flwyddyn 1700.

> *Here lies Ewenny's hope, Ewenny's pride,*
> *In him both flourished, and in him both dyed.*
> *Death, having seized him, lingered loth to be*
> *The ruin of this worthy family.*

Yma hefyd, mae lle i gredu, y ceir beddrod Gilbert de Turbeville, Norman arall, arglwydd Coety, a chymwynaswr y Priordy.

Y tuallan, yn y cwrt, mae celloedd y mynaich i'w gweld o hyd, a golwg ardderchog ar dŵr cadarn, urddasol, sgwâr yr eglwys. Yng ngerddi'r plas, eiddo'r Cyrnol Edmondes, gŵr hoffus a roes wasanaeth gwiw i'r Eglwys yng Nghymru, y mae Colomendy mawr, a fu'n gymorth, mae'n ddiau, i roi lluniaeth a chynhaliaeth i'r mynaich yn eu dydd. Rhai blynyddoedd yn ôl cefais yr hyfrydwch o droi o gwmpas y fangre hon yn ffilmio gogoniannau'r eglwys a chael sgwrs â'r Cyrnol Edmondes. Dangosodd imi rôl enfawr o achau'r teulu yn croniclo hanes hir teuluoedd Ewenni. Mae ei fab wedi cymryd enw'r Twrbiliaid yn gyfenw iddo. Y tro diwethaf y bûm i yn Ewenni ni fedrai'r Cyrnol Edmondes fy ngweld; yr oedd ar wely angau, ac yn ei farwolaeth collodd yr Eglwys yng Nghymru un o'i lleygwyr mwyaf ymroddgar a ffyddlon.

Ychydig yw'r bobl a ddaw heddiw i addoli yn eglwys Ewenni, ac i gapel Edward Matthews, ond mae'n bosibl o hyd i grwydriaid cydnaws brofi yma beth o rin y canrifoedd pan oedd crefydd o hyd yn rym yn y tir. Â chlust fain y meddwl gall dyn glywed yn yr awel yn hwyr y dydd, wrth rodio glannau tawel Ewenni, sŵn siantio diwair y mynaich, a goslef wefreiddiol y pregethwr, yn cyhoeddi rhinweddau'r Groes, a oedd yn ganolbwynt i'w bywydau.

Etched by Robert Cruickshank

from a memoriter drawing by E.W

Edward Williams.
Bardd Braint a Defod.

14. Iolo Morganwg.   Robert Cruickshank

4

Trefflemin

Saif Trefflemin ar godiad tir uwchlaw dyffryn Ddawan, ac o waelod y pentref fe welwch yr afon fechan yn ymdreiglo trwy wastadedd digon llwm yr olwg. Ond nid felly i lygad bardd hiraethus. Canodd Iolo am y dyffryn :

'Delicious Vale ! by nature dress'd in Beauty's rich array.'

Rhaid cyfaddef fod hyfrytach mannau na'r gwastadedd hwn ar lannau'r Ddawan, a diau y gwyddai Iolo am bob glan a chilfach, a mwy na hynny, mynnodd fyw y rhan helaethaf o'i oes yn ei hoff Fro, â'i chastelli, ei phentrefi a'i thai gwynion.

Dowch o hyd i Drefflemin o sawl cyfeiriad. Gellwch droi o ffordd yr arfodir (B4265) yn ymyl Sain Tathan, mynd trwy'r pentref hwnnw ac yn syth i Drefflemin. Neu fe ellwch ei gyrraedd o'r Bont-faen, heibio i Landochau'r Bont-faen, a Llan-fair ac yn syth i'r pentref.

Deil Trefflemin yn bentref hyfryd a diarffordd; clwstwr o dai a ffermdai o gwmpas yr eglwys a'r maenordy, neu Gwrt Fflemin, fel y'i gelwir. Os taw'r Bont-faen a ystyrir yn 'brif-ddinas' y Fro, y pentref hwn yw ei chalon, oherwydd mai yma y bu Iolo Morganwg yn byw; Iolo yr artist a greodd y fro hud sy'n dal i gorddi breuddwydion yr ysgolhaig a'r bardd, a phobl lai. O'r braidd y mae yno ddim heddiw i'n hatgoffa amdano, ond y gofeb ddwy-ieithog yn yr eglwys fechan, iddo ef a'i fab Taliesin ab Iolo. Efallai fod rhyw eironi yn y ffaith na wyddom am fan fechan ei fedd; ef a fu mor brysur yn naddu arysgrifau ar gerrig beddau di-rif y Fro ! Codwyd y gofeb ar draul Iarlles Dwn-rhefn, flynyddoedd ar ôl ei farw, pan atgyweiriwyd yr eglwys. Yn rhifyn Awst 7fed, 1858 o'r *Cardiff and Merthyr Guardian* gwelais hanes cyfarfodydd yr ail-agoriad. Dywedir bod gwasanaeth yr hwyr yn Gymraeg, a hyd y deallaf, dau offeiriad yn pregethu. Dywed hyn rywbeth am Gymreigrwydd y Fro, heb sôn

am Gymreigrwydd yr Eglwys yng Nghymru, y dwthwn hwnnw!
Perthyn yr eglwys i'r bedwaredd ganrif ar ddeg, er iddi gael ei had-
newyddu'n weddol lwyr yng nghanol y ganrif ddiwethaf. Mae'n
werth sylwi ar y ffenestri yn y transept deheuol, lle y cewch chi
enghraifft o waith penseiri'r Canol Oesoedd. Yn y mur deheuol fe
welwch ddelw garreg o Siwan Fleming ag arysgrif Ffrengig Nor-
manaidd arni. Fel yn llawer eraill o eglwysi'r Fro, y bedyddfan yw'r
unig beth sy'n aros o'r cyfnod Normanaidd. Derbyniodd y pentref ei
enw oddi wrth deulu'r le Fleming. Y cyntaf o'r teulu yn y Fro oedd
Syr John Fleming, ac yn ôl yr hanes fe dderbyniodd Drefflemin
oddiar law Fitzhamon. Fe elwid ei fab ieuengaf yn "Fflemin Melyn",
a hyn sydd i gyfrif am y ffurf a geir yn soned Iorwerth Peate y
dyfynnaf ohoni wrth ymweld â Threbefered a Llanilltud Fawr.
Wrth edrych trwy gywyddau Dafydd Benwyn yn Llyfrgell Caer-
dydd, deuthum ar draws y cwpled hwn :

> Mal rhyw iarll aml a rhy ynn
> Milwr bro Fflemin melyn.

Yn y cywydd o fawl i Grystor Fflemin, mab Syr John Fflemin, ceir
sôn am ei letygarwch.

> Llys rhydd i'r gwledydd aur glod
> llys hwn yw lle sy hynod;
> rhoi bwyd i bob rhai'n y byd
> rhyw didwyll, rhoi diodydd.

Mae'n sôn am gynhennau'r Fro,

> fe fu gynt fwy fwy a gwg
> fawr gynnen ym Morgannwg.

15. Eglwys San Mihanghel, Trefflemin.   **J. Idris Morgan**

Ond 'roedd y Crystor hwn yn ŵr heddychlon â'i fryd ar heddychu rhwng teuluoedd.

> Yntau Crystor frau ar frys
> o fold rhylan fal Troelys
> rhoes ei feddwl, troes ŵr trwch
> rhyngddynt i geisio heddwch.

Erbyn y bymthegfed ganrif 'roedd y teulu hwn wedi ymdoddi i fywyd Cymreig y Fro, a beirdd yn dyfod yma o bob rhan o Gymru. Ffinia'r maenordy â mynwent yr eglwys. Cefais siom fawr o weld y tumewn i'r tŷ, oherwydd bod ei nodweddion hynafol wedi'u gorchuddio gan addurniadau modern, hollol anghydnaws â'r hen adeilad. Gellir cael rhyw syniad o'r hen neuadd yn nisgrifiad Marianne Roberts Spencer yn ei *Annals of South Glamorgan* a gyhoeddwyd ym 1913. "*The hall is wainscoted with beautiful dark oak, and the chimney piece and over mantle are splendid specimens of antique carving.*" O'r braidd y byddai'n adnabod y neuadd heddiw. Stripiwyd y coed a'r muriau dros ddeng mlynedd yn ôl, a heddiw maent tan orchudd o goed ffug. Codwyd y maenordy ar sail hen gastell y Ffleminiaid, a gellir gweld olion yr hen waliau o gwmpas mynwent yr eglwys o hyd.

Yng Nghwrt Fflemin y trigai Margaret, unig ferch Thomas William, Bethesda'r Fro. Bu farw'n wraig ifanc, ychydig amser wedi marwolaeth ei mam. Canodd ei thad farwnadau ar eu hôl, sy'n llawn o realaeth greulon, a pheth chwerwder ysbryd. Crefftwr o fardd yn methu â dygymod â chrefftwaith yr Angau.

> Pridd yw'r tafod, pridd yw'r fynwes,
> Pridd yw'r llygaid, pridd yw'r llaw,
> Pridd a dim ond pridd, yw Jinny,
> Heddiw wrth Bethesda draw.

Ychydig o ôl hyder ei emynau sydd yn y marwnadau hyn, er bod ei benillion i'w ferch yn gorffen yn fwy hyderus, â'r gobaith y gwêl ddiwedd ar 'nos y bedd'. Ond ffyrnigrwydd ing enaid yw'r nodyn amlycaf a darewir.

> Fe ddaeth angau i Gwrt Fflemin,
> Daeth fe ddaeth y gelyn cas;
> Ffaelodd meddyg, ffaelodd moddion,

Ysu'r gelyn brwnt i ma's;
Ni wnaeth pump o blant yn llefain,
"Dos ymaith, dos, O angau llym;"
Ni wnaeth gweddi, ni wnaeth wylo,
Ni wnaeth unpeth dycio dim.

Nid yw'r anobaith anaele yma yn ddieithr i'r neb a wynebodd y profiad. Mae ei ddisgrifiadau o'r angau yn gignoeth, ac mae'n sicr fod y ddwy farwolaeth yma wedi bod yn brawf llym ar ei ffydd. Nodyn anobaith sydd i'w glywed fwyaf yng ngherddi Thomas William tua diwedd ei oes. Wynebodd brofedigaethau personol, a dechreuodd anobeithio am ddyfodol crefydd yn y Fro. Tybed a yw W. J. Gruffydd yn dweud gormod wrth ddal mai "dadrithiad crefyddol" oedd dan brudd-der yr emynydd? Ai adwaith naturiol ydoedd i'r oerni sy'n dilyn yn anorfod yn sgil 'twym ias' diwygiadau? Peth anodd, hyd yn oed i sant, yw byw o hyd ar yr uchelfannau,—"gwnawn i ni yma dair pabell . . .'—ond rhaid disgyn i'r gwastadeddau, i fyd dynion cyffredin a'u problemau. Problem yr eglwys yw'r gwastadeddau rhwng y 'diwygiadau'.

Fel ei ferch, 'roedd Thomas William yntau yn byw yn Nhrefflemin, ond nid yn y Cwrt. 'Roedd yn gymydog i Iolo Morganwg am ugain mlynedd a mwy. Disgrifiodd G. J. Williams y ddau fel cymdogion 'anghydnaws'. Mae lle i gredu fod pethau'n waeth hyd yn oed na hynny. Fe gofia'r rhai a wrandawodd y Parchedig W. Rhys Nicholas yn traethu ar emynau Iolo, yn Eisteddfod Genedlaethol y Barri, 1968, neu a ddarllenodd ei araith yn *Bwletin* Cymdeithas Emynau Cymru, iddo drafod yn gynnil achos yr anghydfod rhwng y ddau. Fe soniodd am gân ymhlith llawysgrifau Iolo yn Llyfrgell Genedlaethol Cymru, dan y teitl "Cân ar y pregethwr rhagrithlawn," a dywed ei bod yn anodd "osgoi'r casgliad mai Thomas William, Bethesda'r Fro, fyddai'n dod gyntaf i feddwl pobl wrth ddarllen y gân." Cefais olwg ar y gerdd. Dyma ychydig o linellau ohoni.

Sôn anferth sydd am ddyn o bregethwr
Sy'n rhodio'n ben rydd yn ffyrdd y rhagrithiwr.
Yr un fu ryw amser yn flaenor ymryson,
Gan chwythu tân cynnen ymhlith ei gyfeillion,
Trefflemin a ŵyr ymhle mae'n trigfannu,
A'i drachwant mor llwyr tros bawb yn trawsgamu.

Tybed ai cyfeiriad at yr ymryson a fu yn Aberthin, pan ymadawodd Thomas William a'i gyd-emynydd, John Williams Sain Tathan, â'r ddiadell yno a geir yn y llinellau hyn?

Tybed hefyd nad oedd tipyn o 'gythraul yr emynwyr' wrth wraidd yr anghydfod rhwng y ddau?

Mae'n traethu pregethau, gwneud hymnau newyddion,
Gair Duw yn ei enau a Diawl yn ei galon.

Rhaid cofio, wrth gwrs, fod Iolo yn emynydd toreithiog; yn fwy felly na Phantycelyn ei hun! Cyfansoddodd ryw dair mil o emynau, ond nid yw'r cwbl, o bell ffordd, wedi'u cyhoeddi. Cyhoeddwyd y gyfrol gyntaf o'i emynau ym 1812, a'r ail gyfrol gan ei fab ym 1834, a'r emynydd erbyn hyn yn ei fedd. Teitl y ddwy gyfrol yw *Salmau yr Eglwys yn yr Anialwch.* 'Salmau' oherwydd, fel y dywed yn ei ragymadrodd, iddo gymryd "y Brenin Dafydd yn ragddarlun immi." Cydnebydd, hefyd, ddylanwad salmau-cân Edmwnd Prys. Rhaid cydnabod mai rhyddieithol a di-sbonc yw llawer ohonynt. Adweithiodd yn ffyrnig i'r Diwygiad Methodistaidd, a'i *'enthusiasm'.* Nid yw hyn yn beth rhyfedd a chofio mai Undodwr ydoedd, ond, eto, fe geir emynau o'i eiddo sy'n hollol ddi-dramgwydd i'r union-gredwr cadarnaf. Ychydig o ddefnydd o'i emynau a wnaed gan yr enwadau—ar wahan, wrth gwrs, i'w enwad ei hun. Ceir un emyn o'i eiddo yn *Emynau'r Eglwys,* a chofiaf ymuno i'w ganu yng ngwasanaeth y Cymun Bendigaid, un bore Pasg; emyn hyfryd ydyw, hefyd. Rhoddodd "Adgyfodiad Crist" yn deitl iddo, a'r rhuddell: "Gellir canu'r Salm hon mewn angladd." Dyma fel y ceir ef yn fy nghopi o argraffiad cyntaf o gyfrol 1834, wedi newid yr orgraff yn unig.

Sêr y bore'n dyrfa lân,
Ail-gyfodwch nefol gân;
Trwy'r holl fydoedd boed ar glyw,
Bloedd gorfoledd meibion Duw.

Newydd da, bloedd utgorn hedd!
Cododd Iesu Grist o'r bedd!
Newydd da! melltened ef
Trwy holl fydoedd Teyrnas Nef.

Cyfun â'r angylaidd gôr,
Boed ein mawl i'r nefol Iôr;
Canwn i bob calon drist,
Fuddugoliaeth Iesu Grist.

Colyn angau, mwy nid yw
Yn dychrynu dynol ryw;
Na'r bedd mwy'n cynhyrfu'n drist
Wir ddilynwyr Iesu Grist.

Allan torred salmau mawl,
Ffrwd gorfoledd yn ddi-dawl;
Treigled eu bodoldeb maith
Yn dragywydd ym mhob iaith.

Sêr y bore'n dyrfa lân,
Ail-gyfodwch nefol gân;
Trwy'r holl fydoedd boed ar glyw,
Bloedd gorfoledd meibion Duw.

Mae eto lawer o waith i'w wneud ar Iolo Morganwg fel emynydd. Fel y dangosodd Mr. Nicholas, mai aml drysor eto i'w ddwyn i'r golau.

Yn y ddau gasgliad fe hauodd Iolo englynion o'i waith ef ei hun rhwng yr emynau, ac ebr ef : "A lle bo gweinidog a fedro ei ddarllen (sef yr englyn) yn rheolaidd, ni wn i pam yn y byd na ellid yn ddigon priodol ei ddatgan ar ôl canu'r Salm (h.y. yr emyn)." Ni wn innau chwaith. Dyma enghraifft.

Duw fy Nêr ! tyner wyt ti;—hynaws Dad,
Nos a dydd i'n porthi :
Pob awr dy fawr glodfori
Boed yn waith ein bywyd ni.

Islaw'r eglwys mai ffermdy Gregory, ac wrth dalcen y tŷ allan sy'n union gyferbyn â'r tŷ, mae'r fan lle safai cartref Iolo Morganwg, gynt.

Ym 1960, a minnau'n paratoi ffilm ar y Fro ar gyfer y BBC, holais wraig ffermdy Gregory am unrhyw hanesion a glywsai am Iolo. Doedd hi'n cofio dim, ond pan elwais heibio iddi yn ddiwedd-arach yn y dydd, dywedodd iddi gofio'n sydyn i'w mamgu ddweud wrthi unwaith fod cerflun o waith Iolo ar wal y llaethdy gyferbyn. (Wrth dalcen hwn 'roedd cartref Iolo gynt). Nid oedd ôl dim ond gwyngalch cenedlaethau ar y mur. Awgrymodd merch y fferm y dylem chwilio. Dyma osod ysgol ar y mur, a dechreuodd y ferch forthwylio'r gwyngalch i ffwrdd, ac er mawr syndod dyma'r cerflun yn dyfod i'r golwg. Roedd Iolo yn saer maen o gryn athrylith ac nid yw'n amhosibl mai ef, ar ryw awr hamdden, a gerfiodd y cerflun syml hwn. Os nad ef, pwy?

16. Lle safai cartref Iolo Morganwg gynt.   David Jones

Nid oes yma heddiw ond twmpath o gerrig ac anialwch o wair a chwyn a drysni. Bwthyn digon distadl ydoedd yn ôl pob hanes. Yn Llyfrgell Caerdydd, ymhlith casgliad o bapurau nad oes a wnelont fawr ddim â Bro Morgannwg, ceir darlun pin ac inc o'r bwthyn (rhif 11) ond o'r braidd ei fod yn rhoi syniad inni o'i faint, gan nad oes unrhyw adeilad arall yn y darlun fyddai'n rhoi modd inni gymharu. Dyma fel y disgrifiodd Iolo y bwthyn yn ei hen ddyddiau.

17. Darluniad o dŷ Iolo Morganwg, Trefflemin.

"This cottage consists of only one small room below, and divided above into two very small bedrooms, never finished, unceiled and only the bare thatched roof at each side about 4 feet above the floor so that it is only in or near the middle that a grown person can stand upright."

Dywed G. J. Williams i'r bwthyn gael ei atgyweirio gan ei dad. Yn nyddiau ei henaint llwm, cawn ef yn sgrifennu at un o deulu'r Redwoods yn apelio am gymorth i dalu i'r towr am doi'r bwthyn, a chymhennu gwrychoedd yr ardd. (Bu Redwoods Trebefered yn garedig iawn wrtho. Dywed Elijah Waring iddo mewn nodyn, yr olaf iddo'i sgrifennu, alw am gael eu gweld. *"Edward Williams,,"* ebr Iolo yn y nodyn, *"would be as glad to see one of the truly Christian Redwoods, as to see an angel from heaven. O, most merciful God, bestow this blessing upon me! Thou who hearest every prayer."*

Yn fuan wedi marwolaeth Iolo, fe syrthiodd y bwthyn yn adfeilion ac mewn penillion o waith Peggy, ei ferch, a gladdwyd yn Llanilltud Fawr, ceir disgrifiad ohoni'n ymweld â'i hen gartref.

> *I sought the winding path in vain,*
> *That led me to the bower,*
> *Where I a stranger quite to care*
> *Spent many a happy hour.*
>
> *Within my father's garden now,*
> *I seek alas in vain*
> *The flowering shrubs that fenced it round,*
> *Not one of them remain.*

Ys canodd Iolo ei hun mewn cyswllt arall,

> Gwae fy nghwynfan am dŷ bychan
> Heb glwyd, heb do, heb lofft iddo.

'Roedd gan Iolo ddiddordeb mawr mewn garddwriaeth a gwyddai fwy na neb yn y Fro, efallai, am lysiau a choedydd a ffrwythau, ac am eu henwau yn Gymraeg. (Faint o'r enwau hyn oedd o'i wneuthuriaid ef ei hunan, mae'n anodd gwybod). Yn ei gywyddau mae'n hoff o restru coedydd y Fro

Af i Forgannwg hoywfalch
I weithio cerdd i'w thai calch,
Bro deg, y mae'n bur i'w dydd
Ei hawyr uwch ei hoywydd,
A'i brased, a'i lled i'w llawr,
A dolaidd ei blodeulawr,
Perthi drain, pob parth i'w drefn,
Pawb a'i windraul, pob iawndrefn,
Deri, elmenni mwynwedd,
Ag ynn, a theced eu gwedd,
A ffawydd lle ffy ewig
I dyno bron dan y brig.

"Pob parth i'w drefn",—ychydig o drefn sydd ar y parth yn Nhre-
fflemin heddiw, ac wrth bwyso ar y mur a syllu ar yr anialwch,
mae'n anodd creu unrhyw ddarlun, yn llygad y meddwl, o'r hyn a
fu. Mi fydda' i'n dychmygu bod y bwthyn, o ran ei gynnwys, yn o
debyg i'r hyn oedd tŷ Bob Owen, Croesor, gynt,—yn llawn o'r llawr
i'r llofft, o lyfrau a chyfnodolion a phapurau o bob math.

Yn y bwthyn hwn y crewyd y Fro Wen, y baradwys y canodd iddi
â'r fath afiaith heintus, fel yn y cywydd i yrru'r Haf i annerch
Morgannwg.

18. Un o fythynnod Trefflemin.   J. Idris Morgan

F'anerchion, yn dirion dwg,
Ugeinwaith i Forgannwg;
Fy mendith, a llith y lles
Dau ganwaith, i'r wlad gynnes. . .
Gwlad dan gaead yn gywair,
Lle nod gwych, llawn ŷd a gwair;
Llynnoedd pysg, gwinllannoedd pêr,
A maendai, lle mae mwynder;
Arglwyddi yn rhoi gwleddoedd,
Haelioni cun heilwin c'oedd.
Ei gwelir fyth, deg lawr fau,
Yn llwynaidd gan berllannau;
Llawn adar a gâr y gwŷdd;
A dail, a blodau dolydd;
Wyth ryw ŷd, a thri o wair,
Parlwr parlas, mewn glas glog,
Yn llannaidd a meillionog!

Ac 'roedd boneddigion yn y Fro i noddi'r beirdd â'u 'haur mâl', er bod yr arfer wedi hen ddiflannu erbyn ei ddyddiau ef.

Yno mae gwychion fonedd
A dâl im aur mâl a medd;
Ac aml gôr y cerddorion,
A ganant â thant a thôn . . .

Heb anghofio un o brif nodweddion y Fro—ei 'thai gwynion'.

Dy hinon yn dirion dwg,
Aur gennad i Forgannwg,
Tesog fore, gwna'r lle'n llon,
Ac annerch y tai gwynion.

Ac nid oes, mewn gwirionedd, hyfrytach golygfa na gweld bythynnod gwyngalchog y Fro yn disgleirio dan heulwen yr haf.

Ychydig o fythynnod felly sydd yn Nhrefflemin heddiw, ond fe welwch un bwthyn hynod o brydferth ar waelod y pentref, y *Glebe Farm*, a thu draw iddo, ar y gorwel fe welwch y môr. Diau i Iolo, pan oedd y tu arall i'r dŵr, yn hiraethu am ei Fro dirion, edrych gyda llygaid llaith ar y tai gwyn-galch yn y pellter.

Doco'r môr sy'n rhannu'n greulon
Rhyngof a Morgannwg dirion,
Fy nghorff sydd yma'n ddirfawr gwyno,
A'm calon glaf yn aros yno.

Doco'r tir yn ddigon amlwg,
Doco ran o Fro Morgannwg,
Doco'r bwthyn bach lle'm ganed,
Am hwn mae 'nghalon mewn caethiwed.

Mae'r gair bach 'doco' yn y penillion hyn yn fy atgoffa am glywed
y Parchedig Philip Jones, Porth-cawl, yn pregethu un waith, ac yn
adrodd yr emyn hwnnw,

Dacw gariad, dacw bechod . . .

Ac wedi adrodd y llinell gyntaf, yn sefyll, ac yn dweud, "Neu fel
bydde' ni'n dweud ym Mro Morgannwg acw, *Doco* gariad, *Doco*
bechod . . ." ac yn blasu'r gair bach tafodieithol wrth wneud.
'Roedd Iolo yn gasglwr diflin o eiriau tafodieithol Morgannwg.
Mynnai wybod popeth oedd i'w wybod am ei Fro, a'i hiaith. Ni
allai feddwl bod dim yn ddiffygiol ynddi, fel y tystia 'cywyddau'r
ychwanegiad', a'r dogfennau di-ri a luniodd yn garn i'w ffugiadau.
Un o drasiedïau mawr ein cyfnod ni oedd i G. J. Williams farw cyn
gorffen, o leiaf, ei gofiant i Iolo. Mae gen i reswm da i gofio'i far-
wolaeth, oherwydd ei fod ar y pryd ar fin traddodi ei ddarlith radio
Saesneg ar Iolo. Un o'r breintiau y byddai'n dda gen i fod hebddi,
oedd y dasg drist o ddarlledu ei ddarlith ar ei ran. Wrth agor cyfeir-
iodd at ddisgrifiad rhai pobl ohono fel *"a learned and self-educated
stone-mason,"* sy'n awgrymu nad oedd yn ddim mwy nag amatur
talentog. Â ymlaen i ddweud :

*"We all know today that this is entirely misleading. In his own
way, he was a professional scholar, but a scholar who had to work
as a stone-mason, or as he preferred to call himself, 'a marble-
mason', a man of immense learning . . . he was the greatest author-
ity of his day on the history of Welsh literature and on many aspects
of Welsh history. He was also an authority on such subjects as
horticulture, agriculture, geology, and botany . . . he was a
musician who had composed scores of hymn tunes . . . he took a
great delight in collecting folk songs."*

Ac felly yr aeth ymlaen i restru ei gampau amrywiol, a thrwy lygaid
Iolo, fel y tystia, y gwelwn ni'r Fro, a hynny trwy'r 'nudden aur'
a grewyd ganddo ef yn ei ddewin-dŷ yn Nhrefflemin.
    Mae'n amlwg fod rhyw hollt neu'i gilydd ym mhersonoliaeth Iolo
Morgannwg; ei fod, mewn gwirionedd, yn ddau ddyn. Petai G. J.
Williams wedi cael byw i orffen ei gofiant ohono, diau y byddai

69

wedi cynnig dadansoddiad o gymhlethdodau seicolegol ei feddwl gwibiog. Mae personoliaeth dyn, gan amlaf, yn blethiad cymhleth o gymhellion gwahanol, yn croesdynnu, ond a gedwir dan ryw fath o *equilibrium* anesmwyth. Ond yr argraff a adewir gan gofiant G. J. Williams, a darllen ei gywyddau a'i ffugiadau eraill, yw bod yma ddau ddyn gwahanol, y rhamantydd a'r realydd; y breuddwydiwr a'r ysgolhaig. Crybwyllodd G. J. Williams ddylanwad *laudanum* arno, a diau fod lle i ymchwil fanwl i'r ochr yma i'w gymeriad. Oherwydd nid fel cyffur ar gyfer y 'frest', fel y ceisia aml ddirwestwr gyfiawnhau ambell lowciad o whisgi, oedd *laudanum* i Iolo. Mae wedi 'nharo i droeon wrth ddarllen ei hanes, tybed mai'r cyffur hwn oedd yn gyfrifol am iddo gyhoeddi cyn lleied yn ei ddydd? Fawr ddim, wrth ystyried cymaint o lawysgrifau a adawodd ar ei ôl. Dan ddylanwad y cyffur hwn mae dyn o hyd ac o hyd ym myd breuddwydion; a chodi cestyll yn yr awyr a wneir mewn breuddwyd. Sugno grym yr ewyllys a wna'r cyffur hwn, yn y pen draw, a gall dyn fynd ymlaen o hyd ac o hyd yn pentyrru defnyddiau, heb fod ganddo *awydd,* heb sôn am yr ewyllys i eistedd i lawr i droi breuddwydion yn ffaith. *Bwriadai* ysgrifennu hanes Morgannwg. Efallai y cofiwch chi ddisgrifiad De Quincey o Opiwm : "a gentle seducer."

Mewn llythyr at y Parchedig John Carne, a geir yn archifau Morgannwg (dyfynnaf ohono yn yr ail gyfrol, wrth ymweld â'r As Fach) mae'n dweud : *I have long ago* (f'italeiddio i) *conceived a Plan for a superb History of Glamorgan* . . . ac â ymlaen i restru sut y dylid mynd ati i drefnu'r fath waith, a sôn sut y dylid apelio at uchelwyr y Fro am gymorth ariannol i ddwyn y fath fenter i ben. Ond ni ddaeth dim o'r cynllun. Ond efallai mai cam yw gorbwysleisio'i ymlyniad wrth *laudanum,* oherwydd fe geir tystiolaeth annisgwyl weithiau o rym ei ewyllys. Yn wir, yn y llythyr hwn, mae'n ei agor gyda'r geiriau hyn.

"I am sorry that I have not been able on your first application to send you the Lantwit Inscriptions as the obligations of Gratitude to you and many of your relatives demanded. Occurrences of the most distressful nature in the Family of a much esteem'd Friend obliged me most powerfully to be absent from home for more than a Week. For eight nights successively I have not been in a Bed, not even for an Hour together in a Chair, and it is with a Body and Mind greatly fatigued, that I now sit down to write this."

Yna â ymlaen i sgrifennu rhyw wyth mil o eiriau a rhagor, mewn

9....... Each of the Persons so engaged to be paid by the Trustees out of the Fund, as they proceed in their several (Department, and according to the quantity produced, or time employed. —

10. ... Gentlemen who wish to have Views of their present Seats, to &c. of the additional Expence, of (Drawing and Engraving.. such Views. —

On such a (Plan, or something like it, a very good and a compleat History of Glamorgan could be, in five or six Years obtained, Whereas one Man however great his Learning and Abilities might be, could not be able in forty Years to produce any thing tolerable, and never what would distantly approach towards a compleat History. —

I am Sir, with all possible respect,

Your most humble Servant,

Edward Williams.

19. Darn o lawysgrif Iolo Morganwg.

llaw *copper-plate* (gwêl atgynyrchiad o ddarn o'r llawysgrif ymhlith
darluniau'r gyfrol hon) o hanes manwl am ddechreuadau Llanilltud
Fawr, gan gynnwys copïau a wnaeth o'r meini a welir yn yr eglwys
honno! 'Roedd e' wedi troi'r hanner cant, erbyn hyn, ac wedi
dioddef am flynyddoedd gan y fogfa *(asthma)*, a threulio llawer o'i
amser yn cysgu yn ei gadair, heb fedru mynd i'w wely. Ond fel y
dywed G. J. Williams, eto, "Nid oedd ganddo'r amynedd i eistedd
i lawr i ysgrifennu dim yn derfynol." Felly, bydd yn rhaid i hanes-
wyr ac ysgolheigion y dyfodol barhau, fel ei gofiannydd, i durio
trwy'r pymtheg a thrigain o gyfrolau o lawysgrifau, heblaw'r pentyr-
rau, filoedd ohonynt, o bapurau ar bob math o bynciau. Os bydd y
Gymraeg fyw, fe ddaw dydd pan welir ffrwyth y bwthyn bach
anhygoel hwn yn Nhrefflemin, yn dod i'r golwg yn ei holl amryw-
iaeth.

Bu Iolo Morganwg fyw trwy chwarter cyntaf y ganrif ddiwethaf,
a bu farw yma yn Nhrefflemin ar y deunawfed o Ragfyr 1826. Er
y rhybuddir ni rhag derbyn yn ddi-halen osodiadau Elijah Waring
wrth adrodd ei atgofion am Iolo, eto, mi gredaf y gallwn roi coel
ar ei adroddiad am ymadawiad Iolo â'r fuchedd hon. Ym mis
Rhagfyr, ymwelodd Taliesin ab Iolo â'i dad, ac er iddo obeithio
cael ei weld unwaith yn rhagor cyn ei ymddatodiad, nid felly y bu.
'Roedd geiriau olaf Iolo wrth ymadael â'i fab yn rhai proffwydol.

*"I know I shall never see you again in this world—you have been
a good son—may God Almighty bless you!"* Ni ddywedir ai yn
Gymraeg ynteu yn Saesneg y llefarodd y geiriau hyn. Wedi cronic-
lo'r digwyddiad hwn, â Waring ymlaen i ddisgrifio'r modd y bu
farw.

*"On the 18th of the same month in the evening, he rested his
head on the side of his easy chair, observing to his daughter that he
was remarkably free from pain, and thought he could sleep. The
sleep was the sleep of death—and his departure was suspected by no
other indication than his ceasing to breathe audibly. On bringing a
light, all that remained of this highly endowed man was the attenu-
ated body, seated in an attitude of the most perfect repose, the
hand resting on the knees, and the cheek reclined as in the deep
slumber of childhood. Thus peacefully died the aged Bard of Glam-
organ, after numbering four score years and one."*

Mae Trefflemin heddiw yn gwbl Seisnig. Tybed a ddaw amser
pan glywir y Gymraeg unwaith eto yn atseinio trwy'r pentref?
Credaf y gallai ddigwydd, ond fe olyga wytnwch a gwaith di-ildio

a chred ddi-ysgog yn y gwerthoedd y treuliodd Iolo Morganwg ei
oes yn ceisio eu diogelu.

20.   Cerflun ar un o dai allan ffermdy Gregory.   J. Idris Morgan

21. Tregolwyn.   J. Idris Morgan

5

Tregolwyn, Llyswyrny, Yr As Fach

I gyrraedd Tregolwyn o Gaerdydd, rhaid troi i'r chwith o'r pwrtwai, lai na milltir o Bentremeurig, ac yna taith o ryw filltir ddi-bentre a dyna chi yno. Siom o bentref ydyw mewn gwirionedd, heol hir a thai bob ochr iddi yn disgyn i sgwâr bychan lle saif eglwys y plwyf, San Mihangel a'r Holl Angylion. Gyferbyn â hi, mae tŷ to gwellt braf, yn cael ei gadw mewn cyflwr da. Cofiaf ymweld â'r tŷ hwn rai blynyddoedd yn ôl. Dr. Essex, meddyg a cherddor amatur brwdfrydig oedd yn byw yno. Treuliasom y noson yn gwrando cerddoriaeth, offerynnol gan mwyaf, a'r meddyg ei hun ymhlith yr offerynwyr. O ddiddordeb arbennig i'r wraig a minnau oedd datganiad cyntaf o gadwyn o ganeuon a gyfansoddwyd gan Mansel Thomas, er cof am fy nghyfaill Hywel Davies. Gosododd y cyfansoddwr dri o emynau Pantycelyn, 'Arnat Iesu boed fy meddwl', 'O sancteiddia f'enaid, Arglwydd' a 'Wel, f'enaid dos ymlaen', ar gyfer llais tenor, ac fe'u canwyd gyda theimlad gan Kenneth Bowen. Mi fyddai Hywel yn falch o'r dewis hwn o blith emynau Pantycelyn.

Ar godiad uwchlaw'r eglwys mae ysgol y pentref, a gelwais yno, oherwydd bod yr ysgol-feistr yn gyd-aelod â mi yn eglwys Dewi Sant, Caerdydd. Wrth ei holi, cefais mai Saesneg yw iaith y plant i gyd, ond fe ddysgir Cymraeg iddynt, hefyd ceisir eu cadw'n agos at eu gwreiddiau yn y Fro, trwy fynd â hwy allan o'r ysgol i astudio hynafiaethau a byd natur o'u cwmpas. Pan oeddwn i yno 'roedd y plant wedi bod lawr ym mynwent yr eglwys yn cofnodi'r wybodaeth ar y cerrig beddau, a thrwy'r wybodaeth honno geisio chwilio rhywbeth am fywyd y pentref gynt.

Aeth Mr. George Biddyr, yr ysgol-feistr â mi i lawr i'r eglwys, ac wrth droi o gwmpas y fynwent sylwais ar arysgrif Gymraeg yn perthyn i'r ganrif ddiwethaf. Ar un garreg yr oedd englyn i John David, bardd lleol mi dybiwn wrth ei enw barddol, a fu farw ym

1871, yn 45 mlwydd oed.

> Y bardd hoff ! Os byr ei ddydd—fe weithiodd
> Ffordd i fythawl glodydd :
> Trwy'r oesau ei fydrau fydd
> Fri i enw Ioan Fronydd.

Mae'r enw barddol yn awgrymu mai o Lysyfronydd oedd y bardd. Pwy luniodd yr englyn hwn, tybed ? 'Roedd gan Dregolwyn o leiaf un bardd lleol yng nghanol y ganrif ddiwethaf, ond bu ef farw ychydig o flaen Ioan Fronydd. John James oedd y bardd yma ; gŵr di-addysg yn ystyr ffurfiol y gair, ond gŵr diwylliedig, serch hynny. 'Roedd yn ddall o'i blentyndod. Yn 1864, cyhoeddwyd pamffledyn bach o'i gerddi, *Twyni Tregolwyn,* yn swyddfa'r 'Gwladgarwr' yn Aberdâr. Mae hwn yn gasgliad bach dymunol lle mae'r bardd yn canu i fwynderau syml y pentref a'r gymdeithas yr oedd ef yn rhan ohoni. Mae'n cyfarch teulu Morganiaid, Pwll-y-wrach, mewn cân rydd, ond yn ei gorffen gydag englyn sydd yn nhraddodiad canu mawl ein beirdd clasurol.

> Thomas dda, blaena, wiw blaid,—gwir ryddid
> A gwâr addysg deiliaid,
> Gwenu wna ar y gweiniaid,
> A'i nawdd rhydd, yn nydd rhaid.

'Dyw hi ddim yn syndod ei weld yn disgrifio'r gerdd fel 'mawl-gerdd', ac mae'n ddiddorol sylwi mai ar gais "Cyfrinfa Iforaidd 'Amddiffynfa'r Forwyn'," Tregolwyn y'i canodd, ar gyfer ei "Chylchwyl Flynyddol" ym 1851.

Peth arall i sylwi arno yw mai Cymraeg oedd iaith y pentref yn ei ddyddiau ef.

> Iaith Gymraeg rwyf yn ei hoffi,
> Yn seiniau hon y ces fy magu,
> Ces fy meithrin tan ei haden
> Gan fy nhad a'm mam yn fachgen.

Cyn bo hir fe ddaw Deddf Addysg 1870 i lwyr ddileu'r Gymraeg, a "gwâr addysg" deiliaid Tregolwyn a'r Fro.

Hefyd, cyhoeddodd bamffled bach o emynau dan y teitl "Seren Bethlehem". Mae ôl emynyddiaeth emynwyr mawr Cymru yn drwm ar yr emynau hyn, fel y gellid disgwyl. Wesleyad oedd John James. "Cefais y fraint," ebr ef, "o ymuno ag eglwys Crist gyda'r Trefn-yddion Wesleyaidd er ys tair blynedd ar ddeg."

Felly, fe welir nad oedd Tregolwyn yn amddifad o draddodiad barddol. Yn y ddeunawfed ganrif, ebr G. J. Williams, 'roedd bardd

neu glerwr yn dwyn yr enw Thomas Wiliam yn Nhregolwyn, a
pherthynai ef i'r cylch olaf o glerwyr yn y rhan yma o'r Fro. Cadwa-
sant, ebr ef, at draddodiad barddol eu hynafiaid, er nad oedd fawr
o lun ar eu cynhyrchion.

Ond erbyn y ganrif nesaf daeth tro ar fyd eto. Mae gwahaniaeth
mawr mewn ansawdd a chywirdeb cynghanedd rhwng englynion
cerrig beddau y ganrif ddiwethaf, a'r un flaenorol. Gellwch weld un
o englynion y 'clerwyr' hyn ar garreg fedd yn Sain Siôr, sy'n perthyn
i'r ddeunawfed ganrif; mae'n amrwd a di-lun. Erbyn dyddiau John
James fe ddaeth yr eisteddfodau a chylchgronau poblogaidd â
hyfforddiant newydd i'r beirdd.

Mae eglwys blwy Tregolwyn ymhlith eglwysi hynotaf y Fro. Fe
fyddai'r cyn-Archesgob Glyn Simon yn arfer dweud wrthyf : "Os
ŷch chi am weld eglwys a gadwodd, trwy atgyweirio deallus, brif
nodweddion y cyfnod mediefal, rhaid ichi fynd i Dregolwyn". I'w
frwdfrydedd ef yn bennaf yr ydym yn ddyledus am ddiogelu'r
enghraifft hon o eglwys o'r canol oesoedd; ac yn enwedig y mur-
lun o'r bedwaredd ganrif ar ddeg a welir yno, ar y mur gogleddol,
wrth y fynedfa i'r gangell. *"Two-tiered strip cartoon"*, yw disgrifiad
y cyn-Archesgob ohono, ac ar y stribed uchef ceir darlun o olygfa
o fywyd Sant Tomos á Becket, ac ar yr isaf, olygfa o hanes rhyw
sant neu'i gilydd. Awgrymwyd mai Sant Vitus ydyw, y sant o'r Eidal
a ferthyrwyd dan Diocletian, yn y bedwaredd ganrif, ac y gelwid
am ei gymorth ar ran pobl yn dioddef oddi wrth y clefyd sydd
heddiw yn dwyn ei enw, *St. Vitus' Dance.*

Yn yr eglwys hefyd mae gwaith artist modern, John Petts, o
Lanstephan,—ffenestr hynod o brydferth a osodwyd er cof am ferch
fechan, Elizabeth Gullen. Testun tri phanel y ffenestr yw 'golau'.
Tardd y golau hwn o ddwylo Duw, ac mae'n rhychwantu'r tri phanel
ar ffurf croes. Llwyddodd yr artist i ddal y tri phanel wrth ei gilydd
yn un cyfanwaith lliwgar, golau. Mae'r ffenestr yn gyforiog o sum-
bolau sy'n cynrychioli'r Creu; y greadigaeth yn ei chyfoeth afrad-
lon, yn ddaear a môr, yn goed a blodau a ffrwythau. Wrth syllu'n
fanwl fe welwch amlinell y Cwpan, yn cynrychioli'r Aberth a Phryn-
edigaeth Dyn. Fe allwn fod wedi treulio oriau'n rhagor (dim ond
dwywaith y bûm i'n ei gweld, ond mi âf eto pan ddaw cyfle) yn
ymhyfrydu yn lliwiau a ffurfiau'r ffenestr hyfryd hon, ac yn ceisio
datrys ei sumboliaeth gyfoethog. Mae'n dda fod gennym artist yng
Nghymru sydd wedi ceisio diddyfnu'r eglwys o'i hoffter o ddynwar-

ediadau salw o ffenestri lliw'r gorffennol a welir mor aml yn ein hadeiladau. Nid addurn di-bwrpas ac amherthnasol yw ffenestr mewn eglwys, ond rhan o'i haddoliad, mewn mangre gysegredig, lle y dygir holl weithgareddau dwylo dyn, ynghŷd â'i ysbryd, i foli Creawdwr nef a daear. Ac os nad oes lle i'r artist gyfrannu ei dalentau, yna fe'i collir i'r eglwys, a bydd un tant yn brin ym mawl y saint.

Ar y muriau ceir cofebau i deuluoedd Prichard a Thomas, Pwll-y-wrach, gerllaw. 'Roedd David Thomas, Pwll-y-wrach, yn aelod gweithgar o Lyfrgell Esgobaethol y Bont-faen, yn y ddeunawfed ganrif, ac yn y tŷ yma y diogelwyd rhai o ddogfennau'r Llyfrgell, sydd heddiw ynghadw yn Llyfrgell Genedlaethol Cymru.

Rhaid gadael Tregolwyn a bwrw draw i Lysyfronydd neu Lyswyrny. Ar y ffordd gelwais yn Pwll-y-wrach i gael gair â'r perchennog ifanc, Mathew Prichard, ŵyr i'r Mrs. Prichard y cefais air â hi dros gwpaned o de un diwrnod yn y Tŷ Mawr, Llanfleiddan.

"Fe ddywed eich mamgu wrthyf eich bod yn ŵyr i Agatha Christie y nofelydd ditectif enwog."

"Eitha gwir."

"Fydd hi'n ymweld â'r Fro weithiau?"

"Bydd, fe fu yma droeon."

"Ydy hi wedi defnyddio'r Fro yn gefndir i rai o'i nofelau, tybed?"

"Wel, mae 'na un nofel y gwn amdani, *Endless Night,* wedi'i seilio ar stori aglywodd am sipsiwn ym Mhentremeurig, y dywedir iddynnhw felltithio maes yn yr ardal honno." Cyflwynir y nofel i Nora Prichard, Pwll-y-wrach, "from whom I first heard the legend of Gipsy's Acre."

Dywedodd Mr. Prichard wrthyf eu bod yn dal i adrodd yr hen draddodiad am helgwn Pwll-y-wrach. Yn ôl hwn, adroddir fel y bu i'r gŵr oedd yn gofalu am yr helgwn fynd i ffwrdd ar sgawt i feddwi a gadael y cŵn ar eu cythlwng. Pan ddychwelodd ddyddiau'n ddiweddarach fe'i llarpiwyd gan y cŵn, ac fe ddywed y stori y gellir eu clywed yn udo yn wallgof yn y nos. Mae adfeilion cutiau'r cŵn i'w gweld o hyd nepell o'r tŷ.

Ni thybiaf fod Pwll-y-wrach, heddiw, yn chware rhan mor bwysig ym mywyd yr ardal ag a wnaeth yn y gorffennol. Mae natur cymdeithas wedi newid, rywsut, efallai er gwell, er ei bod yn anodd gweld hynny.

Ond rhaid gadael Pwll-y-wrach, a brysio tua Llyswyrny, pentref bach digon prydferth a'r tai wedi ymgasglu, gan mwyaf, o gwmpas eglwys y Santes Tudful. Mae arwyddion adnewyddu gweddol ddiweddar ar amryw o'r tai, ond heb amharu rhyw lawer ar naws y pentref, ac ni wnaeth y tai newydd a godwyd niwed i'w hamgylchfyd. Llys y fronydd yw'r ffurf ar enw'r pentref a geir gan Ddafydd Morganwg, ac mae'n cyfeirio, hefyd, at yr hyn a gofnodir gan Iolo Morganwg yn y *Iolo MSS.* Dyma ddywedir gan Iolo : "Nudd Sant o gôr Ylltud a Brenin a wnaeth Llysfronudd", ac oddi wrth hyn mae'n casglu mai "Llys Bro Nudd" oedd y ffurf gyntefig, "ac iddo gael ei lygru yn Lysfronydd." Ceir triban sy'n sôn am yr enw fel hyn,

> Ar y Filltir Aur bydd ymledd,
> A rhowto'r Sais o'r diwedd,
> A thorri pen y pennaf ar frys
> Wrth ffynnon Llys y fronedd.

Tomas ab Ieuan ab Rhys biau'r triban hwn, ond ffurf arall ar yr enw oedd Llyswrynydd. Ond ofer fyddai i mi geisio mentro i dir peryglus enwau lleoedd, a rhaid bodloni ar dderbyn y ffurf Llyswyrny, a gymeradwyir gan Gasetîr y Brifysgol. Yn ôl Griffith John Williams, mae'r enw yn tarddu o Llys Gwrfynydd, sef llys cantref Gorfynydd, neu Gwrfynydd; ac felly, Llyswrynydd—Llyswryny—Llyswyrny.

Yn y triban fe sonnir am "Wrth ffynnon Llys y fronedd". Mae'r ffynnon yno o hyd yng ngwaelod y pentref, ond erbyn hyn wedi'i chau rhwng muriau cerrig. Ar ymyl y ffordd fawr mae'r *Carne Arms,* yn tystio i gysylltiadau'r pentref â Charniaid yr As Fach. Yn wir mae'r maenordy hwn yn y plwyf, er ei ystyried weithiau yn blwy ar ben ei hun. Efallai mai'n diddordeb pennaf ni yn y dafarn yw iddi fod unwaith yn drigle'r Parchedig David Williams, a ddaeth i Forgannwg o Landyfaelog yn Sir Gaerfyrddin, yn was i'r Parchedig Christopher Bassett, y clerigwr Methodistaidd o Aberddawan. Daeth yn gynghorwr i'r achosion Methodistaidd, ac urddwyd ef yn weinidog yn Aberthin, ger y Bont-faen. Dyfynna awduron y *Tadau Methodistaidd* farn John Evans o'r Bala amdano : "Gŵr tirion oedd efe a phregethwr hynod iraidd a gwlithog." Arall oedd barn Philip Dafydd, Pen-maen, Mynwy a ddyfynnir gan y Prifathro Tudur Jones yn ei lyfr campus a chynhwysfawr, *Hanes Annibynwyr Cymru,* wedi iddo fod yn ei wrando'n pregethu yn Aberthin. Nid oedd yn dda gan y gŵr yma'r dull Methodistaidd yn y pulpud, "pethau nad oes a wnelont, am wn i, â chrefydd Crist". Ychwanega'r Dr. Jones : "Ond yr oedd Philip Dafydd hyd yn oed yn gorfod cyfaddef bod y bobl wrth eu boddau gyda'r math yma o beth. Ac wedi'r cwbl, dyna guddiad cryfder y pregethu newydd—yr oedd yn cyrraedd pobl".

Bu farw David Williams ym 1792, yn bymtheg a thrigain oed, a chladdwyd ef ym mynwent Salem, Pen-coed,—y cyntaf i gael ei gladdu yno gan David Jones, Llan-gan, y bu ef yn gyfaill oes iddo. Gofalai David Williams am fân seiadau'r Fro, ac yn eu plith, seiat Llyswyrny a gynhelid yn ei gartref. Golwg drist sydd ar gapel y Methodistiaid Calfinaidd heddiw.

Fyddech chi'n synnu clywed ei bod yn bur debyg fod disgynyddion chwaer Thomas Charles o'r Bala yn y Fro o hyd? Sut hynny? Wel, bu chwaer iddo, Charlotte, yn byw yn Llyswyrny am dros hanner canrif, a phriododd ffermwr lleol yn eglwys y Santes Tudful ym 1799. Ganwyd sawl plentyn iddynt, ac am hynny mae'n bur debyg fod dyfaliad T. J. Hopkins am ei ddisgynyddion yn debygol o fod yn wir.

Mae'n anodd credu bod cymaint o wŷr amlwg wedi'u codi yn y pentref bychan hwn. Un o'r teuluoedd mwyaf dylanwadol oedd teulu'r Williamsiaid. Nodaf ddau ohonynt yn unig. Fe fu'r Parchedig Thomas Williams yn brif-athro Ysgol Ramadeg y Bont-faen o 1766 tan 1783. Yr oedd yn dad-yng-nghyfraith i Benjamin Heath Malkin. Ei dad oedd y John Williams y dyfynnaf o lythyr o'i eiddo at Howel Harris, wrth ymweld â Llanfleiddan. Trigai fel y sylwais yn ffermdy'r *Breach,* sydd ym mhlwyf Llanfleiddan ychydig llai na milltir o Lyswyrny. Fe ddowch o hyd i'r lle trwy ddilyn yr heol sy'n arwain i'r Bont-faen (B4270), ac wedi pasio'r groesffordd yn ymyl yr As Fach, mae'r ffarm ar y dde, a lôn fechan yn arwain iddi.

Nid yw'n dŷ mawr, eto'n ddeniadol yr olwg arno, ac yn amlwg yr perthyn i'r dull Tuduraidd. Nid yw'r perchenogion yn hannu o'r Fro, er iddynt ddyfod yma dros ddeugain mlynedd yn ôl, o ffermdy hynafol arall, Cwmrhisgla, Tondu. Dywedodd Mrs. Thomas wrthyf, i'w gŵr farw rai blynyddoedd yn ôl, a'i fod yn honni perthynas â Thomasiaid Cefn Ydfa. Ni fedrai Mrs. Thomas siarad â mi yn Gymraeg, ond dywedai y gallai ddarllen a deall yn iawn. Flynyddoedd yn ôl âi'r teulu i gapel y Methodistiaid Calfinaidd yn y pentref, er mai Saesneg a gofiai hi yno erioed. Mae'r achos bach hynafol hwn wedi cau ei ddrysau ers llawer blwyddyn bellach, a'r unig fan i addoli yn Llyswyrny yn awr yw eglwys y plwyf.

"Mae'r plant", ebr hi yn mynd yno, ond fedra' i wneud dim o wasanaeth yr eglwys,—gormod o benlinio a chodi ac eistedd, na fedrwn i fyth ddod yn gyfarwydd ag ef!" Mae llawer yr un fath â hi. 'Rŷm ni wedi anghofio rhan y corff yn y weithred o addoli. Pascal, onide, sy'n sôn yn rhywle am y weithred o blygu yn cyflyru'r corff ar gyfer y weithred o addoli?

Fe fu Howel Harris yn ymwelydd â'r tŷ hwn yn nyddiau John Williams, un o wŷr mwyaf dylanwadol yr ardal yn ei ddydd, a chefn i ysgolion Gruffydd Jones er nad oedd yn Fethodist, fel y soniaf wrth ymweld â Llanfleiddan. 'Roedd e'n warden yn eglwys y plwyf yno.

Ym 1937 fe fu'r archaeolegwyr yn cloddio yma mewn maes sy'n union dros y ffordd i'r mynediad i'r ffarm. 'Roedd yno domen (tumulus) fawr gron, a daethpwyd o hyd i gylch o gerrig yn ei hamgylchynu. Tomen gladdu oedd hi, a chaed olion cyrff a losgwyd, a llawer o arwyddion eraill yn tystio bod y lle wedi'i gyfaneddu rywbryd tua mil a hanner o flynyddoedd cyn Crist. Cafwyd pennau saethau, a llestri, ac 'roedd arwyddion o ymwybod â rhin celfyddyd, oherwydd daethpwyd o hyd i lestr ag arno batrwm syml. Efallai fod y bobl hyn yn 'gyntefig', ond tybed a oes ddyn mewn unrhyw oes ar y ddaear nad oedd ynddo ymwybod â'r prydferth a'r nwyd greadigol yn ei gorddi? O'r braidd; ac mae'n ffaith arwyddocaol.

Cyn ymadael mae'n werth rhoi tro am eglwys y plwyf. Ychydig a wyddom am y Santes Tudful, a'r wybodaeth honno yn un bur amheus, felly ni wnaf aros i olrhain ei hanes. Ni chafodd le yn y Bywgraffiadur, ac mae llawer o'r ychydig a geir yng nghyfrolau Baring-Gould a Fisher yn dibynnu ar dystiolaeth llawysgrifau Iolo Morganwg. Perthyn yr adeilad i'r canrifoedd yn union cyn y bedwaredd ganrif ar ddeg, ac o'r tumewn iddi dengys nodweddion pensaernïol pur ryfedd. Wrth edrych o gefn yr eglwys i gyfeiriad yr allor, fe welwch fod dau fwa rhyngoch â hi, y naill yn rhannu corff yr eglwys oddi wrth y côr sy dan y twr, a'r llall yn rhannu'r côr oddi wrth y gangell fechan. Ond nid yw'r ddau fwa yn union gyferbyn â'i gilydd, ac felly dim ond rhan o'r allor a welir o ben gorllewinol yr eglwys. Dywed un traddodiad fod y bwâu wedi'u gosod felly'n fwriadol, i awgrymu gogwyddiad pen yr Arglwydd Iesu ar y groes. Ffansi, mae'n debyg, er bod pethau rhyfeddach na hyn i'w gweld yn eglwysi Cred y cyfnod yma.

Ar y muriau mae cofebau i'r Wiliamsiaid, y Prichardiaid a'r Thomasiaid, a drigai yn Pwll-y-wrach, heb sôn am aelodau o deulu Carniaid yr As Fach gerllaw.

Wrth adael Llyswyrny, gelwais gyda Mr. Harris a gadwai siop fechan gyferbyn â'r *Carne Arms*. Bu unwaith yn cadw efail yn y pentref, ond rhoes y gorau iddi ers blynyddoedd bellach. Mae 'nawr yn tynnu am ei bedwar ugain, ond ei feddwl a'i dafod mor chwim ag erioed. Fe'i ganwyd yn y Bont-faen, yn nhafarn y *Blue Bell*, nad oes prin atgof amdani bellach. Hannai ei dad o Beniel, Caerfyrddin, ond ymfudodd i'r Amerig a phriodi Americanes yno. Bu'n byw am gyfnod yn yr Ystrad, Rhondda, ac âi i'r un ysgol â Syr Ben Bowen Thomas. Tad Syr Ben oedd y *'whipper-in'* yn y pentre. Siaradai Gymraeg yn huawdl, a chofiai adeg pan oedd Cymraeg yng nghapel y Methodistiaid Calfinaidd yn y pentref, sydd heddiw'n wag. Mr. Harris oedd ffarier Castell Pen-llin, ac âi yno'n wythnosol i bedoli ceffylau'r *'Glamorgan Hunt'*. Âi hefyd, ar yr un perwyl, i 'gastell' Llandochau'r Bont-faen. Mae helfa Morgannwg yn dal yn ei bri o hyd, ac os digwydd ichi ddyfod heibio i Fryn Owen, ar y pwrtwai uwchlaw'r Bont-faen, drannoeth y Nadolig, fe gewch weld y tyrfa-oedd yn dyfod ynghŷd i ddilyn yr helfa, ac er nad oes gen i fawr ddim i'w ddweud dros hela'r cadno, druan, eto mae'n olygfa braf, gweld y meirch a'r gwŷr yn eu hetiau du a'u cotiau cochion, a'r cŵn o'u cwmpas yn ffroenu'r helfa.

Cyn gadael y pentref cofiwch gymryd golwg ar dai, megis *Wolfe House*, a'r Tŷ Mawr, cartref y Rhaglaniaid, yn oes y Tuduriaid, a noddwyr y beirdd a arhosai yma ar eu teithiau trwy'r Fro. Y mae tipyn o naws hynafiaeth y lle yn dal o gwmpas y tŷ yma, a fu ar ôl dyddiau'r Rhaglaniaid yn eiddo i'r Parchedig Robert Powell, un o ysgol-feistri Ysgol Ramadeg y Bont-faen. Fe briododd Susan, merch i'r gŵr yma, un arall o ysgolfeistri'r ysgol, y Parchedig Daniel Durel.

Ond rhaid troi am yr As Fach. Nid yw'r faenor ymhell o bentref Llyswyrny, ac yn ffodus i mi mae ffrind dyddiau ysgol fy ngwraig yn byw yno. Cofiaf dreulio prynhawn poeth a heulog yn yr haf yng nghwmni Mr. a Mrs. Bazley, sy' 'nawr yn byw yn rhan helaethaf y faenor. Bancwr llwyddiannus yw Mr. Bazley, ac wedi iddo ym-ddeol ymunodd â chwmni Syr Julian Hodge, ac erbyn hyn mae'n Gyfarwyddwr a Phrif-oruchwyliwr Cyffredinol y fusnes helaeth hon. Merch o'r Fro yw Mrs. Bazley, Beti Wyn, a merch i'r diweddar W.

Bryn Davies, 'Dyw hyn yn golygu fawr ddim i chi. Ond mi fyddwn yn synnu'n fawr os na wyddoch chi'r emyn hwn.

> Canaf yn y bore
> Am dy ofal cu;
> Drwy yr hirnos dywyll
> Gwyliaist drosof fi . . .

'Rwy'n siŵr y bydd llawer ohonoch yn medru adrodd y gweddill o'r penillion ar gof. Awdur yr emyn yw Bryn Davies, ac mae'n emyn plant syml a di-rodres a enillodd ei blwy' yn llyfr emynau llawer enwad. 'Roedd yr awdur yn frodor o Fforest-fach, ger Abertawe, a bu unwaith yn ysgol-feistr yn y Felinheli, Sir Gaernarfon. Yn gynnar yn ei fywyd daeth i fyw i'r Barri. Wrth ei waith, yn Arolygwr Ysgolion, wrth ei elfen, yn awdur. Yn yr As Fach, dangosodd ei ferch imi nifer o lawysgrifau ei thad, dramâu bychain gan mwyaf. Cyfrannai ysgrifau, yn nhafodiaith Sir Gâr, i'r *Cymru Coch,* a methwn â deall sut y gallai fod wedi ennill y fath feistrolaeth arni, hyd nes i'w ferch esbonio mai un o'r sir honno oedd ei mam.

Er bod yr As Fach wedi newid cryn lawer trwy rawd y canrifoedd, ers pan gymerodd Howell Carne les ar y faenor oddi wrth Esgob Llandâf ym 1432, eto mae prif nodweddion y tŷ yn aros. Efallai ei bod yn arwydd o ddylanwad a safle'r Carniaid, i'r teulu ymgysylltu trwy briodas â llu o deuluoedd bonheddig y Fro, megis y Stradlingiaid, y Twrbiliaid, teuluoedd Lougher, Wilkins a Giles, y teulu a roes ei enw i *Gileston.* Priododd Thomas Wilkins o Lan-fair â merch Thomas Carne. Soniais am y pennaf a'r mwyaf nodedig o'r teulu, Syr Edward Carne, wrth ymweld ag Ewenni. Ond nid priodi â'i gilydd yn unig a wnaeth y teuluoedd hyn, ond cweryla hefyd. Mae hanes am y Carniaid yn ymladd â Mawnseliaid Bro Gŵyr ar strydoedd y Bont-faen; ac ymhen ychydig fisoedd wedi'r sgarmes hon, fe geir y Carniaid mewn brwydr â'r Herbertiaid. Gwelwyd nifer fawr o blith y teulu mewn swyddi cyhoeddus, fel Ustusiaid, Siryddion a Rhaglawiaid, heb sôn am y llu o feibion a fu'n offeiriaid. Yn archifau Sir Forgannwg, yn Neuadd y Sir, Caerdydd, gwelais gatalog o ddogfennau'r teulu. Yn eu plith 'roedd dyddiaduron y Parchedig John Carne (1732-1798), gŵr sy'n cynrychioli cystal â'r un, fywyd a buchedd offeiriad ac Arglwydd y faenor yn y ddeunawfed ganrif. Ceir ynddynt ddarlun cynnil o fywyd y cartref a'r Fro 'rwy' am fentro dyfynnu ambell gofnod a dynnodd fy sylw wrth eu darllen. Fe'u gadawaf yn yr iaith wreiddiol.

Feb. 23, 1797. Nelly and I went to the Golden Mile to see a fox turn'd out before Mr. Wyndham's Hounds, and we din'd at Miss Jones, Lisworny.
(Wyndham Dwn-rhefn yw'r gŵr yma).

Mae'n croniclo marwolaeth y geiriadurwr o Landochau'r Bont-faen :

June 1, 1797. Revd. Mr. Walters of Cowbridge died. (Symudasai i'r Bont-faen tua diwedd ei oes). *He was a rector of Landough and Prebendary of Llandaff and author of the Welsh Dictionary.*

Yn gystal â bod yn offeiriad, yr oedd, fel y dywedais yn arglwydd y faenor. 'Roedd hefyd yn Ustus, ac mae'r cofnod hwn yn rhoi cipolwg ar fileinder llysoedd barn yr oes honno, a chydymffurfiad taeog yr offeiriad â'r drefn.

25 Apl. 1770. We ordered a man to be transported for 7 years for stealing two Handkerchiefs and a bit of ribbon. A severe sentence.

Ai protest wan cydwybod euog sydd i'w chlywed yn yr ebychiad olaf yna? Faint o ddagrau, a hiraeth a guddir yn y cofnod hwn? Fe awgrymodd rhyw hanesydd, na chofiaf pwy ydyw, ei bod yn amlwg mai macynon (cadachau poced) lliain oedd y rhai a ladratawyd, oherwydd byddai'r ddedfryd am ladrata macynon sidan yn dwyn y gosb eithaf,—dienyddio. Gwŷr bonedd yn unig a ddefnyddiai facynon sidan !

Dyma olwg ar feddyginiaeth y dydd,—yn wir, ceir arwyddion ein bod ar drothwy rhai o ddatblygiadau meddygol sydd yn rhan o feddyginiaeth gyfoes.

10 May, 1773. We returned to Plumtree from Snenton, my Child happily got well after inoculation, having had the Small-Pox in as fine and favourable a Manner as we wish'd I thank God! and I pray him to preserve her as well through all other Evils.

Yr oedd hyn, cofier, yn y cyfnod cyn datblygu brech y fuwch, neu'r cowpog, a golygai ddod o hyd i glaf yn dioddef oddi wrth y clefyd, a derbyn brech ganddo ef.

Yn y dyddiaduron ceir, hefyd, syniad da o fywyd cymdeithasol y teulu, a'i ymweliadau â theuluoedd bonheddig eraill y Fro, megis Talbotiaid Margam, Twrbiliaid Pen-llin, Edmondes Ewenni, Knights Llandudwg, Wyndhams Dwn-rhefn, ac yn y blaen. Yn un o'r dogfennau yn yr archifau, gwelais restr o gynnwys y tŷ ym 1628, rhestr a wnaed er profi ewyllys, ac fe rydd syniad inni am gynnwys maenordai'r Fro yn yr ail ganrif ar bymtheg. Dyma restr o gynnwys y gegin :

"one iron crocke or pott, one brasse crocke, one brasse Pipkin,
one iron pan, one brasse kettle, one old skellet (mae'r gair hwn
yn fyw o hyd ar dafod leferydd rhannau o'r De, e.e., 'A oes cawl
yn y scilet/Bachan oes, cawl bach net'—Gwydderig?), *fower iron*
spitts, one iron pestle and morter one backestene, one payr of
Andirons (i gynnal yr 'heyrn tân), *one payr of bellowes, two*
brasse pans, one iron dripping pan, one brasse skymmer, one
chopping knife, six pewter chamber potts, one great andiron,
six pewter candlesticks, three pewter pottash dishes, one bason,
fower fruit dishes, eight pewter flagons, and 19 pieces of pewter,
one pye plate, two pewter salt-sellers, two joynt stooles, one threm
Cushion."

Piwtar mae'n amlwg oedd prif ddeunydd llestri'r dwthwn hwnnw,
ac atgofia fi am y llestri piwtar bendigedig a welais yng nghegin
castell Ffwl-y-mwn. Diau y cadwai'r llestri hyn y morynion yn
brysur, ond wrth weld nifer y stafelloedd ar eu cyfer ar lofft uchaf y
plas mae'n amlwg nad oedd brinder ohonynt !

Ceir awgrym am foethusrwydd y faenor yn y rhestr o gynnwys
yr ystafell uwchlaw'r Neuadd :

"Item tenn green cloth Cuchions, five greene, chayres, six greene
stooles, fower red stooles wrought with blue cruell (edau a ddef-
nyddid ar gyfer gwaith tapestri), *one Tufta fita chayer* (h.y.
tuftaffeta, neu'r hyn a adweinir heddiw fel taffeta), *and tw*
stooles suteable, one chamberpott, two Table clothes, one Cup-
board cloth, darnix (Defnydd a gynhyrchid yn Tournay yn y
bymthegfed ganrif) *that did hang the new chamber, one red*
rugge, one downe bed, one boulster, two pillowes, one blanket,
five stript curtaines with head and Vallance of the same, one
payer of Andirons with brasse Topps with fire shovel and Tongues
suitable thereto."

Yn y tŷ ceir llawer o nodweddion i'n hatgoffa am rawd y can-
rifoedd. Yn yr ystafell eang, braf â'i ffenestri'n edrych allan ar y
lawnt wyrddlas, mae lle tân eang, o garreg gerfiedig, ar gyfer tân
coed, wrth gwrs. A chofio hanes cwerylgar y teulu efallai nad yw'n
gymaint o syndod â hynny weld fod y cerfiwr yn darlunio gwŷr yn
ymladd â'i gilydd â chleddyfau. Dywed traddodiad mai teuluoedd y
Stradlingiaid a'r Carniaid a gynrychiolir. Y tucefn i'r tân ceir darn
o haearn (haearn bwrw, gallwn feddwl) i gysgodi'r mur rhag gwres
y fflamau, ac ar hwn mae pelican ynghŷd â'r geiriau Cymraeg, "Fy

ngobaith sydd yn Nuw", arwyddlun ac arwyddair teulu'r Carniaid. Arno hefyd mae arwyddair arall, "Duw a Digon" (yn Gymraeg) eiddo teulu'r Nicholls. Fe briododd y Parchedig Robert Nicholls, a oedd yn byw yn *Dimlands, tŷ* sy'n sefyll ar y ffordd rhwng Llanilltud Fawr a Sain Dunwyd, ag Elizabeth Carne. Pan fu farw Mrs. Eleanor Markham, merch y Parchedig John Carne a briododd Thomas Markham o Cheltenham, yn ddiblant, etifeddodd Elizabeth yr As Fach, a chymerodd ei gŵr y cyfenw Carne, trwy gyfraith, i'w ychwanegu at ei gyfenw Nicholl. Felly y gwewyd teuluoedd y Fro yn gyfrodedd cywrain a chymhleth o achau a hanes.

Efallai mai'r crefftwaith harddaf a welir yn y faenor sy'n ein cysylltu â dyddiau cynharaf yr adeilad yw'r grisiau pren, urddasol, a'r wyrth o gerfio sydd arnynt. Gallai dyn dreulio hydoedd yn edmygu cywreinrwydd crefft yr artist o saer a'u cerfiodd. 'Roedd yn dda clywed na ellir eu symud, nac yn wir, newid dim ar ffurf y tŷ, heb wneud cais arbennig at yr adran briodol o'r Llywodraeth.

Fe fu yma unwaith lyfrgell bwysig, ac mae lle i gredu i nifer o'r llawysgrifau sydd ar gael heddiw, yng Ngholeg Iesu Rhydychen, gael eu diogelu yn y tŷ hwn. Mewn nodyn i'w Ddarlith Goffa Syr John Rhys, 1949, awgryma'r Athro Idris Foster, sut y daeth un o'r llawysgrifau i feddiant Thomas Wilkins, offeiriad Llan-fair. Dywed : *As for MS 29, it is worth noting, perhaps, that the signatures of Morgan Lewis of Llantrisant and Thomas Carne give a clue to the way in which the MS. reached Wilkins. The former was doubtless a member of the important Lewis of Fan family; the latter belonged to the Carne of Nash family; these families became connected by marriage early in the seventeenth century. The Rev. Thomas Wilkins married Jane, daughter of Thomas Carne of Nash* (yr As Fach). *His second son, Roger, married Elizabeth Lewis of the Llanishen branch of the Fan family."*

Noddai Carniaid yr As Fach, fel Carniaid Ewenni, lenyddiaeth Gymraeg, a barnai Griffith John Williams i'r Carniaid dalu i'r copïwr llawysgrifau o Langewydd yn Nhrelales, am gopïo llawysgrif. Yr oedd hyn yn nechrau'r ail ganrif ar bymtheg. Er mai 'Carniaid penchwiban' oedd disgrifiad Iolo o'r teulu hwn, ac nid heb reswm, eto i gyd, y mae iddynt le yn hanes diwylliant y Fro.

Cyn ymadael â'r As Fach, mi hoffwn sôn am dri darlun bychan a welais yno, er nad oes ganddynt gysylltiad o gwbl â theulu'r

Carniaid. Darluniau olew ydynt o John Elias, Williams o'r Wern a Christmas Evans. Y paentiwr yw Ap Caledfryn, gŵr y mae cryn lawer o'i waith ar hyd a lled deheudir Cymru. Ef a wnaeth y darlun o hen dŷ'r Ficer Pritchard sydd i'w weld o hyd ar fur ystafell yng nghartref yr Henadur Roberts, ac y soniais amdano yn *Crwydro Sir Gâr.* Pa ddydd, hefyd, gwelais bortread olew o'i dad, Caledfryn, gan fy nghyfaill a'm cyd-weithiwr yn y BBC, Owen Thomas. Mae'r darlun yn awr ar fur capel y Groes-wen, ar fynydd Caerffili. Pe gallwn fod wedi cael dewis o rywbeth i'w gyrchu o'r As Fach, y darluniau hyn, neu ddarlun John Elias, efallai, fyddai fy newis! Y Methodist ynof, mae'n debyg!

Efallai y dylwn nodi hefyd i'r As Fach fod yn gartref William Cope, yr aelod seneddol dros Llandâf a'r Barri.

Yr oedd yn anodd ymadael â'r As Fach, ac 'roedd yr haul ar fachlud cyn inni droi am gartref, wedi prynhawn o bleser pur yng nghwmni pobl a oedd yn amlwg yn ymhyfrydu yn hanes a thraddodiadau'r tŷ hynafol y cawsant eu hunain yn berchen arno.

22. Ffermdy'r 'Breach', Llanfleiddan. David Jones

6

Penarth, Larnog, Sili

Yn ôl Gwynedd Pierce, nid oes fawr o amheuaeth fod yr enw
Penarth yn disgrifio'n weddol gywir y penrhyn tal sy'n edrych dros
fôr Hafren ac aberoedd afonydd Elái a Thaf; â'r enw yn ôl mor bell
â'r drydedd ganrif ar ddeg. Yr ystyr, mae'n ddiau, yw Pen-y-garth,
a *garth* yn golygu bryn neu benrhyn. Os hyn yw'r ystyr cywir, mae'r
enw cystal â'r un i ddisgrifio'r fan y saif rhan o leiaf o'r dref arni
heddiw. Ar y penrhyn cwyd eglwys Sant Awstin, eglwys y plwyf, â'i
thŵr uchel. Yn ei mynwent y claddwyd un o wŷr amlycaf Cymru'r
ganrif ddiwethaf,—y Dr. Joseph Parry'r cerddor.

> Gwnaeth Natur fynwent i'w phlentyn—tan gamp
> Ton a gwynt ar benrhyn
> Lle cân yr Atlantig brigwyn—ddwsmel
> I chwiban awel uwchben ei ewyn.

Ni allaf roi barn olau ar gyfraniad cerddorol Dr. Parry, ond
mae'n ddigon amlwg, hyd yn oed i'r lleiaf cerddorol, iddo gael dyl-
anwad mawr ym myd cerddoriaeth, ac yn enwedig ar ganu'r cysegr.
Nid yw'r dylanwad hwnnw wedi llwyr ddiflannu eto. Ond erbyn
hyn daeth to newydd, nid adwaenai mo Joseph, i edrych i lawr eu
trwynau cerddorol arno, ac ambell dro i'w gernodio'n ddi-drugaredd.
Ond wrth wrando cerddoriaeth ar gyfer lleisiau rhai o'n cyfan-
soddwyr modern mae dyn yn dechrau amau a oes ganddynt gystal
ymwybod o natur y llais dynol ag oedd ganddo ef,—ar ei orau.
'Rwy'n cofio Jâms Williams, o adran gerddoriaeth y BBC ym Man-
gor, yn adrodd wrthyf amdano'n treulio prynhawn llafurus yn ceisio
dysgu i'w gôr un o weithiau'r *avant garde,* ac wedi dod i ben ei
dennyn, yn cyhoeddi hoe fach am gwpaned o de. Pan ddychwelodd
i'r stiwdio 'roedd rhywun, neu rywrai, wedi gosod dalen i fyny ar y
mur, ac yn ysgrifenedig arno: *"Come back, Joseph Parry, all is
forgiven!"* Ac ambell waith, mewn cyngerdd o gerddoriaeth fodern,

mi fyddaf innau'n teimlo yr un fath ! Ond nid hwyrach mai arwydd o'r philistiad ynof yw hynny !

Gellwch weld y tŷ y trigodd ynddo, 'Cartref', yn Plymouth Road. Daeth i fyw yma pan apwyntiwyd ef yn ddarlithydd mewn cerddoriaeth yng Ngholeg Prifysgol Deheudir Cymru a Mynwy. Efallai nad yw ei operâu a'i operetau at chwaeth ein dyddiau ni, eto, mae hyn yn drueni, fel y dywed Owain T. Edwards, yn ei lyfryn dwyieithog a gyhoeddwyd gan Wasg Prifysgol Cymru, oherwydd fod *Blodwen* yn "enghraifft werthfawr o gerddoriaeth o fath arbennig ac yn garreg filltir bwysig yn hanes cerddoriaeth Cymru." Ni flinodd llawer o Gymry eto ar ganu *Myfanwy*, ac 'rwyf fi o leiaf wrth fy modd yn gwrando'r darn pan genir ef gan gôr meibion da. Ond mae'n bur debyg mai mewn emyn-donau fel "Aberystwyth" (*One of the finest hymn-tunes ever composed,* yn ôl a ddywedodd R. Vaughan Williams wrth Arwel Hughes) a *"Dies Irae"*, y gwelwn ei wir fawredd. Ynddynt hwy y bydd byw enw'r "bachgen bach o Ferthyr," a dreiddiodd, trwy ei gerddoriaeth, i galon gwerin Cymru. Dysgodd iddi ganu, a rhoes ddeunydd iddi wneud hynny. Deallodd Dr. Parry gyfrinach y syniad sy'n cael ei bedlera y dyddiau hyn fel un newydd,—*participation.*

Pan fu farw canodd Dewi Môn, a fu'n cydweithio ag ef i ddwyn allan y *Cambrian Minstrelsie,* englyn iddo. Pan gofiwn nad oedd pethau'n dda rhyngddynt wedi cyhoeddi'r gyfrol hon, mae'r englyn hwn yn deyrnged wych iddo.

> Diniweitiaf ei natur—a mebyn
> Mab diflin ei lafur;
> Miwsig heb drai na mesur
> Lanwai byth ei galon bur.

Os ewch chi byth i Benarth i chwilio bedd Joseph Parry fe'i cewch yn ochr ddwyreiniol y fynwent, ond mae tai rhyngddo ef a'r "Atlantig brigwyn" heddiw. Cyn gadael y fynwent, trowch i mewn i'r eglwys, oherwydd mae Sant Awstin yn enghraifft wych o waith y pensaer William Butterfield, y gŵr a gododd Goleg Keble yn Rhydychen. Pan ymwelais i gyntaf â'r eglwys, cefais yr argraff imi fod yno o'r blaen, er y gwyddwn nad oedd hynny'n wir. O'r diwedd sylweddolais pam y cefais yr argraff yma. Yn ystod y rhyfel diwethaf, yn Llundain, mynychwn eglwys *All Saints,* Margaret Street, rownd i'r gornel oddi wrth y BBC. 'Roedd y ddwy eglwys yn debyg i'w gilydd, a phan euthum i chwilio hanes Butterfield yn y *D.N.B.* cefais mai ef a gododd yr eglwys honno hefyd. Barddoniaeth y fricsen, dyna yw nod angen pensaernïaeth y gŵr yma. Wynebodd lawer o ddirmyg yn ei ddydd, yn arbennig oherwydd Coleg Keble. Ni cheisiodd guddio natur ei ddeunydd, ond yn hytrach manteisio arno. Wrth edrych ar Sant Awstin mae dyn yn cael yr ymdeimlad o leiaf o unplygrwydd amcan. Erbyn heddiw mae'r rhod yn troi yn ei ffafr, ac yng nghofiant diweddar y Dr. Paul Thompson iddo, ceir ymdriniaeth olau ar ei fwriadau fel pensaer a gwerthfawrogiad o'i lwyddiant wrth drin ei ddeunydd—y fricsen. Defnyddia frics o wahanol liwiau, a'u trefnu yn batrymau celfydd. Mewn darllediad rai blynyddoedd yn ôl, fe ddisgrifiodd Ian Nairn yr eglwys hon fel *"one of Butterfield's most moving poems, beautifully kept up and untouched by any hint of genteel whitewashing."* Codwyd yr eglwys hon ar safle hen eglwys. Yn hanes ei deithiau o gwmpas eglwysi'r Fro ym 1853, disgrifiodd yr arbenigwr pensaernïol Syr Stephen R. Glynne hi fel *"A small church, very conspicuously situated on an eminence over-looking the Bristol Channel. It has only a chancel and a nave, with a low west tower, and a south porch of large dimensions, as is usual in this locality."* Tynnwyd hon i lawr ym 1865, ac fell dorri cyswllt ag eglwys oedd yn mynd â ni yn ôl i'r ddegfed ganrif. Fe godwyd yr eglwys newydd ar draul y Farwnes Windsor. Coffeir enw'r teulu yn enw un o strydoedd y dref, *Windsor Road.*

23. **Hen Eglwys Penarth, tua 1866.**   David Jones

Rhyw gerdyn post o le yw'r promenâd a'r pir hunan-bwysig yn ymwthio i ddyfroedd budr y sianel. Fe honnir mai dyma'r traeth butraf ar arfordir môr Hafren, a charthion miloedd o dai'n ymarllwys yn syth i'r môr, a'u golchi i fyny i'r traeth gyda'r llanw, a'u gadael yno gyda'r trai. Ach y fi! Ond tyrra pobl o hyd i Benarth!

Rhyw fin hwyr poeth un haf aeth fy 'mhriod a minnau i lawr i'r 'Prom' am dro. Trwy drugaredd 'roedd y llanw i mewn, ac yn cuddio'r gwastadedd o fwd du, budr sydd i'w weld ar y trai. Yn y bae, hwyliai llongau bychain a'u hwyliau'n ceisio denu hynny o awel oedd i'w gael. Âi ambell long heibio ar ei ffordd o ddociau Caerdydd i ryw wlad ddieithr neu'i gilydd. Wedi blino ar gerdded, troisom i mewn i gaffe am gwpaned o goffi. Eisteddasom gyferbyn â hen wraig a geneth ifanc—ei hwyres gallwn feddwl. 'Roedd y wraig yn cynorthwyo'r groten fach i sgrifennu cerdyn i'w rhieni gartref. O dipyn i beth dyma fy ngwraig, gyda'i dawn radlon arferol, yn cych-wyn sgwrs, a minnau'n gwrando.

"'Dŷch chi ddim o'r rhannau hyn, 'rwy'n gweld," oherwydd 'roedd yr hen wraig wedi bod yn cyhoeddi ar goedd gwlad gynnwys y cerdyn at fam y groten.

"Nac ydw', o du draw'r dŵr," ebr hi.

"Fyddwch chi'n dod yma'n gyson ar wyliau?"

"Byddaf. 'Rwy' wedi bod yn dod yma 'nawr ers dros hanner can 'mlynedd; cyn y rhyfel mawr cynta'."

"Peidiwch â dweud!"

"Ydw, ac 'rwy' wedi gweld newid mawr yn dod dros Benarth. Y tro cynta' y bûm i yma oedd gyda 'mam a 'nhad. 'Roedd mynd ar Benarth bryd hwnnw. Fe allech eistedd am oriau ar y prom yn gwylio 'parêd' o longau'n mynd i lan ac i lawr y sianel o ddociau Caerdydd a Phenarth. 'Roedd 'na bobl fawr yn byw ym Mhenarth bryd hynny—perchenogion cyfoethog a gwŷr busnes y dociau."

"Beth ŷch chi'n gofio am Benarth yr adeg honno?"

"Wel 'doedd dim rhyw lawer mwy i'w wneud yno bryd hwnnw na sy' 'nawr, er bod dringo i'r gerddi yn haws, a minnau'n iau nag wyf heddiw. Ond ddowch chi ddim i Benarth am 'high life'. Efallai mai'r hyn sy'n aros gliriaf yn y cof yw'r boreau Sul, pan fyddai pawb ar eu ffordd i'r capel neu'r eglwys; pob gŵr, hen ac ifanc, yn ei ffroc côt, a'i het silc, a blodyn yn ei lapel. A'r gwragedd! yn eu dillad crand, a'u hetiau blodeuog!"

"Felna'n gwmws oedd hi yn y Barri pan oeddwn i'n groten fach,"
ebr fy ngwraig. "'Rwy'n cofio'n iawn y paratoi. Un o'r pethau
'roeddwn i'n dwli ei wneud oedd rhoi sglein ar het silc fy ewythr!
Mi fedra' i deimlo anwes fwythus sidanaidd yr het ar gnawd fy
mraich y funud yma!"

Fe ellwch weld tai mawreddog Fictoraidd y bobl gefnog hyn ar
ymyl strydoedd Penarth o hyd,—atgof am ddyddiau heulog yr
entrepeneur, a wnâi ei ffortiwn ar gefn y glöwr a chwysai ym
mhyllau glo'r Rhondda am y nesaf peth i ddim. Dim ond un peth
oedd heb newid yn ôl yr hen wraig y buom yn siarad â hi oedd y
gerddi. Mae Penarth yn dal yn falch o'i pharciau a'i gerddi sy'n fôr
o goed a blodau ar y llethrau uwchlaw'r Sianel. 'Roedd hi'n berff-
aith iawn wrth ddweud nad oedd dim i'w wneud yn y dref, ac eto,
os oes gennych chi ddiddordeb o gwbl mewn Fictoriana, dyma'r lle i
chi. Byddai John Betjeman wrth ei fodd yma! Gellwch fod yn sicr
y deuai o hyd i un rhyfeddod Fictoraidd ar ôl y llall, heblaw camp-
waith Butterfield. Pentref bach oedd Penarth cyn dyfod y dociau.
Ym 1861 rhif y tai yn y pentref oedd 243 ac fe gododd i 406 erbyn
1871. Y boblogaeth ym 1851 oedd 105, ym 1861 cododd 1,406 ac
erbyn 1871 yn 2,612. Erbyn hyn 'roedd y dociau wedi'u codi, a
hefyd reilffordd o Gwm Taf i aber afon Elái. (Codwyd y relwe ar ôl
pasio deddf seneddol ym 1856; a deddf arall y flwyddyn ganlynol i
awdurdodi codi'r dociau). O hyn ymlaen tyfodd Penarth ar garlam,

24. Dociau Penarth o'r awyr.   Terence Soames (Cardiff) Ltd.

a dyma'r pryd y codwyd y tai sylweddol a welir yma hyd heddiw.
I lawr wrth y dociau, neu'r man lle bu'r dociau, oherwydd erbyn
heddiw diflannodd y llongau a'u prysurdeb, fe welwch y 'Customs
House' treuliedig. Mae hwn yn adeilad urddasol mewn rhyw ffordd
hunan ymwybodol ac yn mynegi rhywbeth o hunan-hyder a pharch-
usrwydd y gwŷr a'i cododd. Yn ei ymyl mae rhes o dai Fictoraidd,
crand, ond siabi'r olwg arnynt erbyn hyn, ond yn werth sylw'r neb
sy'n ymddiddori mewn pensaernïaeth.

Wrth deithio trwy'r dre, fe welwch adeiladau yn dwyn yr un nod-
weddion,—capeli—Saesneg, oes angen dweud?—crand; capeli'r cyf-
oethog newydd. Eglwys yr Annibynwyr yn Stanwell Road, a'i fein-
dwr tal; ac yn ei ymyl capel y Wesleyaid, ac yntau'n cystadlu, gorau
gallo, â meindwr yr Annibynwyr. Mae'r achosion Cymraeg yn y
dref wedi syrthio ar ddyddiau drwg, ac ychydig heddiw—dim ond
y gweddill ffyddlon—sy'n mynychu Bethel, capel yr Annibynwyr.
Agorwyd y dociau yn 1858, a'r pryd hwnnw cychwynwyd achos
gyda chynulleidfa gymysg o bob enwad, ond sefydlwyd eglwys Anni-
bynnol reolaidd ym 1864. Codwyd Bethel, 'rwy'n meddwl, ym 1879,
a bu nifer o weinidogion yn bugeilio'r ddiadell yno. Mae Bethania,
capel y Methodistiaid Calfinaidd, yn *Hickman Road,* ond mae'r
drysau ynghau ers llawer blwyddyn bellach, a'r adeilad yn mynd â'i
ben iddo'n gyflym; golwg drist. 'Rwy'n cofio mynd yno gyda 'nhad
flynyddoedd yn ôl, pan âi yno i gadw Sul. A ddaw tro ar fyd yn ei
hanes eto? Mae'n anodd proffwydo. Ond mae cyffro ymhlith Cym-
ry'r dref. Oherwydd llwyddiant rhyfeddol Ysgol Gymraeg y Barri,
nes peri gorlifo'r adeiladau, penderfynodd nifer o rieni ym Mhen-
arth a'r ardal, fod yr amser wedi dyfod i godi ysgol yno neu yn y
cyffiniau. Trwy weithgarwch Mr. Hywel ap Robert, y bar-
gyfreithiwr, ac erbyn hyn, Ynad Cyflog Caerdydd, a mab i'r Parch-
edig R. J. Jones, gweinidog gynt ar eglwys Minny Street, Caerdydd,
y Parchedig James Keane, offeiriad yn yr Eglwys yng Nghymru, a
Mr. Courtenay Smith (sylwer ar yr enwau!) aeth rhieni'r plant o
Ysgol Gymraeg y Barri, ymlaen i sefydlu Ysgol Gymraeg ym Mhen-
arth. Ym 1969 sefydlwyd dau ddosbarth yn uned ddwyieithog, yn
Ysgol Gynradd Cogan. Ym Mawrth 1971 crewyd ysgol ddwy-
ieithog annibynnol, gyda'i phrif-athro ei hun a phedwar ugain
namyn un o blant. I'r ysgol hon daw plant o Benarth, Cogan, Dinas
Powys a Sili. Yn Ninas Powys mae ysgol feithrin ar gyfer rhyw ddeg
ar hugain o blant, a chodwyd ysgol feithrin arall ym Mhenarth.

Mae'r ystad newydd o dai a godwyd yng Nghogan yn addø'n dda
am gynnydd yr ysgol ym Mhenarth.

Dyma un rheswm arall pam y mae dyn yn gweld mwy na llyg-
edyn o obaith yr adfywir bywyd Cymraeg yr ardaloedd hyn, heb
sôn am ardaloedd eraill yn y Fro.

Ar y bryn uwchben afon Elái, wrth ddyfod i mewn i Benarth ar
hyd y ffordd isaf o Gaerdydd, fe welwch dŷ sylweddol ag arwydd
arno, 'Elizabethan House.'' Hwn oedd cartref Syr George Herbert,
y gŵr a gododd y tŷ yn 1544. Adweinid y tŷ fel *Cogan Pill*. Perth-
ynai'r Herbert hwn i Herbertiaid y Friars yng Nghaerdydd. Ef oedd
arglwydd maenor Cogan. Gwelodd y tŷ lawer tro ar fyd o'r dyddiau
pan godwyd ef. Fe'i hatgyweiriwyd droeon, nes ei bod yn anodd
dweud faint o'r tŷ gwreiddiol sy'n aros. Tŷ bwyta ydyw heddiw, ac

25. "Cogan Pill".   V. C. Hardacre

un noson o haf galwodd fy 'mhriod a minnau yno i gael pryd o fwyd digon dymunol. Golwg braidd yn dreuliedig oedd ar y lle, ond ceidw ambell ystafell rywbeth o naws y gorffennol. Oddi allan, uwchben y drws, mae arfbais teulu'r Herbertiaid, yn disgleirio yng ngogoniant ei liwiau newydd—er ei fod yn perthyn, mae'n bur debyg, i'r tŷ gwreiddiol.

Yn yr un ardal, Cogan, nepell i ffwrdd, mae eglwys San Pedr, yr ymwelais â hi, flynyddoedd yn ôl, yng nghwmni'r Dr. D. G. Morgan, goruchwyliwr ysbyty Llandochau Fach. Dyma un o eglwysi hynaf y Fro, ac ynddi fe welwch enghraifft o adeiladu Sacsonaidd yn y mur,—y dull a adwaenir fel *'herring bone'*. Yr unig enghraifft arall 'rwy'n cofio ei gweld yn y Fro yw honno yn hen fur castell Pen-llin. Y tumewn, o gwmpas y muriau, ceir seddau carreg, lle'r eisteddai'r hen a'r methedig. Oherwydd nad oes ffenestr yn y pen dwyreiniol, a dim ond ychydig ffenestri yn y muriau eraill, mae'n eglwys fach dywyll. Perthyn bwa'r fynedfa i'r gangell i'r cyfnod Normanaidd, a thu cefn i'r allor mae *reredos* efydd gwych a osodwyd yno er cof am James Andrew Corbett yr wyf wedi sôn amdano eisoes.

Os ewch chi i Benarth, ewch i weld Oriel Turner, oriel ddarluniau a godwyd gan James Pyke Thompson, i fod yn gartref i'w gasgliad o ddarluniau. Fe'i henwodd ar ôl yr artist Seisnig enwog J. M. W. Turner. Amgueddfa Genedlaethol Cymru sy'n bennaf gyfrifol amdani heddiw, ac o dro i dro ceir arddangosfeydd ynddi.

Cyn gorffen y crwydro hwn o gwmpas Penarth, fe ddylwn nodi rhai o'r enwogion a fu ac sy'n byw yma. Soniais eisoes am y Dr. Joseph Parry, ond yma rai blynyddoedd yn ôl y trigai yr Athro W. J. Gruffydd, ac yn gymydog iddo, Elfed,—dau gymeriad digon anhebyg i'w gilydd. Un diwrnod wrth grwydro'r dref deuthum ŵyneb yn ŵyneb â Dafydd Gruffydd, mab 'W.J.', yn y stryd a'r enw rhyfedd, Cwrt-y-fil. Fe fu castell neu faenor yma gynt, a dywedir y gellir gweld olion hen furiau yma o hyd. Ond er i Dafydd ddyfod gyda mi i chwilio, ac iddo ddefnyddio cryn dipyn o betrol wrth wneud, ofer fu ein hymchwil! Dyfynna Gwynedd Pierce o *Topographical Dictionary,* Lewis a gyhoeddwyd ym 1843, *"In the parish is a ruin, now converted into a barn, which was formerly a chantry chapel, probably connected with or served by the monks of the monastery of Llandough super Ely.* Awgrymir yn betrus y gall mai 'court-field' oedd yr enw ar y dechrau. Bu llaw Iolo Morganwg yn cymhlethu tipyn ar hanes y fangre hon, ac nid yw ysgolhaig fel Gwynedd Pierce yn barod i fo dyn rhy bendant ar ystyr yr enw.

Daeth Saunders Lewis i fyw i Benarth ym 1958, ac yma mae e'n byw o hyd, ac un o bleserau amheuthun bywyd i mi yw cael ei gwmni yn awr ac eilwaith ar hyd y blynyddoedd diwethaf. 'Rwy'n cofio gofyn iddo unwaith pam y dewisodd fyw ym Mhenarth. Atebodd ar unwaith :

"Lle i fyw ynddo !"

"'Dŷch chi ddim wedi cymryd rhan o gwbl ym mywyd y dref?"

"Dim o gwbl. 'Does gen i ddim i'w ddweud wrth Benarth !"

"Faint o waith ŷch chi wedi fedru'i wneud ym Mhenarth?"

"Dwy' i ddim yn cofio beth a gyhoeddais i yma. Ond cofiwch, am ran o'r amser fe fûm i'n ddarlithydd yn y Brifysgol; ac 'roedd pob darlith a roddais i yn ddarlith *ad hoc*. Mi fyddwn i'n paratoi yn arbennig ar gyfer pob darlith, ond sgrifennu dim ar ei chyfer— dim hyd yn oed nodyn. 'Roedd hyn, felly, yn waith caled, ond yn fwy diddorol, o'r herwydd." Ychwanegodd, gyda gwên, ond yn ddigon pendant, hefyd : "Mi fuaswn i'n cynghori pob darlithydd ifanc i beidio â sgrifennu ei ddarlithiau !" Cyngor da, mae'n bur debyg, ond nid Mr. Saunders Lewis yw pob darlithydd ifanc !

Ond er y gweithio caled yn y Brifysgol, yma ym Mhenarth y sgrifennwyd y rhan helaethaf o'i ddramau, megis *Esther, Serch yw'r Doctor, Gymerwch chi Sigaret? Brad, Cymru Fydd, Problemau Prifysgol,* na cheisiais eu rhoi yn nhrefn eu cyfansoddi; heb anghofio, wrth gwrs, ei nofel ddiwinyddol, *Merch Gwern Hywel.*

Efallai i rai ohonoch ei wrando'n cyflwyno detholiad o gerddi ar Radio Cymru nos Ŵyl Ddewi 1972, a'i glywed yn sôn mai ym Mhenarth y rhoddwyd cychwyn i'r mudiad a dyfodd yn Blaid Genedlaethol Cymru. Holais Mr. Lewis uwchben pryd o fwyd am yr hanes hwn ac esboniodd iddo ef ac Ambrose Bebb ddyfod ynghyd ar aelwyd Mr. a Mrs. G. J. Williams i lunio polisi ar gyfer mudiad a fyddai â'i fwriad i ennill annibyniaeth lwyr i Gymru. Hynny a wnaethant, ac yn y cyfamser derbyniasant lythyr oddi wrth H. R. Jones, Deiniolen, a oedd wrthi ar y pryd yn ffurfio ei "Byddin Cymru". Gwahoddodd hwy i ymuno â'r mudiad. Atebasant a dweud y byddent yn barod i ymuno ond iddynt dderbyn y polisi a luniwyd ym Mhenarth, yn ei grynswth. Dyna a wnaethant, a chafwyd cyfarfod ym Mhwllheli yn Awst 1925, pan sefydlwyd 'Plaid Genedlaethol Cymru'. Nodau siom sydd i'w clywed bellach yn sylwadau Saunders Lewis ar Blaid Cymru. Cofiaf iddo ddweud wrthyf mewn cyfweliad ar y teledu flynyddoedd yn ôl ei fod wedi'i wrthod gan bawb. "Fe'm gwrthodwyd i gan bawb," meddai, "mae pob un o'm syniadau—ddaru i mi ddechrau mewn cymdeithaseg, ac yng nghymdeithaseg cenedlaetholdeb—mae nhw i gyd wedi'u bwrw heibio."

Rhaid bod hyn yn brofiad chwerw iddo, a hynny, mi gredaf, sydd wrth wraidd cân fechan o deyrnged iddo gan R. S. Thomas. Nid chwerwedd personol, bach y mae'r bardd yn sôn amdano yn y gân yma, ond rhywbeth mwy o lawer na hynny—rhywbeth tebyg i chwerwedd Kierkegaard yn Sweden, neu Ibsen yn Norwy. Mentrais gyfieithu'r gân i'r Gymraeg.

> Ar anel, yn barod i danio â'i ddirmyg.
> Ac fe'u heriodd;
> Eu herio i fynd yn hen a chwerw
> Fel ef. Cadwodd ei bin yn lân
> Trwy ei gladdu ym mloneg
> Eu cnawd. Asgetig oedd a Chymru
> Ei ymborth. Bu fyw ar fara sur
> Ei gofidiau, blinedig, eto'n chwil
> Ar brydiau ar win y beirdd.

> Meudwy ynteu : ef ei hun
> Ei gafell? Yn ddi-abid
> Cerddodd yn ein plith; fe'n harweiniai
> I wrthryfel. Bychan ydoedd,
> Eto'n gawr, a dryll ei feddwl
> Ar anel, yn barod i danio â'i ddirmyg.

Ers blynyddoedd bellach, bu Saunders Lewis byw yn unigeddau un o faestrefi Penarth. A fu hyn yn ennill neu yn golled i Gymru? Nid oes ateb. Ond ni allwn lai na chofio tystiolaeth y gweithiau a grewyd ganddo yn yr unigeddau hyn. Mae'r hyn a ddywedodd W. B. Yeats unwaith, yn mynegi llawer o wirionedd am gelfyddyd Saunders Lewis. *"All work of art is the social act of a solitary man."*

Yn union wedi gadael Penarth ar y ffordd tua'r Barri, y mae tro i'r chwith, lôn gymharol gul sy'n ein harwain i Larnog a Thrwyn Larnog. Ychydig sydd yno i'n denu, ffarm fechan, ychydig dai ac eglwys lai, a honno gallem feddwl wedi cau. O leiaf yr oedd y drws ynghlo a fawr o ôl tramwy ar y llwybr tuag ati. Yr oedd y fynwent yn anialwch llwyr. Eglwys fodern yw hi, ond wedi'i phatrymu efallai ar hen gynllun. Fe ellwch gyrraedd Trwyn Larnog ar hyd ffordd arall,—llwybr sy'n rhedeg o Benarth ar hyd y clogwyni uwchben y môr; taith hyfryd.

Ond er mor ddinod yr olwg ar bethau yn Nhrwyn Larnog, y mae hwn yn fan byd-enwog, ac fe welwch pam wrth ddarllen y tabled bychan ar fur mynwent yr eglwys.

NEAR THIS SPOT
THE FIRST RADIO MESSAGE
WAS EXCHANGED ACROSS THE WATER
BY
GUGLIELMO MARCONI
AND
GEORGE KEMP
BETWEEN LAVERNOCK AND FLAT HOLM 11th May
LAVERNOCK AND BREAN DOWN 18th May 1897
ERECTED BY THE ROTARY CLUB OF CARDIFF 1947.

A dacw fe *Flat Holm,* â'i oleudy gwyn yn disgleirio yn yr haul, yn ymddangos fel pe na bai ddim ond ergyd carreg i ffwrdd.

Mae'n anodd meddwl heddiw yn oes y teledu mai'r arbrofion hyn oedd sail y gyfundrefn gymhleth sydd yn ein galluogi i yrru darluniau o un wlad i'r llall. Mae gan Gymru le yn yr arbrofion hyn, oherwydd bod o leiaf un Cymro yn gynorthwywr i Marconi, Syr William H. Preece, prif beiriannydd Gwasanaeth y Teligraff Prydeinig. Er mai yn Lloegr y ganwyd George Kemp, fe fu'n byw yng Nghaerdydd, a'i frawd yn argraffydd a chyhoeddwr am flynyddoedd yn y brif-ddinas.

Brodor o'r Bontnewydd, Caernarfon oedd Syr William Henry Preece, ond yr oedd ei dad o'r Bont-faen, Sir Forgannwg. Rhoesai Syr Henry ei holl oes i arbrofi ar beiriannaeth teligraff, ond yr oedd yn ddigon gwylaidd i gydnabod athrylith y gŵr ifanc dwy ar hugain oed, Guglielmo Marconi. Mewn araith fe dalodd y deyrnged hael hon iddo :

"Columbus did not invent the egg. He showed how to make it stand on end. Marconi showed how to use the Hertz radiator and Blanly coherer. He has produced an electric eye more delicate than any other known system of telegraphy, which will reach hitherto inaccessible places . . . I have experimented freely with Marconi's instruments, and I find for a certainty that they all proved of immense value to shipping and lighthouse purposes."

Nid oes ddwywaith amdani na fu gan Syr William ran flaenllaw yn arbrofion Marconi. Gwelais gofnod o gyfweliad â Marconi mewn rhifyn o'r *Cardiff Times.* Mewn ateb i gwestiwn, *"What are you*

99

working on now?" atebodd Marconi :

"Mr. Preece and I are working at Penarth in Wales, to establish regular communication through the air from the shore to a light-ship."

Efallai taw Marconi, fel y dywed Syr William, oedd yr athrylith, ond ni wyddom yn gymwys beth oedd cyfraniad y gŵr o Gaernarfon, a oedd ei hun yn dipyn o athrylith, ond bod Marconi yn barod i'w gydnabod fel cydweithiwr.

Rhwng cromfachau, megis, mae'n werth nodi i David Edward Hughes, mab y crydd o'r Bala, flynyddoedd cyn Hertz, ddod o hyd i egwyddor y *coherer,* ac iddo ddangos ei arbrofion i wŷr fel T. H. Huxley a Syr Richard Crookes. Er i'r gwyddonwyr enwog hyn gael eu syfrdanu ganddynt, ar ôl ychydig amser ceisiasant brofi mai ofer oeddynt, ac nad oedd y 'negesau' a glywyd ganddynt ar beiriannau amrwd Hughes ond rhai a gariwyd gan yr hyn a elwir yn *induction.* Siomwyd ef gan ei gyd-wyddonwyr, a thaflodd ei lyfrau nodiadau heibio, ac ni ddaethant i olau dydd tan cyhoeddi darganfyddiad Hertz, a ddaeth i'r union gasgliadau â'r Cymro. Ond yr oedd yn rhy hwyr iddo hawlio'r flaenoriaeth, er mai iddo ef yr ydym yn ddyledus am y 'meicroffôn'. (Gellwch weld y meicroffonau amrwd hyn yn yr Amgueddfa Wyddonol yn Kensington, Llundain). Rhyw ddydd rhaid imi geisio adrodd stori ddiddorol David Edward Hughes a'r teulu o'r Bala.

Syr William a roddodd ei brif gynorthwywr, George Kemp, at wasanaeth Marconi a bu gydag ef am flynyddoedd yn cydweithio ar ei arbrofion. Yr oedd gydag ef ar y prynhawn hwnnw yn Newfoundland ar y deuddegfed o Ragfyr, 1901, yr unig ddau yn yr ystafell, pan dderbyniwyd y neges ar draws Iwerydd, dim ond tri thic bychan, y llythyren S yn y *Morse Code,* yn y peiriant; yn ddiau, munudau dramatig.

Ar ddaear Cymru y cyflawnwyd y 'wyrth' hon gyntaf, arbrawf a roes ddyn ar ben y ffordd i ddatblygu'r radio a'r teledu sy'n gymaint rhan o'n bywyd heddiw. Y cwbl sy'n aros yn Nhrwyn Larnog yn atgof o'r dyddiau hynny yw dolen haearn yn y clogwyn uwchlaw'r môr.

Fe ganodd Saunders Lewis gân fechan i Larnog, a'r enw Saesneg i'r lle yn deitl iddi, *Lavernock.* Un tro, yn ei gartref ym Mhenarth, fe'i holais am y gân hon.

"Ai hon yw'r unig gân sgrifennwyd gennych am y Fro?" gofynnais.

"Ie, yr unig un."

"Beth a'ch symbylodd i ganu?"

"Ymweld â Larnog,—mi hoffwn i pe bawn yn gwybod am y ffurf yma bryd hynny—a chlywed yr ehedydd yn canu. Os edrychwch chi yng nghyfrol Gwynedd Pierce ar enwau lleoedd Cantref Dinas Powys, fe gewch mai un o'r ystyron a gynhigir am enw'r lle yw 'bryn lle mae'r ehedydd yn canu, "a hill frequented by skylarks" yn iaith y llyfr". Mae hon yn gân fach syml, gyfrwys-gynnil.

> Gwaun a môr, cân ehedydd
> yn esgyn trwy libart y gwynt,
> ninnau'n sefyll i wrando
> fel y gwrandawem gynt.
>
> Be' sy'n aros, pa gyfoeth,
> wedi helbulon ein hynt?
> Gwaun a môr, cân ehedydd
> Yn disgyn trwy libart y gwynt.

Cân orffenedig; cyfan fel afal, a'r defnydd cyfrwys o'r ddeuair 'esgyn' a 'disgyn' yn awgrymu nid yn unig godi a disgyn yr ehedydd, ond profiadau bywyd, hefyd.

Wedi dychwelyd i'r ffordd fawr o Larnog awn ymlaen nes cyrraedd tro arall i'r chwith sy'n arwain i draeth *Swanbridge* a Thŷ Sili, yn union ar lan y môr. Tŷ bwyta yw Tŷ Sili erbyn hyn, ac o 'mhrofiad i o dai bwyta, byddai'n anodd cael ei well trwy Gymru gyfan. Os penderfynwch fentro'ch siawns ar y gymeradwyaeth hon, gwell i mi'ch rhybuddio i fynd â'ch llyfr siec gyda chi! Mae naws i'r tŷ, ac mae'n bleser troi iddo ar yr adegau prin pan yw'r gyllid yn caniatàu!

Bron yn union gyferbyn ag ef y mae ynys Sili, ynys fechan iawn, y gellir croesi iddi ar dir sych pan fo'n drai. Ond gofalwch, os croeswch iddi, gadw golwg ar y llanw twyllodrus, cyflym. Fe adawyd llawer ymwelydd diofal yn ddiymgeledd a di-gysur ar yr ynys. Nid oes fawr ddim i'w weld oddiyno, ond yr olygfa o arfordir y Fro, a Gwlad yr Haf dros y dŵr. Mae olion hen gaer yno, y dywedir ei chodi gan y Daniaid; ond nid oes sicrwydd am hyn.

Rhaid inni ddychwelyd i'r ffordd fawr unwaith yn rhagor er mwyn cyrraedd Sili ei hun; pentref digon dymunol ond bod yr adeiladu a fu yno yn y blynyddoedd diwethaf wedi boddi yr hen bentref, bron yn llwyr. Yn ôl Gwynedd Pierce, mae'r enw Saesneg, Sully, yn mynd â ni nôl i niwl y gorffennol pell. Mae'n anodd gwybod ai teulu De Sully, a ddaliai'r faenor tua diwedd y ddeuddegfed ganrif, a roes ei enw i'r pentref, ynteu'r pentref ei hun a roes ei enw i'r teulu. Sili oedd yr enw ar dafod leferydd Cymry Cymraeg y Fro, ac â yn ôl, o leiaf, cyn belled â'r unfed ganrif ar bymtheg.

Efallai yr hoffech roi tro am yr eglwys, a godwyd ar fangre hynafol, ac yn ddigon dymunol yr olwg arni gyda'i thŵr castellog, a'i phensaernïaeth yn yr arddull Seisnig Cynnar.

Ond fe adweinir Sili, yn bennaf heddiw, oherwydd yr ysbyty i lawr ar ffordd yr arfordir, a saif yng nghanol gerddi eang yn wynebu'r môr. Fe'i agorwyd ym 1936 ar gyfer trin y darfodedigaeth, neu'r dicâu, neu'r diclein, enwau sy'n prysur ddiflannu o'n hiaith. Fe fu adeg pan oedd y clefyd hwn yn gymaint pla ar Gymru ag yw'r canser heddiw. Dyma'r unig ysbyty yng Nghymru a godwyd yn arbennig ar gyfer ymladd y clefyd hwn. Gellir cael syniad o'r newid a ddaeth dros bethau wrth weld cyn lleied o welyau'r ysbyty a neilltuir ar gyfer cleifion yn dioddef o'r Tuberculosis. Mae gwaith yr ysbyty wedi newid yn llwyr, ac er bod iddo unwaith enw rhyngwladol fel ysbyty T.B., heddiw fe'i hadweinir am ei waith gyda llawfeddygaeth y galon. Dyma'r unig ysbyty yng Nghymru lle mae llawfeddygaeth o'r fath yn rhan o'i waith bob dydd. Bu'r meddygon ers llawer blwyddyn bellach yn perfformio llawfeddygaeth ar ddefaid meysydd yr ysbyty i berffeithio'r dechneg o drosglwyddo ysgyfaint o'r naill ddafad i'r llall. Erbyn hyn maent yn abl i gyflawni operesion o'r fath ar ddynion. Heddiw, fel yn nyddiau'r dicâu arswydus, mae llawer o bobl led-led Cymru yn fyw i ddiolch i'r ysbyty yma am eu hadferiad. Ond erbyn hyn, ysywaeth, symudwyd adran llawfeddygaeth y galon o Sili i'r ysbyty newydd anferth a godwyd yng Nghaerdydd. Mae'r ysbyty hwn yn y brif-ddinas yn enghraifft dda o'r clwy canoli sydd wedi cydio mewn pobl y dwthwn hwn. Os yw'n fawr, mae'n dda. 'Dyw pobl yn cyfrif fawr iawn 'Dyw hi wahaniaeth yn y byd fod pobl fach yn gorfod bustachu teithio o fws i fws, a thramwy coridorau meithion i gyrraedd y claf; pa ots am hynny, tra bod y gweinyddwr a'i gynlluniau twt, yn hapus. Ond o dipyn i beth fe ddaw pobl eto i sylweddoli fod dyn yn rhywbeth mwy na rhif mewn compiwtor. Trech gwlad na gweinyddwr.

Cyn gadael Sili gelwais yn yr Ysgol Gynradd. Curais ar ddrws y prifathro, a chael croeso ganddo. Gydag ef ar y pryd 'roedd hen gyfaill plentyndod i mi, Gordon Davies, sydd 'nawr yn Arolygwr

Ymarfer Corff, Sir Forgannwg. Sgwrsio am yr hen ddyddiau, yna troi at y prifathro i'w holi am yr arbrawf a gychwynwyd yn yr ysgol o ddysgu trwy'r Saesneg yn y bore, a thrwy'r Gymraeg yn y prynhawn. Galwodd ei athrawon ato i'r ystafell, ac 'roedd golwg bendrist arnynt. Yn fuan deellais pam. Fe ymwelodd yr Awdurdodau addysg â'r ysgol a gorchymyn rhoi heibio'r arbrawf oherwydd protestiadau clymblaid o Saeson a Gwyddelod a ddaeth i fyw i'r pentref. Beth sy'n peri bod Gwyddelod, o bawb, mor wrth-Gymreig?

"Oedd yr arbrawf yn gweithio?" gofynnais.

"Oedd, a'r plant yn eu mwynhau eu hunain gyda'r gwaith." Cefais dystiolaeth i gadarnhau hyn gan gyfaill imi, W. W. Jones o'r Barri, cyn-arolygydd ysgolion dan ei Mawrhydi, bu ef yma yn yr ysgol i weithredu fel Siôn Corn yn nathliadau'r Nadolig 1971. Gŵr o'r Rhondda yw Mr. Jones yn falch o'i dras a'i Gymreictod, er mai anystwyth yw'r Gymraeg ar ei dafod erbyn hyn, gan iddo fyw y rhan fwyaf o'i oes yn Lloegr. Sylwodd, wrth gyflwyno anrhegion i'r plant, eu bod yn ateb gyda "Diolch", neu "Diolch yn fawr". Synnodd, gan iddo dybio, yn gywir ddigon, mai pentref heb fawr o Gymraeg ynddo oedd Sili. Wedi clywed Cymraeg gan y plant trôdd i'w hannerch yn ei Gymraeg gofalus a chywir, a synnodd fwy-fwy wrth eu hymateb. Soniais am hyn wrth un o'r athrawon, a gofyn a oedd y plant wedi'u cymell i roi diolch yn Gymraeg fel hyn.

"Dim o gwbl," meddai athrawes, "ond 'roeddwn yn falch i'w clywed yn ymateb mor rhwydd a naturiol i gwestiynau Mr. Jones."

'Roedd y staff yn hynod drist oherwydd rhoi heibio'r arbrawf. Bu dwy ohonynt, athrawon di-Gymraeg, mewn cwrs Cymraeg yng Ngholeg Addysg y Barri, ac erbyn hyn maent yn rhugl yn yr iaith. Dyna fesur brwdfrydedd yr ysgol. Ond ofer pob brwdfrydedd, y protestwyr a orfu.

Pan ofynnais beth oedd achos yr ymgyrch hwn ar ran y rhieni di-Gymraeg, awgrymodd un o'r athrawon mai adwaith yn erbyn ymgyrch Cymdeithas yr Iaith ydoedd. Diau y daw ymgyrch y Gymdeithas ag arwyddbost dwy-ieithog i Sili. Yr hyn sy'n fy mhoeni i yw, a fydd rhywun yno ymhen cenhedlaeth yn medru ei ddarllen?

O Sili, croeswn y morfa, sydd erbyn hyn yn llawn diwydiannau modern, fel *plastics* a *silicones*. Fe fu rhain yn gymorth mawr i'r Barri, a ddioddefodd mor arw pan edwinodd y fasnach lo, a throi'r dociau'n fud a diddefnydd. Cofiaf dreulio oriau lawer yng nghyfarfodydd Cyngor Bwrdeisdref y Barri yn trafod y broblem hon, ac yn cynllunio pa fodd i ddenu diwydiannau newydd i'r dref.

7

Tregatwg, Y Barri, Porthceri

Ar ôl croesi'r morfa, a throi i'r chwith wedi cyrraedd heol y
Barri-Caerdydd, dowch ar eich union i Dregatwg, neu o leiaf i
ffiniau deheuol y pentref. I gyrraedd yr 'hen bentref' rhaid ichi
gymryd y tro cyntaf ar y dde, dringo'r rhiw (allt), ac yna disgyn ar
eich pen iddo. Mae'n dal i gadw rhai o nodweddion pen-
trefi'r Fro. Yng nghanol y pentref saif yr eglwys hynafol â'i tho
cyfrwy, ac yn ei hymyl dafarn y *Three Bells,* ac ar y llethr uwch-
law dafarn *King William IV,* neu'r 'King Billy' fel y'i gelwir gan
y pentrefwyr. Wrth ymyl yr eglwys mae bwthyn digon prydferth a
elwir *Church House,* lle cedwid ysgol y pentref gynt. Sefydlwyd yr
ysgol wedi ymchwiliad Comisiwn 1847, ac yna yn 1876 fe'i caewyd,
ac am flynyddoedd bu raid i blant y pentref gerdded i'r ysgol i
Ddinas Powys, Sili, Porthceri neu Wenfô.
Â'r eglwys â ni yn ôl i oes y Normaniaid, fel y tystir gan fwâu
ffenestri'r mur gogleddol; a pherthyn y fedyddfan, mae'n debyg, i'r
un cyfnod. Mae'r grisiau i'r groglofft yn aros o hyd, ac maent mewn
man anarferol, sef y tucefn i'r pulpud ar ochr *ddeheuol* corff yr
eglwys. Pan atgyweiriwyd yr eglwys fel ddinistrwyd y mur-luniau
oedd yno. Mae digon o dystiolaeth fod eglwysi'r Fro yn rhai lliwgar
iawn yn y canol-oesoedd, ond ychydig olion o'r hen baentiadau sydd
ar ôl bellach. Tybed ai'r offrwm gorau y medrwn ei dalu i'r Duw
a luniodd greadigaeth mor afradlon liwgar, yw muriau llwyd a di-
liw a di-ddychymyg—y *bleached dishonoured skeleton,* y mae Blake
yn sôn amdano, wrth gwyno colli mur-luniau lliwgar Abaty West-
minstr?
Ymwelais â Thregatwg unwaith yng nghwmni Mr. a Mrs. Tom
Yeoman, deuddyn amlwg iawn ym mywyd cyhoeddus y Barri, ac
am flynyddoedd yn aelodau o Gyngor y Dref. Hwy oedd maer a
maeres y dref ym mlwyddyn y Coroni, 1953-54. Ganwyd Mr.

Yeoman yn Nhregatwg, a chofiai bostmon y pentref. Arferai hwn gario'r post o Gaerdydd i'r pentref, gan ddechrau'n gynnar yn y bore, a cherdded heibio i'r *Dusty Forge* (y'i gwelir o hyd ar y ffordd rhwng Pont Elái a Culverhouse Cross) a Gwenfô i Dregatwg; yna yn ôl i Gaerdydd, trwy Ddinas Powys a Lecwydd. Pentref tawel, llonydd, di-arffordd, i raddau, yw'r hen Dregatwg o hyd, ond pan agorwyd y dociau yn y Barri, y gred oedd mai o gwmpas y pentref hwn y byddai'r datblygu. Fe welwch o gwmpas Tregatwg o hyd adeiladau mawr Fictoraidd yr olwg, sydd yn cael eu defnyddio heddiw fel clybiau yfed ac ati; bwriadwyd rhain i fod yn westai i gyflenwi anghenion y boblogaeth newydd. Ond nid felly y bu; y Barri a dyfodd yn ganolfan y dociau. 'Rwy'n cofio clywed am ewythr o fferyllydd i mi, 'Wncwl Harri', yn codi Fferyllty yn *Vere Street,*

26.   Label potel foddion "Wncwl Harri" (H. J. Owen).

un o strydoedd yr Eldorado newydd. Ond methu a wnaeth. Ni ddatblygodd pethau fel y disgwylid. Ac wrth sôn am 'Wncwl Harri', cofiaf mai gydag ef, wedi iddo symud i fod yn fferyllydd y *'Guard-*

27. Tudalen o lyfr rysait H. J. Owen.

Lime Cream & Glyc
(nid hwn - nawr)

Rp̃ Oleu'r Oleuydden ... Oj̃

Creme D'Amandes ... 3̃j, 3̃ij

Iodd Hiboras ... 3iv

Sol Calcii Hydras ... Oj̃

Ess Bergamot ... 3ijp

„ Limonis ... 3ip

Ol Caryoph ... gtt 10

„ Neroli ... „ 6

„ Citronell ... „ 14

tt Trommer yr Oleu a chymysger yn berffaith ychydig yn efo'r Creme D'Amande mewn mortar mawr, yna doder y gwedill or Oleu yn raddol, dan gymysgu; Toder yr 'Halas' yn y Dwr Calch wrth ben tân ae ychaneger yn raddol ct. yr uchod, gan gymhyrbi yr holl gymysged; yn olaf ychwaneger y peraroge a sigler y gostrel

Gw wneyd yn dewach doder 3ij yn rhagor o 'Creme'; yn rhatach defnydder ol Nucz yn elle'r O-Oleuyn *ians'* yn Charles Street, Caerdydd, y dysgais i gyntaf enwau Cymraeg y Ddinas a'r Fro. Cofiaf sefyll ar bont ar gyrion y ddinas, ac yntau'n dweud yn ei ffordd ddeddfol a gofalus : "Hon yw pont Elái, *nid* Ely, Aneirin." Ni soniai fyth am *Queen Street* a *St. Mary Street,* ond Heol y Frenhines a Heol Fair. Heddiw, hanner can mlynedd yn ddiweddarach, mae arwyddion Cymraeg ar y strydoedd hyn. 'Roedd Wncwl Harri yn Gymro o flaen ei oes! Onibai ei fod yn Dori rhonc, gallwn feddwl, petai byw heddiw, y byddai'n perthyn i Gymdeithas yr Iaith Gymraeg! Yn ddiweddar cefais lyfr rysait fy ewythr gan Gwyn Owen, fy nghenfder, a synnais weld fod llawer o'i gynnwys yn Gymraeg. Fe welwch ddalen o'r llyfr ymhlith darluniau'r gyfrol hon, a hefyd atgynyrchiad o label a ddefnyddiai'r pryd hwnnw. Sioc bleserus i mi oedd cael bod yr hyn a geir arno yn Gymraeg. Wn i ddim beth fydd barn rhai pobl am yr "Eich Dyn", ond y cwbl a fedraf fi ei ddweud yw, na chwrddais erioed â Chymro mwy ymarferol frwdfrydig nag "Wncwl Harri." 'Does ryfedd yn y byd i mi ddal ei frwdfrydedd a gosod 'Fferyllydd' uwchben drws y fferyllty a agorais yn Abertawe ym 1937! I Dregatwg, yn niwedd y ganrif ddiwethaf, y daeth W. Llewelyn Williams, awdur *'Slawer Dydd* a *Gwilym a Benni Bach,* i fod yn olygydd ar y *South Wales Star;* ac ynddo taranai gyda'i huodledd nodweddiadol yn erbyn sarnu prydferthwch yr ardal !

Yn Nhregatwg mae chwilio am darddiad capeli Cymraeg y Barri. Mae'r ddau gapel, Philadelphia'r Bedyddwyr a Seion y Methodistiaid Calfinaidd, yn adfeilion trist. Fe welwch adfeilion Philadelphia wrth ymyl y *King Billy,* ac wrth edrych arnynt mae'n anodd dychmygu i furiau'r capel bychan hwn unwaith glywed huodledd Christmas Evans. Dywedir iddo hefyd weinyddu'r ordinhad o fedydd yn yr afon fechan yng ngwaelod y pentref. Codwyd y capel ym 1813, er ei bod yn bur debyg i'r Bedyddwyr ddyfod ynghyd yn gynharach na hynny, yn yr Holltwn, ffermdy bychan yn y Barri. (Fe gedwir yr enw yn y ffurf Seisnig 'Holton Road' sydd ar brif stryd y dref). 'Roedd hyn tua 1778, ac awydd y ddiadell hon am godi tŷ cwrdd a barodd godi Philadelphia yn Nhregatwg. 'Roedd dewis Tregatwg i godi capel ynddo, yn arwydd o bwysigrwydd cymharol y ddau le bryd hynny. 'Roedd yr achos dan nawdd Croes-y-parc, Llanbedr-y-fro, lle claddwyd Dafydd William, yr emynydd, a bu rhai o aelodau'r eglwys honno yn gynorthwy mawr i'r eglwys newydd. Go anwastad fu ei hanes; gweinidogion yn mynd a dod, a'r gynulleidfa yn am-

rywio mewn rhif o ryw ddeg ar hugain i hanner cant. Pan adeilad-
wyd y dociau yn y Barri nid oedd weinidog ar yr eglwys, ond oher-
wydd cynnydd cyflym y boblogaeth ym 1884, galwyd gweinidog i
ofalu amdani. Yn fuan aeth y capel yn rhy fach, ac ar ben hynny
cododd problem yr iaith ei phen! Aeth nifer allan o'r eglwys i
ffurfio achos Saesneg.

'Roedd y Barri, erbyn hyn, yn tyfu'n gyflym a chychwynwyd
cangen o Philadelphia yn Noc Barri; yr eglwys a adweinir heddiw
fel Salem, ond sy bellach yn eglwys gyfangwbl Seisnig, er yn perthyn
i Undeb Bedyddwyr Cymru. I'r capel hwn yr âi teulu fy mhriod a
throeon clywais hi'n sôn am frwydr yr iaith, a'r modd y ceisiwyd
dwyn perswâd ar ei rhieni i aros yn yr eglwys wedi iddi gael ei
throi'n ddwy-ieithog. Symudasant hwy, a nifer o deuluoedd eraill
i Calfaria Tregatwg, ac yn yr eglwys hon y codwyd fy mhriod, ac
yno y'n priodwyd ym 1936.

Ym 1892 daeth y Parch. Isaac Morris, ewythr Miss Norah Isaac,
yn weinidog ar Philadelphia, ac ef oedd yn gyfrifol am godi capel
Calfaria, Court Road, Tregatwg. ('Roedd ef, gyda llaw, yn bresen-
nol yn ein priodas). Symudodd o Philadelphia i fod yn weinidog ar
Galfaria. Erbyn heddiw mae Calfaria, er cymaint brwydro'r saint,
yn achos Saesneg.

Yr union flwyddyn ag yr agorwyd drysau Philadelphia, 1813,
'roedd clerigwr Methodistaidd yn cynnal cyfarfodydd yn ei gartref,
yn y pentref. 'Roedd hwn yn gymeriad hynod, ac yn llawn sêl dros
yr Efengyl, a hefyd dros ddirwest. Mewn hen rifyn o'r *Cymru*
gwelais y pennill hwn.

> Mi 'rown i un diwrnod
> Mewn tŷ yn yfed diod
> Pan glyw'n lais fel uchel gloch,
> Y 'ffeirad coch o Golcoed.
> Dywedodd yn ddiamwys
> Taw i uffern awn heb orffwys;
> Dyna i chwi farnwr blin
> Yn taro dyn sy'n detchws (*touchy*).

Gweithgarwch y 'ffeirad hwn, Hezekiah Jones, yn y Colcoed, ym
mhlwyf Merthyr Dyfan ac wedi hynny yn Nhregatwg, lle symudodd
i fyw, a 'roes gychwyn i achos y Methodistiaid yno.

Codwyd y capel cyntaf, Seion, ym 1815. Un o Sir Gaerfyrddin
oedd Hezekiah Jones, ac 'roedd brawd iddo yn gurad yn Radur,

ond yn byw yn Sain Ffagan. Hwn oedd y Daniel Jones, y ceir nodyn amdano yn y *Bywgraffiadur,* a gor-ŵyr iddo oedd Arthur Machen, y llenor o Sir Fynwy. Mae'n rhyfedd i'r gŵr yma osgoi rhwyd fanwl T. I. Ellis wrth grwydro Mynwy. Yn un o storïau Machen *The Great Return,* mae'n disgrifio'r 'ffeirad coch : *"Hezekiah, ffeirad coch y Castletown* (Fe fu'n gurad yn Cas-bach (*Castleton*), ym mhlwyf Maerun, ar y gwastatir rhwng Caerdydd a Chasnewydd). *—the Red Priest of Castletown—was a great man with the Methodists in his day, and the people flocked by the thousand when he administered the Sacrament. I was born and brought up in Glamorganshire, and old men have wept as they told me of the weeping and contrition that there was when the Red Priest broke the Bread and raised the Cup."*

Gellir cael rhyw syniad am Gymreigrwydd Tregatwg yn y cyfnod hwn oddi wrth lythyr Hezekiah Jones at y Feibl Gymdeithas ym 1808, lle mae'n cydnabod derbyn 200 o Destamentau Cymraeg. Ym 1813 mae'n archebu pymtheg o Feiblau Cymraeg a chant a hanner o Destamentau gan y *Church Missionary Society.* Pan ymadawodd y Methodistiaid â'r Eglwys ym 1811, oerodd sêl Hezekiah drostynt. Bu farw yn aelod o'i eglwys a chladdwyd ef yn eglwys Yr Holl Saint, Coedcernyw, ger Maerun, ac mae cofeb iddo ar y mur yno. Mae Seion bellach yn adfeilion, ac fe'u gwelir ar *Hatch Hill,* y ffordd sydd yn rhedeg i lawr o ochr orllewinol y bryn uwchben y pentref. Etifedd Seion, Tregatwg, yw Penuel, y Barri. Pan oeddwn i'n byw yn y Barri yn y pumdegau cynnar, 'roedd capel arall gan y Methodistiaid Calfinaidd, Jerusalem, Doc Barri, lle bu'r Parchedig P. J. Beddoe Jones yn weinidog. Efallai y cofia'r eisteddfodwyr yn eich plith mai ef pïau englyn buddugol Eisteddfod Rhosllannerchrugog, 1945, ar y testun, "Hunllef".

> Dan gwsg, pasiant y chwantau,—amhur ryw,
> Mor real y rhithiau !
> Bywyd cêl yn gawdel gau,
> 'Stôr sadist o arswydau.

Un o sylfaenwyr Penuel oedd John Lloyd, tad y cerddor Dr. John Morgan Lloyd, y cefais y fraint o'i gwmni droeon ar ei aelwyd yn y Barri. Yr hoffusaf o ddynion. Nid oedd, yn ôl y gwŷr cyfarwydd, yn gerddor 'mawr', ond erys rhai o'i ganeuon yn boblogaidd o hyd. Pwy nad yw'n dotio ar *Alwen Hoff,* yn enwedig pan genir hi gan y tenor byd-enwog Stuart Burrows. Efallai mai ei ddawn bwysicaf oedd ei ddawn i ddysgu. Ni flinai fy mhriod sôn amdano fel arweinydd ysgol gân. "Yr oedd yn ddyn mor fwyn, fedrech chi ddim peidio â dysgu ganddo," ebr hi droeon. Ef a gafodd y fraint, ac yntau'n olynydd i'r Dr. David Evans fel Athro Cerdd Coleg y Brifysgol Caerdydd, o roi Grace Williams ac Alun Hoddinott ar ben y ffordd i fod yn gyfansoddwyr disglair.

'Rwy'n credu ei bod yn wir i ddweud mai asgwrn cefn y Gymraeg yn y Barri heddiw yw eglwysi'r Annibynwyr, Bethesda (*High Street*) a'r Tabernacl (Sgwâr Doc Barri). Wedi ymddeol y Parchedig T. Huw Griffiths o fod yn weinidog y Tabernacl, unwyd y ddwy eglwys dan weinidog ifanc y Parch. Eifion Powell, gynt o Harrow. Â hanes Bethesda yn ôl i ddyddiau codi'r dociau yn y Barri, pan addolai'r ddiadell mewn caban pren, ac yna mewn adeiladau eraill, dros dro, cyn agor drysau Bethesda ym 1892. Fe fu'r Parch. R. J. Jones, Minny Street, Caerdydd, yn weinidog yma, ac yn yr eglwys hon bu W. Bryn Davies, awdur yr emyn plant "Canaf yn y bore . . ." ymhlith ei harweinwyr ffyddlon.

Trwy fy nghysylltiad agos â'r Barri, deuthum i adnabod dau o weinidogion y Tabernacl, y Parch. W. E. Jones (Ap Gerallt) a'i olynydd y Parch. T. Huw Griffiths. Symudodd Ap Gerallt o'r Barri i Garno, a chofiaf i Gwenallt a minnau fynd i dreulio ychydig ddyddiau mewn gwesty yno, a chael croeso mawr ar aelwyd Mr. a Mrs. Jones. Cyn i mi ymddeol o'r B.B.C. ymunodd Mrs. Jones (Sioned Penllyn) â Chyngor Darlledu Cymru, lle bu'n gymorth i gadw ein trwynau ar y maen !

Sefydlwyd Mr. Griffiths ym 1944, ac ymddeolodd ym 1971. Bu yma'n hwy nag unrhyw weinidog o'i flaen, ac yn fawr ei barch yn yr eglwys a'r dref. 'Roedd ei wraig hynaws yn athrawes ar fy mab Geraint, ac nid oedd neb tebyg iddi yn ei olwg ef !

Wrth fynd i mewn i *Barry Dock,* dan bont y relwe, dowch i *Weston Square.* Yno saif *The South Wales Bible College* lle cafodd Ian Paisley, un o arweinyddion mwyaf eithafol Protestaniaid Gogledd Iwerddon, ei baratoi ar gyfer y weinidogaeth.

Mi fyddaf fi bob amser yn cysylltu'r Barri a'r sŵn a glywais gyntaf, o'r gwely, yn y tŷ a fu, wedi hynny, yn gartref imi am rai blynyddoedd. Sŵn corn niwl y dociau ydoedd,—rhyw grïo dolefus yn llawn rhagargoel annirnad. O gwmpas y dociau hyn y tyfodd y Barri o fod yn bentref bach distadl ar lan y culfor, i fod yn dref o ryw ddeugain mil o boblogaeth. Ni fuasai neb, mae'n debyg, yn sôn am y Barri fel lle prydferth, ac eto mae yno lecynnau dymunol a pharciau lliwgar. Ond yn sicr, i drigolion y dref mae'n baradwys o le ! Cofiaf ddyfod ar ymweliad i'r Barri o gyfeiriad Caerdydd, ar yr 'hewl uchaf', a disgyn i lawr i ganol y dref ar hyd heol Tynewydd. Yn y car gyda mi yr oedd fy mhriod, a'n cyfaill annwyl Ewart Lewis, ficer y Bont-faen. Wrth wylio'r tai a'u toau llwyd, a'r dociau odditanom, dyma Ewart yn rhoi ebychiad o ddiflastod, a dweud, yn ei ffordd araf, bwysleisgar ei hun : "Dyma beth yw *twll!*" 'Roeddwn i'n disgwyl ffrwydrad o'r sedd gefn, lle 'roedd fy mhriod yn eistedd, ond y cwbl a ddigwyddodd oedd iddi osod ei llaw ar ei ysgwydd, a dweud yn difrifol, "Cofiwch, Ewart, chawsoch chi dim o'ch geni yma." A rhyfedd y gwahaniaeth a wna hynny ! Yn dawel fach, mi fûm innau ar un adeg yn cyfrannu i gredo fy nghyfaill Ewart ! Ond mi ges innau'r fraint o fyw yma am rai blynyddoedd, a deuthum i werthfawrogi rhin y dref a chynhesrwydd ei chymdeithas.

28. Dociau'r Barri a thraeth Whitmore Bay. B.B.C.

'Roedd ein cartref ni mewn stryd ddistadl o dai terras hen ffasiwn, Maes-y-cwm, bron yn ymyl sgwâr Doc Barri, lle saif neuadd y dref, lle treuliais gannoedd o nosweithiau yn pwyllgora, a minnau wedi f'ethol yn aelod ar Gyngor y Fwrdeisdref. Ar yr aelwyd hon y codwyd fy mhriod ac y tyfodd i fod yn Gymraes lân, loyw, a pharabl seinber Sir Benfro yn gymysg ag acenion Morgannwg ar ei gwefusau. Morwr oedd ei thad, a hannai o Landudoch, a'i mam o dref Aberteifi. Miss Jenkins oedd hi cyn priodi a medrai olrhain ei hachau yn ôl at Jenkinsiaid Cilbronnau ym mhlwyf Llangoedmor, ger Aberteifi. I'r teulu hwn y perthynai'r Parchedig John Jenkins, Ifor Ceri, un o glerigwyr llengar y ddeunawfed a'r bedwaredd ganrif ar bymtheg. Dewisodd fy nghyfaill, y Dr. Stephen J. Williams, y gŵr yma yn destun i'w ddarlith agoriadol fel Athro Cymraeg Coleg y Brifysgol, Abertawe ym 1954. Anfonodd gopi o'i ddarlith i 'mhriod, wedi'i lofnodi, "I Mari, un o deulu Ifor Ceri . . ."

Morwr oedd ei thad, ar y cychwyn, ond wedi ymadael â'r môr gweithiodd ar y doc yn y Barri. Daeth y doc i fod yn atynfa i deuluoedd lawer o'r Gorllewin, ac yn wir o bob rhan o Gymru. Tyst o hyn yw'r enwau a roddwyd ar gartrefi'r teuluoedd a ddaeth i fyw yma : 'Gwbert,' 'Bryn Teifi,' 'St. Dogmaels,' 'Amlwch,' 'Meifod,' 'Snowdon View,' ac yn y blaen. Llawer o'r atynfa oedd y cyflogau a delid yn y dociau. Os oedd cyflogau'r wlad yn llai na chyflogau'r dociau, rhaid eu bod yn fychan iawn, oherwydd yn llyfr cyfrifon fy nhad-yng-nghyfraith, deuthum o hyd i'r manylion hyn :

"Oct. 9, wages £1-19; Oct. 16, full week, £1-5-0; Oct. 23, £1-10-0," ac yn y blaen. Daeth fy mhobl-yng-nghyfraith â safonau cefn gwlad gyda hwy; ffyddlondeb i'w crefydd; Cymreictod gloyw, naturiol, a stamp pendefigaeth werinol ym mhob gewyn o'u heiddo. 'Roedd hi'n fraint cael eu hadnabod, a chael eu merch yn briod imi. Dim ond un peth sy'n flin gennyf, imi fethu â recordio hanes eu dyddiau cynnar yn y Barri; y frwydr i gael dau ben llinyn ynghyd, ond hefyd i gadw urddas a syberwyd yr un pryd; y frwydr, hefyd, dros Gymreictod, a'r hanes bythgofiadwy am y frwydr dros gadw capel Salem yn Gymraeg; hanes y noson fyth-gofiadwy y clywais ei adrodd ganwaith, am y modd y gwrthodasant—hwy a nifer eraill o deuluoedd—y Cymun Bendigaid pan weinyddwyd ef am y tro cyntaf yn Saesneg. 'Wn i ddim am wedduster peth felly, ond codai eu protest o waelodion eneidiau a dramgwyddwyd ac a glwyfwyd ar yr awr gysegredicaf. Dyma'r pryd y symudasant draw i

Galfaria, Tregatwg. Nid cenedlaetholdeb plaid oedd yn eu symbylu, ond Cymreigrwydd naturiol a diymhongar. Mi ddylwn, hefyd, fod wedi recordio hanes fy nhad-yng-nghyfraith ar y llongau hwyliau, ac yn ddiweddarach y llongau stêm. 'Rwy'n ei gofio'n rhoi Elinor, fy merch, ar ei ben-glin, a hithau ddim ond yn damaid bach, ac yn ei dysgu i rifo yn Sbaeneg. Pan holais ef sut y daeth i ddysgu Sbaeneg, soniodd am longddrylliad ar arfordir Sbaen, ac am orfod aros am chwe mis yn Bilbao. 'Dwy i ddim yn siŵr faint o goel a roddais ar y stori bryd hynny, oherwydd 'roedd yn gymeriad cell-weirus! Ond wrth fynd trwy bapurau fy mhriod yn ddiweddar, deuthum ar draws nifer o *"discharge certificates"* a roddir i longwr pan fydd yn ymadael â llong arbennig. Dewisodd Lynn, fy mab-yng-nghyfraith, un ohonynt i'w fframio,—'discharge' o long yn dwyn yr enw 'Rhymney'. Aeth i'r *Maritime Museum* yn Llundain i chwilio ei hanes, a thrwy ryw gyd-ddigwyddiad rhyfedd, cafodd mai hon oedd y llong a longddrylliwyd! Dyma fel y cofnodir y digwyddiad : *"Abandoned at sea 3.1.1899 in the Bay of Biscay, on passage Bilbao to Cardiff with a cargo of iron-ore."* Un o'r pethau sydd gennyf i gofio amdano yw ei Feibl â staen y môr ar ei gloriau !

I lawr ar y doc fe gewch weld cof-golofn Dafydd Dafis, Llandinam; mae cymar i'r golofn hon ar y sgwâr yn Llandinam. Fel Dafydd Dafis 'Top Sawyer' yr adwaenid ef gyntaf, gan iddo wneud enw iddo'i hun fel llifiwr coed. Mae'r ddelw anferth ar y doc yn ei ddangos yn archwilio'r cynlluniau, ac os yw yn *out-size* o ran maintioli, mae'n sicr yn gweddu i bersonoliaeth y cymeriad rhyfedd hwn. Enw arall a roed iddo oedd "Dafis y Relwe', am mai ef a osododd bron y cwbl o reilffyrdd Gorllewin a Chanolbarth Cymru. Yn ddiweddarach eto, fe'i gelwid, "Dafis yr *Ocean"*, gan mai ef a agorodd byllau glo enwog yr *Ocean* yn y Rhondda. Y pyllau hyn, mewn gwirionedd, oedd achos codi'r doc yn y Barri. Aeth yn gweryl rhyngddo ef â'r Marcwis Bute a oedd yn dal monopoli ar ddociau Caerdydd ac yna, ag yntau yn nesu at bump a thrigain oed, aeth ati i gael mesur drwy'r senedd i godi doc yn y Barri. Er i'r mesur cyntaf fethu â derbyn bendith Tŷ'r Arglwyddi, cyflwynodd ail fesur yn Nhŷ'r Cyffredin y flwyddyn ganlynol. Wedi ymchwiliad gan Bwyllgor Dethol y Tŷ cytunwyd i anfon y mesur i Dŷ'r Arglwyddi, ac ym mis Awst 1884 derbyniodd eu bendith. Trwy'r mesur hwn cafodd Dafydd Dafis, nid yn unig ganiatâd i godi'r doc, ond hefyd i osod rheilffordd a gysylltai'r Barri yn uniongyrchol â'r Rhondda, ac felly fod yn annibynnol ar relwe'r *Taff Vale.* Fe gewch yr hanes wedi'i groniclo yng nghyfrol gampus y Dr. E. D. Lewis, Prif-athro Coleg Addysg y Barri, *The Rhondda Valleys.*

Dechreuwyd ar y dasg o gloddio ar gyfer y doc newydd ym 1884, ac yn Nhachwedd y flwyddyn honno y torrwyd y dywarchen gyntaf gan Arglwydd Windsor. Y llong gyntaf i hwylio i mewn iddo oedd yr S.S. "Arno", a hynny ar y deunawfed o Orffennaf, 1889. Nid oes ond cysgod o brysurdeb y dyddiau gynt yn y doc heddiw, ac mae'n syfrdanu dyn, braidd, i wybod i chwe chant o longau hwylio i mewn i'r doc ym 1890, a bod dros dair mil o longau'n defnyddio'r doc ym 1903. Heddiw ni allforir cnepyn o lo o'r Barri; ym 1913 allforwyd 11,048,711 o dunelli.

Rhif poblogaeth y Barri ym 1881 oedd 497. Erbyn troad y ganrif cododd i yn agos i 28,000. Fe ddwedodd hen forwr wrthyf unwaith, wrth sôn am y cyfnod cynnar yn hanes y doc, "Yn wir i chi, 'roedd hi'n union fel yn nyddiau'r rhuthr am aur yn y Klondyke!"

Oherwydd y dociau, fe fu'r Barri yn atynfa i nifer o bobl o bob lliw a llun, ac yn ôl eu harfer, heidiasant i'r strydoedd gerllaw iddynt —sef i'r deau o Heol Holltwn (*Holton Road*). Fe fu enw drwg iawn i'r ardal yma unwaith, ac yn enwedig i Thompson Street, y clywswn gymaint amdani gan fy nhad-yng-nghyfraith.

Heol Holltwn yw prif stryd siopa'r Barri (defnyddiaf yr enw i gynnwys Doc Barri) ac mae'n prysur gael ei llanw â siopau cadwyn estron, gan ei hamddifadu o'r hen enwau a welid yno gynt. Ond mae enw "Dan Evans", yn dal ar nifer o'r siopau o hyd, a golygfa i lonni calon dyn yw gweld y perchennog, yn ei siwt ddu drwsiadus, yn eich cyfarch â gwen a gair bach croesawus, wrth fynd i mewn i'r siop. Anaml iawn y cewch chi olygfa o'r fath heddiw.

Gŵr y deuthym i'w adnabod yn bur dda yn ystod fy arhosiad yn y Barri oedd William Thomas, brawd y Dr. Vaughan Thomas, y cerddor. Ei frawd oedd ei hoff destun a chasglodd ynghyd pob ffaith a allai ddod o hyd iddi am ei yrfa. Ond fe wyddai lawer, hefyd, am hanes y Barri. Gydag ef y clywais gyntaf am darddiad yr enw Holton o'r enw Cymraeg Holltwn, a bod ffermdy bychan, neu ddyddyn efallai, yr Holltwn Fach, ar y man lle mae iard yr adeiladwyr Paul, ddim pell o'r man y mae llythyrdy'r Barri heddiw. Yma y bu farw Dafydd William, Croes-y-parc, yr emynydd ac awdur "Yn y dyfroedd mawr a'r tonnau . . ." Canodd Nathaniel Williams farwnad iddo, ac ynddo ceir y pennill hwn :

Gorphenodd ef ei daith,
Un wedd ei lafur waith,
　Yn rhydd yr aeth o'i aeth i fyw;
Yn Holtwn gynes glud,
Terfynodd ef ei fyd,
　Ac aeth o hyd—i fynwes Duw.

Fe ddwedodd Mr. Thomas, hefyd, fod y gŵr a'r wraig a drigai yn
yr Holltwn Fach yn Fedyddwyr, ond eu bod wedi syrthio oddi wrth
ras mewn rhyw fodd neu'i gilydd. Beth bynnag am hynny, hwy a
roes noddfa i'r hen emynydd, a hwy a fu gydag ef pan fu raid iddo
rydio afon Angau.

Yn rhedeg yn gyfochrog â Heol Holltwn mae Heol Gladstone, a
enwyd ar ôl y gwleidydd, ac yma mae Neuadd Goffa hardd y dref.
Dyma un o neuaddau harddaf y De, ac mae'n dda meddwl bod hon
o hyd yn dal yn ganolfan gweithgarwch diwylliannol a chym-
deithasol. Nid oes dref yng Nghymru, am wn i, lle ceir cyfle mor
fynych i wrando ar gerddorfeydd gorau Prydain. Gellir bod yn sicr,
bron, y bydd y neuadd yn llawn ar adegau felly, oherwydd bod yn y
dref Gymdeithas Gerddorol gref sy'n hybu diddordeb mewn cerdd-
oriaeth o safon uchel.

Flynyddoedd yn ôl, ym 1900 yn wir, daeth gŵr ifanc i lawr i'r
Barri o Gaernarfon, i fod yn athro ysgol yma; yn gyntaf ar yr ynys
ac yna yn ysgol gynradd Romilly. W. M. Williams oedd ei enw, a
thad Miss Grace Williams y cyfansoddwr. Ganwyd ef yn Wrecsam,
yn fab i Robert Williams, gŵr ifanc galluog a diwylliedig. Yn un ar
hugain oed 'roedd yn ysgrifennydd cyffredinol Eisteddfod Genedl-
laethol Wrecsam, 1876. Yn fuan symudodd y teulu i Gaernarfon.
Robert Williams oedd golygydd a chyhoeddwr cyntaf y *Genedl
Gymreig,* a hefyd bu'n gofalu am *Gwalia,* papur y Toriaid, am
flynyddoedd lawer. Sut y medrodd gyfuno'r gwaith o ofalu am
bapur radicalaidd ei ysbryd fel y *Genedl* a thorïaeth *Gwalia,* 'wn i
ddim, ond dyna a wnaeth!

Cyn gynted ag y cyrhaeddodd 'W.M.' y Barri cychwynnodd ar y
dasg o hyfforddi'r plant yn egwyddorion cerddoriaeth. Pan sym-
udodd i ysgol gynradd Romilly cododd gôr o blith y bechgyn.
Meddai ddawn arbennig fel hyfforddwr, a daeth ei lawryf cyntaf
gyda'r côr yn Eisteddfod Genedlaethol Bae Colwyn ym 1910. Hon
oedd Eisteddfod 'Bardd yr Haf', hefyd! Ym 1911 gwahoddwyd y
côr i ganu yn y Palas Grisial, Llundain, a'r flwyddyn ganlynol

ymwelodd â Pharis i gystadlu yng ngwyl Gerddorol Ewrop, a chipio'r Goron Aur a'r *Grand Prix* cyntaf. Yna i ffwrdd â'r arweinydd a'i gôr i deithio dinasoedd America, Efrog Newydd, Cleveland, Buffalo, Pittsburg, Toronto a Washington. Yn goron ar eu hymdrechion cawsant wahoddiad i ganu yn y Tŷ Gwyn, ger bron yr Arlywydd Wilson. Wedi'r gyngerdd cyflwynwyd pob un o aelodau'r côr i'r Arlywydd, a holodd ef hwy'n fanwl am eu gwaith, ac yna trodd at Mr. Williams a dweud :

"Director Williams, I feel I must congratulate you for one thing in particular. You have given these boys the privilege which only the sons of the rich could enjoy. Your musical training has been the means of providing them with this trip."

Dychwelodd i'r Barri ym 1914, a daeth y Rhyfel Mawr, ond daliodd y côr yn weithgar gyda chyngherddau elusennol. Ym 1920 cynhaliwyd yr Eisteddfod Genedlaethol yn y Barri, a Mr. Williams a ddewiswyd yn ysgrifennydd y Pwyllgor Cerdd. Yn yr Eisteddfod hon y trefnwyd cyngerdd blant am y tro cyntaf. Gwelwyd 700 o blant ar y llwyfan, ac yn eu plith groten fach wallt golau, a ddaeth wedi hynny yn wraig i mi. Cefais rai o'r manylion hyn am 'W.M.' o araith Mrs. Olwen Yeoman a wnaeth wrth gynnig mewn cyfarfod arbennig o Gyngor Bwrdeisdref y Barri ym 1957, fod Mr. Williams i gael ei dderbyn yn rhyddfreiniwr y Fwrdeisdref.

Ni allai cefndir aelwyd gerddorol fel eiddo W. M. Williams yn y Barri, lai na bod yn ffafriol i ddatblygiad talent greadigol ei ferch Grace. Tyfodd i fod yn un o gyfansoddwyr galluocaf ein cenedl. 'Roedd y cefndir, hefyd, yn Gymreig os nad yn Gymraeg. Fe welir y traddodiad cerddorol Cymreig yn ymwthio i'r wyneb mewn darn cerddorfaol fel "Penillion", lle cymerir patrwm canu penllion a'i gyfaddasu'n gyfrwys i gyfrwng cerddorfa. Mae naws Gymreig hyfryd yn y cyflwyniad o gyfoeth ein hwiangerddi yn y gwaith afieithus hwnnw *Fantasia on Welsh Nursery Tunes*. Efallai mai un o'i gweithiau mwyaf uchelgeisiol yw'r *Missa Cambrensis*, yr Offeren Gymreig. Bu'r offeren erioed yn her i bob cerddor mawr, ond yn y gwaith hwn dygwyd i mewn elfennau Cymreig, megis carol a gyfansoddwyd yn arbennig ar ei gyfer gan Saunders Lewis. Ond mor ddi-fenter yw ein corau, na fyddai'r gwaith godidog hwn wedi cael llawer mwy o sylw, a llawer mwy o berfformiadau. Mae'r un peth yn wir am ei hopera, *The Parlour*, a lwyfannwyd gan ein Cwmni

117

Opera Cenedlaethol, ac yna'i anghofio.

Fe fu'r Barri yn gyrchfan nifer o wŷr blaenllaw'r genedl yn negau cynnar y ganrif hon. Ym 1913 daeth Silyn Roberts i fyw i'r dref, a dod yn gymydog i Thomas Jones (Tom Jones bryd hynny), a oedd yn ysgrifennydd Dirprwywyr Yswiriant Iechyd Cymru. Daeth Annie Ffoulkes yn athrawes Ffrangeg yr Ysgol Ramadeg, ac 'roedd Major Edgar Jones yn brifathro ar yr Ysgol. Yn ei gofiant i Silyn, dywed David Thomas, "O'r cwmni hwn y tarddodd un o'r cylch-gronau mwyaf diddorol a phwysig a gyhoeddwyd erioed yng Nghymru, *Welsh Outlook* a gychwynwyd yn Ionawr 1914." Tom Jones, ebr ef, bioedd y syniad, a chafodd gynhorthwy Silyn fel gol-ygydd yr adran lenyddol. Fe lwyddodd Silyn i ddenu prif feirdd y genedl i gyfrannu cerddi i'r cylchgrawn, er mai Saesneg oedd ei iaith gan mwyaf. Yn eu plith yr oedd beirdd fel T. Gwynn Jones, R. Williams Parry, T. H. Parry-Williams, W. J. Gruffydd, J. J. Williams, Wil Ifan ac eraill. Silyn a symbylodd Annie Ffoulkes i gasglu ynghyd ei blodeugerdd *Telyn y Dydd,* a roes beth o farddon-iaeth orau Cymru yn nwylo plant ysgol, heb sôn am y darllenydd hŷn. Silyn, gyda chynhorthwy Tom Jones, a fu'n gyfrifol am gyhoeddi'r flodeugerdd, a hefyd *Telyn y Nos,* Cynan, a fuasai'n fuddugol yn Eisteddfod y Barri ym 1920. Nid yw'n anodd gweld ôl llaw Silyn yn y gystadleuaeth hon am gyfrol o farddoniaeth, oher-wydd ef oedd ysgrifennydd y Pwyllgor Llên. Rhaid bod y Barri yn y cyfnod hwn yn lle diddorol i fyw ynddo !

Mae llawer o ddirgelwch ynglŷn ag union ystyr yr enw, Y Barri, neu Ynys y Barri. Yn y ddeuddegfed ganrif a'r ganrif ganlynol, yn ôl Gwynedd Pierce, ceid y ffurfiau, Barry, Barren a Barrau. Pan ddaeth Gerallt Gymro heibio i'r ynys yn niwedd y ddeuddegfed ganrif cofnododd :

"Oddi wrth enw'r ynys hon, hefyd, y dug gwŷr bonheddig o arfordir Deheubarth Cymru, sydd yn gynefin ag arglwyddiaethu dros yr ynys ynghyda'i thiroedd cyfagos, eu henw; gan gymryd, hynny yw, yn gyntaf eu cyfenw, wedyn eu henw, 'de Barri", oddi wrth Barri."

Dywed, hefyd, mai oddi wrth 'Sant Barrog', "a fu'n trigo yn y man gynt", y cafodd yr ynys ei henw. Ceir cyfeiriad at Sant Baruch ym Muchedd Sant Cadog, ac mae'n sôn sut y boddwyd ef yn y cul-for rhwng ynys *Flat Holm* ag ynys Barren (dyna'r ffurf yn y Lladin) a'i gladdu ar ynys y Barri. Oddi wrth enw'r sant, ebr y

118

fuchedd, y cafodd yr ynys ei henw.

Cred rhai ysgolheigion mai yn ffurf *Barren* y dylid chwilio am ystyr a tharddiad yr enw Barri. Collwyd yr 'n' derfynol gan roi'r ffurf Barre, a ddaeth wedi hynny yn Barri, ac yna a Seisnigwyd yn Barry.

A siarad yn fanwl, nid ynys yw'r Barri, bellach. Fe'i cydiwyd â'r tir mawr gan heol lydan, pan godwyd y dociau yn y ganrif ddiwethaf. Ond deil pobl i sôn am Ynys y Barri, ac yn sicr deil pobl yr ynys i'w hystyried eu hunain yn bobl ar wahân, ac ychydig o gymysgu a fu rhyngddynt a phobl y dref.

Mae adfeilion eglwys neu gell Sant Baruch i'w gweld ar yr ynys o hyd. Fe'u cewch ar ffiniau dwyreiniol gwersyll gwyliau Butlin. Fe'u hamgylchynir â ffens, ond ychydig o ymdrech a wnaed i gadw'r lle'n lân a destlus. Pan ymwelodd Gerallt Gymro â'r fan dywed fod yr adfeilion "yn rhwym ym mhlethiadau'r iorwg". Rhai canrifoedd yn ddiweddarach daeth Leland heibio i'r fan, a chawn ganddo ef ddisgrifiad o'r ynys a'r capel bach.

"*Right againe this brooke mouth* (hynny yw, y nant fechan a arferai lifo i lawr y llethr heibio i gastell y Barri (Park Road) ar y tir mawr, ond sy 'nawr yn rhedeg tan y ddaear, a dyfod i'r golwg wrth ymarllwys i'r llyn bychan yn Cold Knap) *lyith Barrey Isle. The passage into it at ful se is a flite shot over, as much as the Tamise* (Tafwys) *is above the bridge. At low water ther is a broken causey to go over, or els over the shalow streamlet of Barrey brooke on the sands. The isle is about a mile in compace, and hath very good corn, grasse and sum wood . . . There is no dwelling in the isle, but there is in the midle of it a fair litel chapel of S. Barrok, where much pilgrimage was usid.*"

Bu'n gyrchfan pererinion hyd at y ganrif hon. Unwaith 'roedd ffynnon ar yr ynys, ond collwyd hi dan gorpws Butlin! Cyrchid hon gan drigolion yr ynys, ac eraill, tan iddi ddiflannu o'r golwg. Teflid pinnau iddi, fel y gwneir gyda ffynhonnau eraill trwy Gymru. Yn *Diwylliant Gwerin Cymru,* noda'r Dr. Iorwerth Peate fod potelaid o gyffur at y ddannod a daflwyd i'r ffynnon i'w gweld o hyd yn yr Amgueddfa; awgrym mae'n debyg, mai'r ffynnon a wellodd y ddannod ac nid y cyffur! Yn *Allwydd Paradwys,* llyfr defosiwn Pabyddol a gyhoeddwyd ym 1670, ceir rhestr o wyliau'r saint, a cheir gŵyl Sant Baruch dan y dyddiad y 29fed o Dachwedd. Ond fel y sylwais yn barod, Butlin a'i wersyll gwyliau, a'r ffair wagedd sydd yn tra-arglwyddiaethu ar yr ynys a gyfaneddwyd gynt gan Sant Baruch.

Mae gorweddfan Sant arall, heblaw Baruch, yn y Barri, sef Dyfan. Dywedir ei fod yn gorwedd lle saif eglwys Dyfan heddiw, yn y cwpan bach hwnnw o dir uwchlaw'r dref. Fe ddowch o hyd iddi trwy ddringo ar hyd Heol Tynewydd nes cyrraedd y fynwent gyhoeddus, ac oddiyno mae lôn fechan yn arwain i lawr i'r eglwys. Perthyn yr adeilad presennol i'r drydedd ganrif ar ddeg. Dywed ficer y plwyf, y Parch. Colin David, ei bod yn debyg i atgyweirwyr y ganrif ddiwethaf naddu bwa Normanaidd y gangell i'w maintioli presennol. Perthyn Dyfan, fe ddywedir, i'r ail ganrif, ond nid oes sicrwydd am hynny. Yr unig beth y gellir ei ddweud gydag unrhyw sicrwydd yw ei fod yn gymeriad hanesyddol, ac iddo roi ei enw i'r eglwys ac i'r pentref bach o'i chwmpas. Mae gennyf atgofion hyfryd am Ferthyr Dyfan nid yn unig am y byddwn yn dyfod i fyny yma i'r Cymun Bendigaid yn y bore, ond hefyd, oherwydd imi gynnal Ysgol Sul Gymraeg ynddi i efrydwyr Coleg Hyfforddi'r Barri.

Ond ni fedrodd y gwersyll gwyliau, hyd yn oed, lwyr ddifetha traeth godidog *"Whitmore Bay",* a phleser oedd mynd i lawr yno yn yr haf cynnar, a'i weld yn ei ogoniant melyn, cyn i'r miloedd ymwelwyr heidio yno i'w ddifwyno.

Wrth ddychwelyd i'r tir mawr, arhoswch am funud wrth ymyl ffynnon arall sydd i'w gweld gyferbyn â stesion Ynys y Barri. Adweinir hon fel y "Ffynnon Rufeinig", ond ni ŵyr neb, yn gywir, pam.

29. "Cold Knap", Y Barri. J. Idris Morgan

Nid ynys yn unig sydd yn y Barri, a ffôl fyddai i'r ymwelydd·droi adref heb fynd draw i'r ochr orllewinol, i *Cold Knap,* a'i draeth o gerrig crynion, llyfn sy'n ymestyn draw hyd at *viaduct* Porthceri. Y tucefn i'r morglawdd y codwyd promenâd arno, mae llyn bychan a phwll nofio. Wrth fynd draw o'r ynys i *Cold Knap,* fe fyddwch yn mynd heibio i ben heol yn dwyn yr enw *Clement Place;* codwch eich het iddo, oherwydd yma, ers blynyddoedd lawer, mae cartref y prifardd J. M. Edwards. Athro ysgol yn y dydd, ond wrth ei elfen, bardd. Cipiodd y goron yn yr Eisteddfod Genedlaethol deirgwaith, a gwelwyd ef ar ei llwyfan yn beirniadu yn yr un gystadleuaeth. Yng Ngheredigion y ganed ef, a dyfod i fyw ym Mro Morgannwg ym 1935. Bodlonodd ar fyw, mewn ymneilltuaeth gymharol, yn y Barri. Erbyn hyn rhedodd rhin y Fro i'w waed, nes iddo ei chael hi'n anodd dewis rhyngddi hi a'i fro enedigol.

> A mwy tra pery 'nyddiau
> Bydd brwydr rhyngddynt weithiau :
> Fy nhynnu rhagor bydd dwy fro
> A chydio fy serchiadau.

Mae'n addas, felly, dwyn eich sylw at ei gyfrol olaf, o res o gyfrolau, *Cerddi'r Fro* sy'n tynnu ar brofiad blynyddoedd o fyw ynddi. Y gerdd ddiwethaf o'i waith a welais i, oedd cerdd yn *Y Faner* i goffáu fy mhriod annwyl, a chan iddi hithau gael ei geni a'i magu yn y Fro, gwn y caniatewch imi'i dyfynnu yma fel enghraifft o ddawn a medr y bardd hoffus hwn, ac o'i deyrnged ddidwyll iddi.

> Hon oedd hardd megis twf gardd. Ar ei gwedd
> Er gwaeau ei hoes brigai hedd;
> O'i hing hefyd y tangnefedd
> A geir ym mhoen pob gwrol a'i medd.

> Rhosyn oedd. Rhoes inni o haf
> Ei gwenau lliwgar, hawddgaraf.
> Ei churo hi a wnaeth y chwerw aeaf,
> Dan ei glwy i flodyn fo glaf
> Oer a milain yw'r storm olaf.

> Aeth i'w fedd gyda hi heddiw
> Degwch y lawnt oedd wych ei liw;
> Yn y gwyll llwyd, gwall ydyw.

121

Ni bu i hon yn y fron frad,
Trwy ei chur torrai'i chariad
A'i gwên siŵr trwy ei gwan siarad.

Persawr ei byw er ei gwywo
O'r ardd atom a hir draidd eto;
O ôl ei briw daw perarogl i'w bro,
Y fwynaf un a fu yno.

Wrth ddychwelyd o *Cold Knap,* os cedwch chi ar y chwith, a
dilyn yr arwyddion sy'n arwain i Gaerdydd, fe ewch heibio i Barc
Romilly lle mae meini Gorsedd y Beirdd a osodwyd yno ar gyfer
Eisteddfod Genedlaethol 1920 a gynhaliwyd yn y dref. Yna, wedi
cyrraedd copa'r bryn dowch at adfeilion castell y Barri. 'Does fawr
ddim yn weddill erbyn hyn, ond eto ddigon i ddangos mai i gyfnod
y Normaniaid y perthyn. Codwyd ef, yn ôl y cyfarwydd, yn y dryd-
edd ganrif ar ddeg, ond mae ei hanes cynnar ar goll yn niwl y gorff-
ennol. Yr unig beth cysurlon i ni yw bod y gaer Normanaidd hon
yn garnedd, ac yn dyst na lwyddodd y "dialedd o duedd y Deau"
i ladd y genedl na difa'n hiaith. Gyferbyn â'r castell, heddiw, mae
caer arall, y gellir dywedyd amdani nad 'cerrig ond cariad" yw ei

30. Adfeilion Castell y Barri, 1889.   David Jones

meini. Hon yw Ysgol Gymraeg y Barri, Ysgol Sant Ffransis.

Noson dyngedfennol yn hanes diweddar y Barri oedd noson yn Chwefror 1951, pan ddaeth dyrnaid bychan ohonom ynghyd i dŷ Mr. Dan Evans, tad Gwynfor Evans, a'i briod, i benderfynu "sefydlu Ysgol Feithrin Gymraeg, wirfoddol a rhad, cyn gynted ag y bo modd." Agorwyd hi ar fore Llun, Ebrill y nawfed, ddeufis ar ôl y cyfarfod cyntaf hwn. Y peth newydd am yr ysgol hon oedd ein bod yn gwahodd iddi blant di-Gymraeg. Y bwriad oedd eu troi yn Gymry Cymraeg erbyn dydd agor yr Ysgol Gynradd—sef ail fwriad y pwyllgor bach. Trwy'r Ysgol Feithrin adfeddiannodd ŵyrion ac ŵyresau iaith eu teidiau a'u neiniau. Pan agorwyd yr Ysgol Gynradd, dim ond 17 o blant oedd ynddi, er i 154 o rieni'r Barri ofyn am gael addysg Gymraeg i'w plant. Nid oedd plant y rhieni hyn, yn ôl yr Awdurdod Addysg, yn "linguistically qualified". A dyna'r rheswm am gychwyn gydag Ysgol Feithrin. Ar sail hon y sylfaenwyd llwyddiant yr Ysgol Gynradd. Yr oedd brwdfrydedd y rhieni yn ddiarhebol, ac mae'n dal felly o hyd. Cyfranasant arian mawr i ychwanegu at gyfleusterau'r ysgol; yn wir, nid yw'n ormod dweud iddynt aberthu er mwyn addysg Gymraeg eu plant. Ni ddylem, wrth gwrs, anghofio cefnogaeth Pwyllgor Addysg Sir Forgannwg, ac yn enwedig gymorth cyfamserol Alderman Dorothy Rees.

Ni ddigwyddodd dim yn fy mywyd 'rwy'n fwy balch wrth edrych yn ôl arno, na chael y fraint o ymuno â phobl fel y Meistri Raymond Edwards, Alcwyn Evans, Vincent Pate, S. O. Rees, Glyn Ashton, E. Hall Williams, Mrs. Blodwen Jenkins, Miss Ellen Evans, Miss Norah Isaac a'm priod yn y fenter hon. Eleni (1972) dethlir dyfod i'w hoed Ysgol Gymraeg Sant Ffransis, ac wrth edrych yn ôl gellir gweld ei fod yn hanes rhamantus iawn, ac yn llawn o arwriaeth rhieni a gollodd eu Cymraeg, ond a fynnodd na châi eu plant fod yn amddifad o iaith eu tadau. Wedi ystyried a gwylio'r datblygiadau yn y Barri a'r Fro, rwy' o'r farn bendant y gellir troi Bro Morgannwg unwaith eto yn fro lle bydd y Gymraeg i'w chlywed yn ei chartrefi ac ar ei heolydd.

Pan elwais heibio i'r ysgol un diwrnod cefais air gyda Miss Rachel Williams y brifathrawes dros dro. Mae'r prifathro, Mr. Elwyn Richards ar hyn o bryd gyda Chyngor Ysgolion Cymru yn arbrofi gyda dulliau dysgu Cymraeg.

"Sut lewyrch sydd ar bethau?" gofynnais.

"Llewyrch mawr. Mae gennym ni dri chant o ysgolheigion; a

31. Yr hen bentref, Y Barri sy' 'nawr wedi diflannu.   J. Idris Morgan

mwy na hynny, pwyllgor rhieni sy'n gefn mawr i'r ysgol. Fe aeth yr ysgol hon, Ysgol Sant Ffransis, yn rhy fach inni, ac fe gododd y rhieni ddwy ystafell ychwanegol i fyny'r heol yn Coed yr Odyn. Mae 'na bum dosbarth yno."

"Mae hyn yn dangos brwdfrydedd mawr?"

"Ydi, heb hwnnw nid oes obaith am lewyrch. Ar ben codi adeiladau, fe gododd y rhieni arian i brynu cyfarpar fel peiriant Gestetner a thaflydd ar gyfer stribed ffilm."

"Pan agorwyd yr ysgol gyntaf, ychydig o blant o blith teuluoedd oedd yn Gymry Cymraeg oedd gennym ni. Ydych chi'n para gyda'r polisi hwn?"

"O ydym. Ychydig o blant mewn cymhariaeth sydd o deuluoedd trwyadl Gymraeg, o hyd. Mae mwyafrif y plant o aelwydydd cymysg eu hiaith neu hollol Saesneg. Dyna paham mae'r ysgol feithrin mor bwysig."

"Faint o blant sydd yn honno ar hyn o bryd?"

"Pump a deugain."

Daeth a phlentyn bach deg oed ataf, Sarah Buckley. Mae rhieni Sarah yn hollol ddi-Gymraeg, a chychwynodd hi ei byd yn yr ysgol feithrin. Mae ei brawd yn Rhydfelen, a brawd arall yn Sant Ffransis. Bu ysgol y Barri yn arloeswr yn y gwaith o wrthweithio dylanwadau Deddf Addysg 1870. Eisoes mae dylanwad Ysgol Sant Ffransis i'w weld yn amlwg ym mywyd y Fro. Mae gwaith caled o'n blaen cyn gweld y Gymraeg unwaith eto yn iaith naturiol ynddi. 'Gobeithiaw ydd ddaw ydd wyf.'

Mae llawer o hanes y Barri yn ymgasglu o gwmpas yr Ysgol Ramadeg a'r Coleg Addysg (Coleg Hyfforddi gynt). 'Roedd gan y Major Edgar Jones, prifathro'r Ysgol Ramadeg, ddawn arbennig i ddenu pobl ddisglair i wasanaethu'r ysgol. Ddeuthum i ddim ar draws neb yr oedd cymaint parch iddo yn y Barri, na'r Major Edgar Jones. Nid oedd unrhyw gyfarfod yn y dref yn gyflawn oni bydd-ai'r Major a'i briod yn bresennol. Bu'n gefn i bob mudiad da yn y dref, ac estynnai ei ddylanwad trwy ein bywyd cenedlaethol, hefyd. Fe'i cyfarfyddais gyntaf pan ymunais â'r BBC, lle'r oedd yn gofalu am ddarllediadau crefyddol. Nid oedd dim yn well gennyf na bod gydag ef o gwmpas bwrdd cinio yng nghwmni yr hen gyfaill Idris Lewis.

Sefydlwyd yr Ysgol Ramadeg ym 1896, ond ni fu'r prifathro cyntaf yno'n hir, a daeth Edgar Jones i lanw'i le, gan ddechrau ar ei waith ar ddydd Gŵyl Ddewi 1899. Bu'n brifathro tan ei ymddeol-iad ym 1933. Nid oes dim, debygwn i, yn adlewyrchu'n well gathol-igrwydd diddordebau prifathro nag amrywiaeth gyrfaoedd disgyb-lion ei ysgol. Nid oes ofod i fanylu ar y llu disgyblion disglair a fu dan ddwylo Major Edgar, a rhaid bodloni ar ddetholiad.

Dechreuwn gyda'r Dr. Glyn Daniel, y cofiai fy ngwraig amdano'n dyfod i fyny bob bore i'r ysgol yn ei drowsus *knicker-bocker,* ar ôl taith ar y trên o Lanilltud Fawr, lle y'i codwyd, yn fab i ysgolfeistr yn y dref. Daeth ef i fod yn un o archaeolegwyr blaenaf Prydain, ac yn Gymrawd Coleg Sant Ioan, Caergrawnt. Ebr ef : *"It was Major Jones' talk that first interested me in pre-history and make me deter-mine to be an archaeologist."*

Yna'r gŵr â'r enw Beiblaidd, a oedd yn fab i Gyfarwyddwr Addysg y Barri, pan oedd gan y dref reolaeth ar ei haddysg ei hun, y Dr. Hrothgar Habakkuk, economegydd, a Chymrawd Coleg Penfro, Caergrawnt, ac yn awr yn Brifathro Coleg Iesu, Rhydychen.

Rhoddai'r prifathro bwyslais mawr ar chwaraeon, ac nid yw'n syndod i ddau o ddisgyblion yr ysgol chwarae dros Gymru ar y cae rygbi,—D. D. Evans, a Ron Boon a chwaraeodd dros Gymru bedair gwaith ar ddeg. Cododd yr ysgol dri aelod seneddol, Mr. Barnett Janner, gŵr a fu yn y senedd am flynyddoedd, ac yn amlwg ymhlith y gymdeithas Iddewig ym Mhrydain, Mrs. Dorothy Rees, yr aelod dros y Barri, a Mr. Gwynfor Evans, a fu'n aelod dros Gaerfyrddin am lawer rhy ychydig o flynyddoedd. Nid yw'n debyg y gomedd neb imi, pa beth bynnag yw ei wleidyddiaeth, dalu teyrnged i Gwynfor Evans, gŵr a weithiodd yn ddi-flino dros bethau gorau ein cenedl am gymaint o flynyddoedd. Nid yw dycnwch a dyfalbarhad yn rhinweddau amlwg yn ein plith, ond fe frwydrodd Gwynfor ar hyd y blynyddoedd, yn aml yn wyneb oerni a difaterwch, heb sôn am wrthwynebiadau cibddall a chïaidd, yn aml, heb ŵyro oddi ar y llwybr a gredai ef oedd yn iawn. Mae'n rhaid bod ei grwydradau trwy Gymru i genhadu dros Blaid Cymru, cyn amled â rhai Pantycelyn neu Howel Harris, ac nid heb aberth corfforol y gall dyn gyflawni'r fath gampau. Mae ef yn un o blant y Barri, a chlywais fy mhriod yn aml yn sôn amdano ef a hithau yn cystadlu ar lwyfannau'r eisteddfodau a gynhelid yng nghapeli'r dref a Chymdeithas y Cymmrodorion. Ni chyfrannodd neb yn fwy na'i deulu ef, ei dad a'i frawd Alcwyn, at lwyddiant yr Ysgol Gymraeg yn y Barri.

Fe gododd yr ysgol o leiaf un pregethwr o fri, y Parchedig Howard Ingli James, ac un o'r huotlaf ymhlith diadell Seisnig yr Annibynwyr.

Cofia llawer ohonom a fu'n byw yn Abertawe, am dymor y Dr. Illtyd David fel Pennaeth Adran Efrydiau Allanol Coleg Prifysgol y ddinas. Yma y cafodd Miss Grace Williams, y cyfansoddwr, gyfle i ymgydnabod â cherddoriaeth gerddorfaol, yng ngherddorfa'r ysgol.

Ym myd y gwasanaeth sifil ceir un enw yr oedd Major Edgar yn falch iawn o sôn amdano, Syr Charles Woolley, Llywodraethwr a Phrif-gadlywydd Cyprus, ac wedi hynny Guiana Brydeinig.

Dau gartwnydd enwog a godwyd yn yr ysgol yw D. G. John, creawdwr y cymeriad enwog "Dai Lossin", a Leslie Illingworth, a fu am flynyddoedd yn gweithio ar y *Daily Mail,* ac yn cyfrannu i *Punch.* 'Roedd ef a'r Dr. Glyn Daniel yn gyfeillion mynwesol. Rhestr fer yw hon yn unig, a gellid yn hawdd ychwanegu ati lu o enwau a wasanaethodd eu bro a'u cenedl. Ond ni fyddai unrhyw restr yn gyflawn heb air am Gareth, mab Major Edgar, a oedd, yn sicr, yn gynheiliad ffyddlon traddodiadau gorau ysgol ei dad. Cafodd yrfa prifysgol eithriadol o wych, yn gyntaf yng Ngholeg y Brifysgol, Aberystwyth, ac yna yng Ngholeg y Drindod, Caergrawnt, lle graddiodd gydag anrhydedd y dosbarth cyntaf mewn Ffrangeg, Almaeneg a Rwseg. Bu'n ysgrifennydd preifat i David Lloyd George. Ymunodd â'r *Western Mail* ym 1933, a'r flwyddyn ganlynol 'roedd yn teithio ar y Cyfandir â'i fryd ar fyned i Tseina. 'Roedd ef a 'mrawd-yng-nghyfraith, Idris Morgan, yn gydddisgyblion ac yn gyfeillion mynwesol. 'Roeddynt gyda'i gilydd ym Merlin ym Awst 1934. Gweithiai fy mrawd-yng-nghyfraith ym Mhencadlys *Barclays Bank* ym Merlin, ac mae'r cofnod olaf am Gareth yn ei ddyddiadur yn darllen fel yma : *"Gareth again in Berlin. I went round to the Schules* (cyfeillion G. J.) *apartment in the evening and we all heard the broadcast of the Fuhrer's "great" speech from Hamburg."* Dyma'r tro olaf iddynt gyfarfod â'i gilydd oherwydd cyn hir 'roedd Gareth Jones yn Tseina. Tua mis Gorffennaf 1934, dechreuodd adroddiadau cyffrous a drwg-argoelus ymddangos yn y wasg ei fod yn nwylo carn-ladron ym Mongolia. Dilynwyd ei hynt a'i helynt ym mhapurau Prydain, ac yn arbennig yn y *Western Mail.* Ar Awst yr unfed ar bymtheg daeth y newyddion trist iddo gael ei ladd ganddynt. Ymunodd cenedl i alaru am golli un o'i bechgyn disgleiriaf. Mewn teyrnged iddo dywedodd *The Times* : *". . . it has been said that in Russia, Germany or France he spoke so well that he might easily have been a native of either of those countries. From a child he was bilingual, speaking Welsh and English . . . A brilliant career has been cut short abruptly and the world is deprived of a man whom it could ill afford to lose."*

Fe lwyddodd Major Edgar i ddenu dau o feirdd enwocaf Cymru i wasanaethu ar ei staff. Am ryw dair blynedd o 1913 tan 1916 bu R. Williams Parry yn athro yma. Nid yn y Barri, gallwn feddwl, y cyfansoddodd ei delyneg "Haf" sy'n cynnwys y pennill enwog,

> Mae ynys yn y Barri,
> Ac awel ym Mhorthcawl,
> A siwrnai yn y siarri
> I rai a fedd yr hawl;
> Paham y treuli ddyddiau îr
> A nosau haf yn Ynyshir?

ond yn hytrach yng nghyfnod y dirwasgiad yng nghymoedd y De, ac yntau'n ddiau yn cofio am y tyrru i'r Barri a Phorth-cawl yn ei

127

ddyddiau ef. Dywedir iddo gynhyrchu dramâu yn yr ysgol, fel yn wir y gwnaeth Gwenallt pan ymunodd â'r staff ym 1925. Dim ond rhyw ddwy flynedd y bu Gwenallt yma, ond yn ystod yr adeg honno enillodd gadair Eisteddfod Genedlaethol Abertawe am ei awdl *Y Mynach,* gyda Syr John Morris-Jones, J. J. Williams ac R. Williams Parry yn feirniaid. Yn yr Eisteddfod hon y clywais i Syr John yn beirniadu am y tro cyntaf erioed.

Ymddeolodd Major Edgar Jones ym 1933, a'i ddilyn gan Mr. E. T. Griffiths, y daeth Cymru gyfan i wybod amdano fel cyfieithydd rhai o glasuron Ewrop i'r Gymraeg, ac yn arbennig efallai, *Yr Hogyn Pren.* Trwy'r cyfieithiad hwn denodd lu o blant Cymru i ymhyfrydu yng nghampau Pinocio, yr hogyn bach pren o Eidalwr. Ef oedd yn gyfrifol am ddwyn y nofelydd Gwyn Thomas i'r Ysgol Ramadeg i fod yn athro mewn Sbaeneg. Dilynwyd Mr. Griffiths gan Leslie Mathews, ac yntau gan y prifathro presennol Mr. Teifion Phillips.

Pan agorwyd yr Ysgol Ramadeg gyntaf ysgol gymysg oedd hi, ond ym 1913 rhannwyd hi'n ddwy, ysgol i'r bechgyn ac ysgol i'r merched. Ym 1939 penodwyd Miss Gwyneth Vaughan Jones, merch Major Edgar, yn brifathrawes. Ni fyddai fy mhriod yn maddau imi ped anghofiwn enwi Miss Huldah Bassett, ei hathrawes Gymraeg ! Ni pheidiai a chanu ei chlodydd fel athrawes. Fe ddaeth miloedd o blant Cymru i'w hadnabod trwy ei darllediadau i ysgolion. Gadawodd y Barri i fod yn Brifathro Ysgol Ramadeg y merched, Tre-gŵyr.

Ar y bryn uwchlaw'r hen Ysgol Ramadeg mae casgliad o adeiladau mawr. Dyma Goleg Addysg y Barri. Os sylwch chi'n fanwl, fe welwch adeilad coch o flaen yr adeiladau newydd yn mynnu cael sylw ar waethaf y bensaernïaeth fodern o'i gwmpas. Hwn yw hen Goleg Hyfforddi'r Barri, y teyrnasodd Miss Ellen Evans dros ei fyfyrwyr am flynyddoedd. Mae 'teyrnasodd' yn air gweddus mi gredaf, oherwydd teyrn oedd hi, a synnwyr cryf o awdurdod yng ngwead ei phersonoliaeth. Daeth i'r Coleg ym 1915 yn ddarlithydd yn y Gymraeg, wedi graddio o Goleg y Brifysgol, Aberystwyth. Hannai o un o deuluoedd gwerinol ond diwylliedig y Rhondda, ac nid heb aberth y derbyniodd ei haddysg. Nid anghofiodd hyn. Hwn oedd cuddiad ei chryfder a'i gwendid, efallai. Fel cyn fyfyriwr, byddai enw "Miss Evans" ar dafod leferydd fy ngwraig, a dyfyniadau o'i hymadroddion yn britho'i hymgom fel rhuddellau llyfr gweddi ! Y pryd hwnnw 'roedd parch i awdurdod, ac nid anghofiai Miss Evans ei dyletswydd i'w ddefnyddio ! Rheolai bob gweithred a phob anadliad, bron, o eiddo'r myfyrwyr, ac nid oedd y staff heb ymglywed â grym y deyrn-wialen! Ond y dystiolaeth orau i'r parch a delid iddi yw'r modd y mae cannoedd ar gannoedd o hen fyfyrwyr yn dal i barchu ei choffadwriaeth, er yn barod i gellwair uwchben ei disgyblaeth arwrol. 'Roedd ei rhinweddau diamheuol yn gorbwyso unrhyw ddiffygion bychain. Yn Gymraes bybyr, ni châi'r Gymraeg gam ar ei dwylo, yn wir, i'r gwrthwyneb. 'Roedd Bro Morgannwg yn annwyl yn ei golwg, ac ni flinai sôn am ei hemynwyr, ei henwogion, a'i thraddodiadau. Cewch flas ei chariad at y Fro yn ei llyfryn bychan, *Y Wen Fro.* Fe fydd llawer ohonom yn gwybod am rai o hen aelodau'r staff fel Miss Cassie Davies, Lady Amy Parry-Williams, Miss Norah Isaac, Mrs. Irene Myrddin Davies, a Mrs. S. O. Davies, gweddw 'S.O.' aelod seneddol Merthyr Tudful a wasanaethodd y dref honno am gymaint o flynyddoedd.

Dilynwyd Miss Evans gan Miss Olive Powell, a fu'n Is-Brifathrawes dan Miss Evans am flynyddoedd. Ceisiodd hi gadw'n fyw draddodiad ei rhagflaenydd, ac ymddeol ym 1962 i fyw ym Mhenarth. Erbyn hyn 'roedd newid yn y gwynt. Daeth newid yn nhymeredd yr efrydwyr. Daeth galw am ehangu, a dygwyd bechgyn i mewn i'r Coleg. Beth ddwedai Miss Evans am beth fel hyn, wn i ddim! Dilynwyd Miss Powell gan y Dr. E. D. Lewis, y crybwyllais ei enw eisoes. Bu ef yn llywydd doeth a chadarn yn y dyddiau anodd pan dyfai'r Coleg o flwyddyn i flwyddyn, a'r myfyrwyr yn hawlio mwy a mwy o ryddid. Ond wrth syllu o'r tuallan ar fywyd y Coleg heddiw, fe ellir canfod o hyd, 'rwy'n credu, rai o hen draddodiadau'r Coleg Hyfforddi. Un maes yr ymfalchïai'r hen goleg ynddo oedd y ddrama, a chedwir y traddodiad hwn yn fyw o hyd.

Y mae'r traddodiad a gynhaliwyd mor wiw gan athrawesau fel Miss Cassie Davies a Miss Norah Isaac, yn cael ei ddatblygu'n rhagorol gan Emyr Edwards, mab J. M. Edwards y bardd.

Wrth agosáu at y Rhws a'i faes glanio, rhaid mynd ar hyd ffordd osgoi sy'n amgylchynu'r maes. Ar y chwith mae ffarm â'r tai allan i gyd wedi'u toi â gwellt, fel petaent wedi'u gadael ar ôl gan ruthr datblygiad. Rhyw ganllath wedi mynd heibio i'r ffarm, trown ar y chwith, ac yn y man down at bentref bychan Porthceri ar fryn uwchlaw'r môr, gyda'i eglwys a'i thŵr castellog yn gwarchod rhyw dri neu bedwar o dai bychain. Ni ellid tecach man, gyda'i olwg odidog ar dref y Barri, a bae Porthceri islaw. Gellwch gyrraedd Porthceri ar draed o'r Barri, trwy ddringo'r llwybr troed o'r Parc i'r pentref. Mae parc hyfryd Porthceri yn atynfa i'r tyrfaeodd yn yr haf, er nad oes fawr ddim traeth yno, ac yn lle tywod, cerrig a lyfn- hawyd gan drai a llanw'r oesoedd. Ym mhen gorllewinol y traeth mae *viaduct* anferth, ac iddi ddeunaw o fŵau cymesur, yn cario relwe Bro Morgannwg. Beth, mewn adeiladwaith o'r fath, sy'n rhoi'r fath bleser i'r llygad? Cymesuredd godidog y rhes bwâu yn adrodd ac ail-adrodd ei gilydd, yn ddiau, sy'n boddio'r llygad, a'u sefydlogrwydd cadarn yn rhoi rhyw dawelwch llonydd i'r enaid.

Y ffordd orau i gyrraedd parc Porthceri a glan y môr o'r Barri yw mynd heibio i'r castell a gadael Ysgol Gymraeg Sant Ffransis ar y chwith ichi, nes cyrraedd diwedd y ffordd fawr, ac yno fe welwch lôn Porthceri sy'n arwain yn syth i lawr i'r parc a'r môr.

Ffordd arall, nad wyf yn ei chymeradwyo, os ydych yn teithio mewn car, yw troi i'r chwith wrth westy *Cwmciddy Lodge,* a dilyn y lôn arw, heibio i ffarm Cwm Cidi, nes cyrraedd y parc. Ar y map modfedd i'r filltir, fe welwch mai Nant Talwg sy'n llifo trwy'r cwm bychan hwn, a hithau'n ymuno â nant Barri sy'n llifo trwy Gwm Barri, a pharc Porthceri. Fe ddywedodd Mrs. Tom Yeoman wrthyf y byddai hi'n dyfod i Gwm Cidi yn blentyn i gasglu eirin gwyllt, a'i fod yn lle poblogaidd ar un adeg. Mae'n ddiddorol sylwi bod Gwynedd Pierce yn dyfynnu Iolo Morganwg ar ragoriaeth eirin Cwm Cidi.

"Cidi, afon fechan, yn myned i fôr Hafren rhwng Porth Ceri a Barri. Cwm Cidi yn hynod am rywogaeth o eirin gwylltion yn aedd- fedu yn Rhagfyr ac Ionawr. Y maent wedi myned yn blanedig i holl berllanau'r wlad o amgylch gan gystal ydynt, yn aeron blasus, ag iachus yn nyfnder gauaf pan na bo dim arall ar goed."

A oedd rhywbeth yn y Fro na wyddai Iolo amdano, tybed?

Yn ôl traddodiad, anghywir yn ôl haneswyr diweddar, dyma'r man y glaniodd Fitzhamon â'i ddeuddeg marchog â'i fryd ar goncro Morgannwg. Ni wyddys i sicrwydd darddiad yr enw Porthceri. Rhestra Gwynedd Pierce y cynigion a wnaed hyd yma. Mae elfen gyntaf yr enw yn eglur, a derbynnir ef yn yr ystyr gyffredin o borth- ladd, hafan, neu fferi. Yr ail gymal sy'n peri anhawster. Gwêl rhai enw'r sant o Gymro, Curig, yn 'Ceri', ac mae eglwys, ebr Mr. Pierce eto, yn ymyl *Launceston* yng Nghernyw yn dwyn yr enw Eglos Kery, ac mae'r eglwys wedi'i chyflwyno i Sant Curig, meddir. Enw personol mae'n bur debyg yw'r ail elfen yn enw'r pentref, ond ni wyddys enw pwy ydyw, er i Iolo Morganwg, gyda'i ddawn greadigol gyfleus, lunio hanes rhamantus i'w esbonio. "Ceri ab Caid," ebr ef yn y llyfr diddorol hwnnw, *Iolo MSS,* "a fu ŵr call iawn ag a wnaeth lawer o Longau ar gost gwlad ac Arglwydd, ag am hynny y gelwid ef Ceri hir Lyngwyn gan faint ei lyngwyn ar y môr, ag efe a fu fyw yn y lle a elwir Porth Ceri."

Yr hyn a nodir ar fap John Speed, 1610, yw *Porcery Cast.,* a diau fod castell yno unwaith. *Castle Rock* yw'r enw ar un o'r creigiau islaw'r eglwys ac mae olion hen amddiffynfeydd ar y tir uchel i'r gorllewin iddi. *The Bulwarks* yw'r enw ar y map, ac ar dafod leferydd y brodorion.

Ar enw Sant Curig y cysegrwyd eglwys Porthceri, meddir, ond nid oes sicrwydd am hyn. Fe ddywed Iolo Morganwg pan restrodd 'eglwysydd a chorau Morganwg' (Iolo MSS), "Cirig Sant a wnaeth borth Cirig, er lles eneidiau Morwyr a phorth iddynt." Ond fel y sylwais eisoes mae ganddo stori arall i esbonio'r enw Porthceri. Er hynny, mae'r eglwys yn hen iawn, ac yn werth tro iddi. Ni cheisiaf fanylu ar ei chynnwys, namyn cyfeirio at un maen coffa a ddenodd fy sylw a'm hedmygedd. Cofféir un Reynold Portrey a fu farw ym 1629, *"who in his lifetime cured many of severalle infirmities without reward."* Yn ôl y sillafu ar y garreg 'roedd orgraff y Saesneg heb ei sefydlogi pan naddwyd y geiriau arni. Yr hyn a'm denodd oedd ffurf gywrain y llythrennau a chyfanwaith y patrwm. Ni welais gywreiniach gwaith na hwn gan unrhyw saer maen yn y Fro. Fe sarnwyd y patrwm gryn dipyn gan ychwanegiadau diweddarach, ond mae'r cynllun crefftus, cyntaf i'w weld yn eglur o hyd. Hyd yn oed os nad oedd gan y gŵr a naddodd y garreg hon ryw lawer o barch at orgraff y Saesneg, mae'n amlwg fod ganddo barch at ei grefft !

Yn ymyl yr eglwys saif tŷ, a elwir hyd heddiw, *School House.* O'r tuallan iddo gwelir grisiau cerrig yn arwain i'r llofft lle cedwid yr ysgol. Deuai plant iddi mor bell â Thregatwg ryw bum milltir i ffwrdd. Cefais gip ar y tumewn i'r tŷ, ac 'roedd yn amlwg oddi wrth y trawstiau trwm, ei fod yn hen.

8

Y Rhws, Ffontygeri, Aberddawan, Silstwn

Ond mae'n bryd inni ddychwelyd i'r ffordd fawr a bwrw 'mlaen gyda godre maes awyr y Rhws, tua'r pentref. Mae'n anodd rywsut, ddygymod ag awyrendai'r Fro, ond hwyrach fod 'datblygiad' yn hawlio bod yn rhaid i ddinas fel Caerdydd, heb sôn am Forgannwg boblog, wrth faes awyr. Ond ar y llaw arall mae'n drueni na fedrid bod wedi defnyddio'r anialdir i'r dwyrain o'r ddinas i'r diben hwnnw. Ond erbyn hyn mae miloedd ar filoedd o Gymry'r De, a minnau yn eu plith, yn gyfarwydd â hedfan oddiyma i wledydd y Cyfandir. Nid yw Paris heddiw ond taith awr i ffwrdd, a gellwch adael y Rhws wedi brecwast a bod yn ddiddig yn eich gwesty ym Majorca erbyn pryd canol dydd. Yn ddiweddar estynnwyd y maes awyr i alluogi awyrennau jet i'w ddefnyddio, ond trwy hynny aeth mwy a mwy o dir y Fro dan goncrit. Ceir tri maes awyr yn y Fro— Y Rhws, Sain Tathan, a Llandŵ, ac aberthwyd miloedd o aceri o dir amaethyddol gwerthfawr i wneud lle iddynt. Gwyddom fod yn rhaid wrth y pethau hyn, ond y drasiedi fwyaf oedd codi awyrendy Sain Tathan. Fe lyncodd hwn ddarn mawr o'r Fro, a dwyn trefedigaeth o dai i'w ganlyn.

Pentref digon salw, a dweud y gwir, yw'r Rhws, a'r unig gornel ohono sy'n rhoi unrhyw awgrym o'i dras gwledig heddiw yw *Rhoose Farm*, sydd bron â bod gyferbyn â'r man lle mae'r ffordd yn troi ar y dde i gyfeiriad y maes awyr, ac ar y chwith tuag at Aberddawan. Gyferbyn ag ef mae hen dŷ ffarm to gwellt hyfryd. Y tai hyn sy'n achub y pentref rhag llwyr ddinodedd pensaernïol. I'r Athro A. L. Cochrane, Cyfarwyddwr Uned Epidemioleg, Cyngor Ymchwil Meddygol Ysgol Feddygaeth Caerdydd, yr ŷm i ddiolch am y graen ar y ddau dŷ yma. Ystadegau meddygol yw pwnc yr Athro Cochrane, a chreodd gryn gyffro pan gyhoeddodd ei lyfr yn rhoi manylion ei ymchwil i effeithiolrwydd y Gwasanaeth Iechyd. Mi ddeuthum i i'w adnabod fel aelod o Gyngor Darlledu Cymru, ac yn naturiol, mewn dadleuon, canolbwyntiai ar ffigurau ac ystadegau, a llawer dadl boeth a gafwyd ar eu harwyddocâd.

Treuliodd fy ngwraig a minnau brynhawn hyfryd o Haf yn ei gartref yn y Rhws. Mae'n ŵr o chwaeth, a'i dŷ yn adlewyrchu'r chwaeth honno. Perthyn y tŷ i'r ganrif ddiwethaf, a dodrefnwyd yr ystafelloedd gyda gofal mawr dros ddiogelu awyrgylch cyfnod ei godi. Ar y muriau 'roedd gwledd o ddarluniau gan artistiaid cyfoes, ac yn arbennig John Piper a Ceri Richards, y gŵr o Ddyfnant ym Mro Gŵyr a wnaeth enw iddo'i hun led-led y byd. Bu farw ym 1971. Un o drysorau'r ychydig ddarluniau cyfoes a feddaf fi yw lithograph o'i waith sy'n seiliedig ar farddoniaeth Dylan Thomas. Dangosodd yr Athro Cochrane inni ddarlun olew bychan o ben Crist, gan Rouault sy'n llawn o'r elfen drasig a nodweddai gyfnod olaf ei fywyd. Fe'i prynodd dros Gymdeithas Gelfyddyd Gyfoes Cymru, i'w gyflwyno i Amgueddfa Genedlaethol Cymru.

Mae gerddi'r tŷ, gyda'u hamrywiaeth o goed a blodau, wedi'u cynllunio'n ofalus i fod yn gefndir i gerfluniau artistiaid cyfoes fel Barbara Hepworth, Christine Mitchell a Peter Nicholas, artist o Fynwy y codwyd stiwdio iddo yn nhai allan y tŷ. Pan aeth yr Athro Cochrane i fyw i'r tŷ gyntaf, gwnaeth archwiliad manwl o'r rhes o feudai ar glos ffarm, a daeth i'r golwg glas, mynachaidd yr olwg, a hwn heddiw yw un o nodweddion hyfrytaf y tŷ. Rhan o'r 'clas' hwn a drowyd yn stiwdio i Mr. Nicholas. Ar ganol y clos mae hen 'cider-press', a thudraw i'r clos mae ffynnon ac ynddi gopi o ddelw sydd i'w gweld ym mhlas Llanmihangel, ger y Bont-faen.

Ychydig o le sydd i'r Rhws yn hanes Cymru, er i rai o ddisgyn-yddion teulu'r Matheuaid a ddaeth i fyw yma yn yr unfed ganrif ar bymtheg, roi croeso i'r beirdd. Priododd James Mathew Saint-y-nyll, ger Llansanffraid-ar-Elái, â disgynydd o Fatheuaid Radur, merch un o Fawdremiaid (Bawdrips) Pen-marc. Dywed G. J. Williams "bod ambell gywyddwr yn myned weithiau ar y gwyliau i ymweld a'r Matheuaid yn y Rhws." Ond nid edwyn y lle mohonynt mwy.

Cyn gadael y Rhws, fe ddylem ymweld â Choleg y Fro, sydd ar yr heol sy'n arwain i'r awyrendy, ychydig gannoedd o lathenni o ffermdy'r Rhws. Ni chafodd y sefydliad hwn gymaint sylw ag a gafodd Coleg Harlech, ond yr un yn y bôn yw ei gymhellion. Ychydig sy'n sylweddoli gymaint y gwaith a wneir ganddo. Dyma fel y diffiniodd Mr. K. B. Thomas y Prif-athro presennol yr amcanion wrthyf.

"Rhoi hyfforddiant mewn dinasyddiaeth i weithwyr ifainc. Nid prentisiaeth ddiwydiannol yn unig, yw angen rhain, ond prentisiaith diwylliannol, hefyd. Dyma a sylweddolodd sylfaenwyr y Coleg. Ceisir galluogi'r efrydwyr ifainc i ddyfod yn ddinasyddion creadigol a chyfrifol mewn cymdeithas." Gweledigaeth y Parch. W. J. Pate, ysgrifennydd cyffredinol y Y.M.C.A. yng Nghymru, a roes fod i'r Coleg. Ei fab, Mr. Vincent Pate, oedd y Prifathro cyntaf, ac un o'r cwmni gweithgar a osododd i lawr sylfeini ysgolion meithrin a chynradd y Barri. Erbyn hyn, aeth miloedd ar filoedd o efrydwyr drwy'r Coleg, ac mae'r Ysgolion Haf Rhyngenedlaethol bellach, yn rhan annatod o waith y Coleg, ac yn denu myfyrwyr o bellafoedd byd, fel Ynys yr Ia, Iwgoslafia ac America, i enwi dim ond tair. Mae o hyd dan oruchwyliaeth y Y.M.C.A. ac mae trefniadau'r Coleg—gellir lletya dros gant o fyfyrwyr ar y tro—yn glod iddynt, ac i weithgarwch y Prifathro.

Wedi gadael y Rhws, a theithio am ychydig llai na milltir i gyfeiriad Aberddawan, down at Ffontygeri. Ar y dde i'r groesffordd, mae'r *Fontygary Inn,* ar y chwith, y ffordd i'r traeth. Byddem yn dod â'r plant yma yn yr haf, oherwydd bod y môr yn ddiogel yma, a hyfryd oedd osgoi'r tyrfaodd a ymgasglai wrth eu miloedd ar draeth y Barri. Yr oedd yn braf cael hamddena ar y creigiau gwastad ger y traeth. Mae creigiau gwastad yn nodwedd o greigiau arfordir y Fro. Uwchben y bae mae llwyfan gwastad o dir amaethyddol, sydd heddiw yn faes carafannau. Gan mai tir castell Ffwl-y-mwn yw hwn, gofynnais i Syr Hugo Boothby pan oeddwn ar ymweliad ag ef un diwrnod, sut oedd e'n cyfiawnhau gosod maes carafannau yn y fath le godidog.

"Mae'r ateb yn syml" meddai, "os sylwch chi ar y tir yma fe sylweddolwch nad yw'r carafannau i'w gweld o'r traeth, ac os ewch chi wedyn ar hyd y ffordd fawr sy'n ffinio â'r maes, fe fydd yn anodd ichi eu gweld o'r fan honno, oherwydd y clawdd sydd rhyngoch chi â hwy. 'Dwy i ddim yn credu bod angen imi ddweud dim rhagor. Ar ben hynny, fe enillodd y maes carafannau hwn wobr y Bwrdd Croeso llynedd ac eleni." ('Roeddwn i'n siarad ag ef ym 1971).

Mae Syr Hugo yn ŵr o gydwybod yn y materion hyn, ac yn un sy'n rhoi ei egni a'i alluoedd i fywyd diwylliannol a chymdeithasol y Fro.

135

Ond pam mae Ffontygeri yn lle arbennig i mi? Ar gyfrif dau beth. Y cyntaf yw i'r bardd Islwyn rodio'r traeth hwn a chanu cywydd iddo, "môr gilfach brydferth ym Morgannwg", ys dywed ef.

Glan môr, glan y môr i mi!
Teg oror Ffontygeri!
Cân engyl yn d'ymyl di,
Hwy garant Ffontygeri.
Hoff hynt geir, Ffontygeri,
Ar lan dirion dy don di.
Sŵn y don sy yn dyner
Delyn bardd ar dy lan bêr.
Wyt gwr, O Ffontygeri,
O fyd gwell ymhell i mi!
Gloyw le is golau leuad,
Os eir 'min nos, O'r mwynhad;
Brudd Leuad! bwriodd lewych
Ryw dro, anfarwolai'r drych;
Nos Sadwrn hynaws ydoedd,
Nosawl hynt cyn y Sul oedd—
Gofus awr, pan gefais i
Hoff hynt ger Ffontygeri.
Teithio ger hon at waith gras
A rydd gymhwyster addas.

Holl swm fy ewyllys i
Yw tŷ ger Ffontygeri,
A gardd deg, a gwyrdd don
I'w hymylu, a moelion
Geirwon greigiau Ffontygeri
Goruwch y don i'm gwarchod i.
Nefoedd fyddai cael neifion,
Môr islaw fy mhreswyl lon.

32. Ffontygari a'r maes carafannau.   J. Idris Morgan

Mae'n amlwg mai cadw cyhoeddiad pregethu yn y Fro yr oedd Islwyn, ac mae hyn yn fy nwyn at yr ail beth sy'n gwneud Ffontygeri yn lle arbennig i mi. Pan ofynnais i Syr Hugo Boothby ble'n gymwys oedd ffarm Ffontygeri, mi ddwedodd mai'r tŷ a adweinir heddiw fel *Fontygary Inn* oedd yn ffermdy gynt. Gofynnais wedyn a wyddai pwy oedd yn byw yno yn y ganrif ddiwethaf. Ni chofiai'n iawn, ond pan awgrymais fod un yn dwyn yr enw Thomas Matthews yn byw yno, meddai, *"Yes, yes, he left his signature scratched on a window pane of the house, and it is still there"*. Un noson, ar ddiwedd diwrnod o grwydro yn y Fro, galwodd fy ngwraig a minnau i gael pryd o fwyd yno. Gofynnais am weld y *landlord*, ac fe'i holais am y llofnod. *"Yes, it is there, but I can't be sure if it's Matthews or not, but I'll go and have a look."* A ffwrdd ag ef, a minnau'n llawn cyffro yn aros am ei ddychweliad. Dyma fe yn ei ôl, â'i wep yn isel. *"I'm sorry"*, meddai, *"the window was broken recently, and a new pane has been put in its place."* Siom. Ond yn fy ffordd ddiniwed, fe ddalia i gredu mai llofnod Thomas Matthews ydoedd. Fe ddywed J. J. Morgan, cofiannydd Edward Matthews, fod y Thomas Matthews hwn yn frawd i'r gŵr o Ewenni, a'i fod "yn ŵr o bwysau eithriadol yn feddyliol ac yn grefyddol; mor hynod ymysg blaenoriaid â'i frawd ymhlith pregethwyr." 'Roedd cyfathrach agos iawn rhyngddo ef a'i frawd. Onid yw'n fwy na thebyg mai gydag ef yr arhosodd Islwyn pan ymwelodd â Ffontygeri? Thomas Matthews oedd arweinydd achos y Methodistiaid Calfinaidd ym Mhen-marc, ac mae'n bur debyg mai yno y pregethai Islwyn y Sul hwnnw.

Bu farw Thomas Matthews ym 1876, ychydig amser wedi i'w frawd symud i fyw i Dresimwn, a chladdwyd ef ym mynwent Soar gerllaw'r pentref hwnnw. Canodd alarnad faith ar ei ôl, ac er mai nwyd y pregethwr huawdl ac nid y bardd sydd amlycaf ynddi, eto nid yw'n anodd synhwyro ei hiraeth llethol.

> Y nefoedd wen sydd wedi troi yn ddu,
> Fy mrawd, fy annwyl frawd, uwchben dy fedd
> Fy mron sydd friw dan glwyf y marwol gledd;
> Ti syrthiaist fel tywysen aeddfed iawn
> Gan bwysau'r pen, pan fyddo'r ŷd yn llawn.

Dywedir iddo grwydro traeth Ffontygeri mewn hiraeth anaele, fel y gwnaeth Islwyn yntau draeth Abertawe mewn hiraeth am ei annwyl gariad, Ann.

Wedi marwolaeth Robert Jones, o Ffwl-y-mwn, aeth ei weddw i fyw i ffermdy Ffontygeri, ac yno yr ymwelodd John Wesley â hi. Yn ei ddyddiadur ceir cofnod trist am ei ymweliad olaf, a hithau, â'i phlant o'i chwmpas, yn marw o'r canser. *"She uttered no complaint,"* ebr Wesley, *"but was all patience and resignation, showing the dignity of a Christian in weakness, and pain, and death."* Rhaid ei bod yn brofiad rhyfedd, a dweud y lleiaf, i'r cwmni bach yma eistedd i wrando John Wesley'n pregethu ar y testun : "Ac megis y gosodwyd i ddynion farw unwaith". Beth, tybed, âi trwy eu meddyliau wrth glywed geiriau'r pregethwr, ac ar yr un pryd edrych ar eu mam ar ei gwely angau? Teifl yr hanes olau ar grefydd y Methodistiaid yn y ddeunawfed ganrif. Osgoi sôn am yr angau yw pennaf gamp ein cenhedlaeth ni; ei guddio fel peth nad yw'n neis sôn amdano. Efallai nad oedd y medelwr mor sydyn ei drawiad yn y dyddiau hynny ag ydyw heddiw, nes peri i fardd cyfoes lefain : "Na ladd fi megis ci, pan ddelych Angau . . ." Seiliwyd pregeth olaf Wesley ar yr aelwyd yn Ffontygeri, a bregethwyd trannoeth, ar adnodau cysurion, hyderus y Salmydd : "Er rhuo a therfysgu o'i ddyfroedd, er crynu o'r mynyddoedd gan ei ymchwydd ef; y mae afon, a'i ffrydiau a lawenhânt ddinas Duw, cysegr preswylfeydd y Goruchaf."

Ond rhaid inni brysuro ar ein ffordd tuag Aberddawan. Fe fu Aberddawan unwaith yn bentref bach pwysig yn hanes y Fro. Yr oedd iddo gynt borthladd bychan, a chysylltiad agos rhyngddo a phorthladdoedd y tudraw i Fôr Hafren. Mewn llythyr a sgrifennodd Syr Edward Stradling, Sain Dunwyd, ym 1581, mae'n hawlio mai ef a'i hynafiaid o ddyddiau'r Concwest hyd yn awr, fel Arglwyddi East Orchard (y soniais amdano wrth droi o gwmpas Sain Tathan) sydd â hawl ar y cwbl o hafan Aberddawan. Mae'n amlwg oddi wrth ei lythyr fod porthladd Aberddawan, hyd yn oed y pryd hwnnw, yn un pwysig a phrysur. Yn yr un llythyr mae'n sôn am borthladd Y Barri, a fyddai'n gwasanaethu fel porthladd i Sili.

Hwyliai Iolo Morganwg oddiyno i Fryste i brynu mynor, a chroesai yno weithiau ar ei ffordd i Lundain. Nid nwyddau materol yn unig a allforid o Aberddawan, ond, fel y dywed G. J. Williams : "yn y llongau bychain a hwyliai o Aberddawan y gyrrid y defnyddiau rhyfeddol hynny a gynhyrchwyd yn Nhrefflemin, Brut

33. Tafarn y "Blue Anchor", Aberddawan.   J. Idris Morgan

Aberpergwm, Doethineb Catwg Ddoeth, Tiroedd Dyfnwal Moel-
mud, etc., i'w cynnwys yn y *Myfyrian Archaeology.*" Ond erbyn
hynny, yr oedd dyddiau prysur Aberddawan yn graddol ddirwyn i
ben, a dywaid Iolo ym 1796 fod y porthladd wedi ei ddifetha bron
yn llwyr 'by the tides within these few years.' Eto, parhaodd i lusgo
byw am gyfnod maith wedi hyn.

Un o allforion Aberddawan yr adeg honno oedd calch; defnydd-
iwyd calch o'r ardal, meddir, i godi goleudy *Eddystone.* Fe rennir
Aberddawan yn ddwy, *East Aberthaw* a *West Aberthaw,* fel y'u
hadwaenir heddiw, gan afon Ddawan. O gwmpas yr aber a elwir yn
lleol 'the Leys' mae gwaith sment enfawr, a dau bwerdy trydan
anferth, y mwyaf yn Ewrop, meddir. Wrth edrych arnynt o bell,
dros y caeau wrth agosáu at y pentref o gyfeiriad Sain Tathan,
mae'n rhaid cyfaddef bod rhywbeth digon prydferth ynglŷn â hwy,
a bod amlinell yr adeiladau mawr â'u simneiau talog yn ymdoddi'n

34. Difrod y peilonau Aberddawan.   J. Idris Morgan

hynod o weddus i'w hamgylchedd. Pe bai'r pwerdy yn adnabod ei
le, ni fyddai cymaint â hynny o le i gwyno. Ond nid felly y mae,
yswaeth. Fe sarnodd y pwerdai hyn, nid yn unig Aberddawan ei
hun, ond dyffryn bychan Ddawan ben-bwy-gilydd. O'r pwerdai,
fel rhyw gewri anferth o'r cynfyd, y mae peilonau yn camu'n rhod-
resgar i fyny'r dyffryn, gan greu galanastra a ddylai beri cywilydd i
wlad ddiwylliedig. Yn sicr, petai Iolo Morganwg byw heddiw,
ni fedrai ganu fel y gwnaeth yn y gân Saesneg honno, a ganodd
wrth ffoi o Lundain—"thou den of hell-born Art, I bid thy filth
adieu"—i dreulio ei ddyddiau yn ei hoff ddyffryn.

> Delicious Vale ! by Nature dress'd
> In Beauty's rich array;
> Here let me waste, in mental rest,
> My peaceful days away :

And let my soul on virtue bent,
Attend bright Wisdom's tale;
She, with that Angel, called Content,
Dwell's in Davona's Vale.

Ond erbyn hyn ffôdd yr angylion i wneud lle i ellyllon o beilonau, a chynorthwyo i greu diffeithwch lle gynt y bu prydferthwch Morgannwg wen.
Ys canodd J. M. Edwards :

Bellach wele'r rhain, newydd dduwiau'n ysgerbydu fry,
Gyda brasgam eu hamarch dros derfynau'r canrifoedd
A gwawdio'n benuchel weriniaeth oesol y pridd.

Di-wefr, di-hid o swil gyffwrdd eurserch y gwenith,
Cuwch a ddaw o'u haeliau meinion pan weno'r blodau,
Ac ni fedrant ond cwynfan dan gusan y gwynt.

Mi wn i mai ateb y Bwrdd Trydan i unrhyw brotest yw'r gost enfawr o osod y gwifrau dan y ddaear; mae hynny yn ddadl ddigon teg yn aml, ond pan fo'r dewis rhwng anharddu dyffryn bach, neu ynys fechan, a chost, yna dylid ystyried claddu'r gwifrau dan y ddaear. Erbyn hyn y mae cynsail; fe orfodwyd hyn ar y bwrdd yn Sir Fôn; dyna ddechrau, fe obeithiwn, ar bolisi mwy goleuedig. Gellir dweud am Aberddawan, fel y dywedodd Iolo am ddyffryn arall : *"(it) must have been pleasingly romantic before it was disgraced by the Iron works and inelegant building that now pollutes its scenes and violently tear them from Nature."* Yn haf 1959, fe fu cloddio yn Nwyrain Aberddawan, pan ddaethpwyd o hyd i weddillion sylweddol o'r cyfnod Rhufeinig. Darganfuwyd olion hen bobty, offer cegin, breichled ac arian bath. Wrth gwrs, mae'r Fro yn llawn o'r fath dystion i arhosiad y Rhufeiniaid yn y rhan yma o Gymru, a phrin yr â blwyddyn heibio heb fod cyhoeddi rhyw ddarganfyddiadau newydd.

Yn Aberddawan ceir un o'r tafarndai hyfrytaf, mwyaf rhamantus, a hynaf yn y Fro; y *Blue Anchor*. "Est. 1380" a geir ar yr arwydd y tuallan, ac wrth fyned i mewn iddo a sylwi ar y muriau trwchus a'r trawstiau praff, duon a thrwm, nid yw'n anodd credu hynny. To gwellt sydd iddo, a phan euthum heibio i'r lle un prynhawngwaith o haf, sylwais fod y to yn galw am sylw'r towr.

"Ychydig o grefftwyr sydd ar ôl yn y Fro erbyn heddiw a all gyflawni'r gwaith hwn", ebr gwraig ifanc y dafarn wrthyf.

141

35. Pwerdy Trydan, Aberddawan.   J. Idris Morgan

Mae hyn yn berffaith wir, ac o un i un mae'r toau gwellt yn diflannu a chyda nhw un o nodweddion hyfrytaf y Fro.

Mae'r ffenestri bychain sydd i'r dafarn, a'r muriau trwchus, a'r drysau isel, yn rhoi rhyw deimlad o glydwch mwyn iddi. Pa storïau a fedrai'r muriau hyn eu hadrodd pe rhoddent lafar? Diau, yn nyddiau Iolo, a chyn hynny, fe atseiniai'r muriau â sŵn y Gymraeg, a phwy a ŵyr na fu ef ei hun droeon yn adrodd i'r cwmni o gwmpas y tân, rai o benillion telyn, neu dribannau'r Fro, megis :

> Fi wela East 'Berddawan,
> A'r Britwn wrtho'i hunan,
> Fi wela fferm fawr Castletown,
> A Beggar's Pound Sain Tathan.

Mae'r Britwn ryw filltir i ffwrdd o Aberddawan, clwstwr o dri neu bedwar o dai, ar fryn ar y ffordd fawr i Lanilltud Fawr, yn union gyferbyn â'r fynedfa i'r gwaith sment. Gelwais yn un o'r tai, a chefais wybod mai "Burton House" ydoedd. Hen dŷ tafarn, ebr y wraig wrthyf. Holais a oedd yn gwybod am unrhyw draddodiadau ynglŷn â'r lle, ond ni wyddai. Yma, wedi'r ymrafael yn Aberthin, lle cyfarfyddai Seiet y Methodistiaid Calfinaidd, y cynhaliai diadell Thomas William, Bethesda'r Fro ei chyfarfodydd.

Gwelais y ffurf 'Bretton' yn un o lythyrau Stradling, Sain Dunwyd, a nodyn ar waelod y ddalen gan olygydd y llythyrau, J. M. Traherne, fel hyn : *"Perhaps Burton Bridge on the river Thawe, above Aberthaw, Glamorganshire."*

Ond sôn yr oeddwn am y Gymraeg yn Aberddawan; nid yw i'w chlywed bellach; ac eto, yn nyddiau Iolo, medrai John Williams, Sain Tathan, yn ei farwnad i'r Parchedig Christopher Bassett, yr ieuengaf, o Aberddawan, ddweud amdano :

> Fe ddwedai'n hy yn Iaith y Cymry,
> Trwy'r fro . . .

Yr oedd Christopher Bassett yn un o'r clerigwyr Methodistaidd brwd, a fu farw yn 31 mlwydd oed, yn 1784. Rhaid ei fod yn gymeriad atyniadol i'w ryfeddu, oherwydd rhoes ei farwolaeth symbyliad i un o "weithiau prôs hyfrytaf ail ran y ddeunawfed ganrif", yn ôl barn Mr. Saunders Lewis. Hwn yw'r 'llythyr' oddi wrth David Jones, Llan-gan at John Williams, Sain Tathan, sy'n rhoi hanes bywyd a buchedd y clerigwr ifanc. Gyda'r llythyr hwn y cyhoeddwyd marwnad John Williams, hithau hefyd ar lun llythyr ar gân. Ni ellir honni ei bod yn farddoniaeth fawr, ond nid yw'n anodd synhwyro teimladau tyner y bardd wrth fyfyrio ar farwolaeth yr offeiriad ifanc. Yn yr un cyhoeddiad fe geir dwy gân arall, un ohonynt erbyn hyn yn emyn enwog.

> Pwy welaf o Edom yn dod,
> Mil harddach na thoriad y wawr?
> Yn sathru dan wadan ei dro'd
> Elynion yn lluoedd i'r llawr !
> Ei wisg wedi lliwio gan wa'd,
> Ei Saethau a'i Gleddyf yn llym !
> Ei harddwch yn llanw'r holl wlad
> Yn ymdaith yn amlder ei Rym?

Myfi, 'rhwn wyf *Alpha* cyn byd
Wyf Gadarn i ladd a iacháu;
Fy Ngeiriau a safant i gyd,
Pan ballo ffyddlondeb pob rhai :
Ond pa'm mae dy wisgoedd yn waed,
A'th Gleddyf mor goched ei fîn,
Fel un a fu'n Sathru dan draed,
Win-wrŷf yng Winllan y gwin?

Wrth weled y Fyddin mor fawr,
Dan arfau, a llawnion i lîd,
Yn llanw holl wyneb y llawr,
Y bobl a giliodd i gyd;
A'm gadael yn unig heb ail,
I sefyll yn wyneb fy nghâs,
Gelynion mor aml a'r dail,
Yn llanw holl gyrrau y ma's.

Mi godais i fyny fy llaw,
Ymleddais, ynnillais y Dydd !
Fy holl waredigion a ddaw,
A'm Caethion a roddir yn rhydd :
Mi 'nillais fath gongcwest trwy wa'd,
Mae gennyf lywodraeth mor fawr,
Hyd eitha Trigfannau fy Nhad;
Mae'n cyrraedd o'r nefoedd i'r llawr.

Tybed pa ystyriaethau diwinyddol neu lenyddol a barodd i olyg-yddion *Llyfr Emynau'r Methodistiaid Calfinaidd a Wesleaidd,* anwybyddu'r emyn godidog hwn? Fe sylwch fod dau gymeriad yn yr emyn, sef, yr Alph~ 'r emynydd ei hun. Mae'n gystal enghraifft â dim o ddawn John Williams. Fe'i sgrifennwyd ar ôl i Christopher Bassett ymweld ag ef ychydig fisoedd cyn ei farw. Gofynnodd iddo "adael i'w Awen redeg ar y geiriau gwerthfawr yn Eseia, Pen. LXIII, adn. 1, 2, 3." Er bod yr emyn wedi'i sylfaenu'n gadarn ar yr Ysgrythur, eto, nid cyfaddasiad ar lun barddoniaeth yw'r penillion hyn, ond mynegiad o ffydd bersonol, wedi 'i mynegi mewn dull dramatig, a'r delweddau a geir yn Eseia, sy'n rhoi seiliau praff iddo. Fe fu Christopher Bassett farw'n ifanc o'r 'conswmsiwn'. Ceir y cofnod trist hwn yn llythyr David Jones : "Ymhen ychydig amser clywais ei fod yn poeri gwaed drachefn. Crynais am ei hoedl y pryd hyn. Ni chaf ei weled mwy—hyd nes y cyfarfyddom yng ngwlad y rhyfeddodau : Lle rhyfeddaf fwy weled fy hun na'i weled ef. Wedi iddo waedu yr ail waith, dywedodd wrth ei chwaer un diwrnod fel hyn, "Wele, gwelaf yn awr na's gallaf bregethu byth mwy, ond os myn Duw i'm wella rhyw fesur, byddaf foddlon i gadw drws yn ei dŷ." Tybed a oedd rhywbeth tebyg i hyn yn meddwl neu yn isymwybod John Williams, wrth gyfansoddi'r emyn hwn? Mae'n anodd meddwl nad oedd y gŵr ifanc hardd, Crist-debyg, a holl fanylion ei farwolaeth waedlyd ymhell o'i feddwl wrth fyfyrio penillion grymus ei emyn.

Bu farw a'i gladdu ym mynwent Sain Tathan wedi gyrfa ddisglair yng Ngholeg Iesu, Rhydychen, a thymor fel curad i William Romaine, clerigwr efengylaidd enwog St. Anne's Blackfriars, Llundain, wedyn yng ngofal Sain Ffagan, ac yn olaf ym Mhorthceri, ar fin y môr, yn agos i dŷ ei dad.

Parhaodd dylanwad Christopher Bassett yn y Fro am flynyddoedd wedi'i farw, ac fe olrheinir seiadau'r ardaloedd hyn i ymweliadau Howel Harris â'r Bassettiaid. Tyfodd y seiat yn Aberddawan yn ddiadell annibynnol, ac fe'i cofrestrwyd ym mlwyddyn yr ymwahanu, 1811; *Y Tabernacl* oedd yr enw a roddwyd i'r capel, ond ym 1832 fe symudwyd yr achos i bentref mwy poblog Penmarc.

Mae yma gapel yn perthyn i enwad y Bedyddwyr a agorwyd ym 1800, ac eglwys fechan gan yr Eglwys yng Nghymru, ond nid oes ynddi ddim i'n cadw.

Wrth adael y pentref, sylwais ar arwydd yn galw fy sylw at y 'Danish Arts and Crafts' a oedd i'w cael yno! Mae'n amlwg fod gan y Bwrdd Croeso waith eto o'i flaen i ddarbwyllo Cymru o werth ei nwyddau hi ei hun.

Ond awn ar ein taith a disgyn i'r pant a chroesi *Burton Bridge,* dros afon Kenson, cyn iddi ymuno â'r Ddawan ychydig yn is i lawr. Mae tro serth i'r dde bron yn union wedi croesi'r bont, sy'n eich dwyn i Lancadle, neu Lancatal; Llancêdl, ar lafar gwlad heddiw, ysywaeth! Nid yw'r enw Llancatal ar dafod leferydd pobl y Fro heddiw, ond fe'i ceir yn un o'i thribannau.

> Mi glywais yn Llancatl
> Do lawer bora' ddadl.
> Pa un sy' gasa dan y sêr
> Y cybydd neu'r anwadal.

Fel yr awgryma Gwynedd Pierce, mae'r odl yn awgrymu'r ffurf Llancatal. Ond cyn belled ag y mae a wnelo â'r brodorion erbyn hyn, cwestiwn academig yw. Llancêdl enillodd y dydd. Prin y mae'n haeddu'r enw pentref : tafarn to gwellt, *The Green Dragon,* digon dymunol, dwy ffarm, y naill yn llachar wyn yn ôl traddodiad y Fro a'r llall â llai o lewyrch arni a dyrnaid o dai, hen a newydd. Tan yn ddiweddar, yr oedd olion hen 'gapel' cyntefig yma, ond erbyn chwilio, cefais iddo orfod diflannu o flaen llif cynnydd, ar ffurf ychydig o dai cownsil. Dangoswyd imi'r fan gan wraig garedig —dim ond y man lle bu. Dyna ddarn bach arall o draddodiad y Fro wedi mynd i ddifancoll.

Rhaid croesi'r Ddawan, hefyd, cyn cyrraedd croesffordd, lle mae'r mynegbost yn ein cyfeirio i Sain Tathan ar y dde, ac i Silstwn ar y chwith. I'r chwith yr awn heddiw.

Ymhen ychydig gannoedd o lathenni dyma ni yn Silstwn, un o blith pentrefi prydferthaf y Fro. Nid oes ynddo lawer mwy o dai heddiw nag oedd yn y ganrif ddiwethaf pan oedd poblogaeth y plwy yn llai na hanner cant. Ond mae arwyddion adeiladu yma yn Silstwn, a chyn hir, mae'n bur debyg, bydd y pentref yma, fel llawer eraill yn y Fro, wedi'i weddnewid yn llwyr. Ond fel y mae heddiw, gellir cytuno â disgrifiad Dafydd Morganwg ohono, fel "llannerch

36. Yr eglwys a'r faenor, Silstwn.   J. Idris Morgan

baradwysaidd". Honnir bod hinsawdd y rhan yma o'r Fro, fel Sain Dunwyd hithau, yn rhyfeddol o dyner. Fe gewch blanhigion yn tyfu yma, yn yr awyr agored, na fyddai gobaith am eu hoedl mewn mannau eraill. Canolbwynt y pentref bach yw'r maenordy a'r eglwys, ac ni welais i yn unman trwy'r Fro, gystal graen ar dŷ ac eglwys. Yr oedd felly pan alwodd y topograffydd Samuel Lewis heibio tua 1833, pan gafodd yr eglwys a'r fynwent, *"kept in the best repair."*

Mae'n debyg mai rhan o arglwyddiaeth Sain Tathan oedd y faenor hon; fe geir nifer ohonynt o gwmpas ychydig filltiroedd : *East* a *West Orchard,* y soniais amdanynt wrth ymweld â Sain Tathan. Mae maenor Silstwn yn adeilad cymesur, hardd, a sylw arbennig wedi'i roi wrth osod ffenestri yn ffrynt y tŷ â gofal mawr am eu perthynas â'r porth prydferth. Fe ddwedir, ar ba sail ni wn, mai gwaith Inigo Jones, y pensaer enwog yw'r porth, ac iddo gael ei godi tua diwedd yr ail-ganrif ar bymtheg.

Perthyn yr eglwys a saif wrth ymyl y faenor i'r bymthegfed ganrif. Y mae'n dwyn enw Sant *Giles.* Teulu'r Giles a roes ei enw i'r pentref, *Gileston,* ond ni fedrais i ddod o hyd i unrhyw dyst-iolaeth yn cysylltu'r eglwys hon â'r Saint Giles a fu'n Sant mor bob-logaidd yn Lloegr yn y cyfnod mediefal. Llanfabon-y-Fro yw'r enw a roddodd Iolo Morganwg arno, ac fe'i dilynwyd ef gan eraill, gan gynnwys Dafydd Morganwg.

Wrth 'ddod trwy'r drws deheuol i'r eglwys sylwch yn fanwl arno. Mae'n ddrws hardd, o dderw cadarn, a cherfiwyd arno arfbeisiau herodrol chwech o deuluoedd y Fro, a oedd, yn ôl C. J. O. Evans â chysylltiad â Silstwn.

Yn yr eglwys mae bedyddfaen Normanaidd,—yr unig arwydd o'r cyfnod hwnnw a welir ynddi. Yr unig Gymraeg a welais oedd "Gwyn eu byd" ar garreg goffa i'r Parchedig John Edwardes. Perth-ynai ef i deulu enwog Rhyd-y-gors, Sir Gaerfyrddin, ac fe fu'n arglwydd y faenor ac yn Rheithor yr eglwys am dros bedair a deu-gain o flynyddoedd. Fe fu farw ym 1847, ac yntau dros ei bedwar ugain oed. Yr oedd yn ddiddorol i mi sylwi mai Mrs. Johnes a Lady Hills-Johnes, o Sir Gaerfyrddin, a gododd y gofeb hon. Merch i'r Parch. F. Edwardes (Edwards a geir yn *Y Bywgraffiadur*) mab John Edwardes oedd Mrs. Johnes a phriododd John Johnes, y barnwr galluog a lofruddiwyd gan ei fwtler yn Nolau Cothi.

Yma yn Silstwn y trigai Edward Williams, tad Iolo Morganwg,

147

pan briododd Ann Matthew 'o Lan-faes', yn eglwys Sain Tathan, a symud yn fuan wedi hynny i fyw yn Pennon, uwchlaw Llancarfan. Yn Llangrallo y ganed Ann, ond daeth hi a'i gŵr yn gynnar dan brofedigaeth, pan fu farw eu plentyn, Ann. Caf gyfle mewn man arall, i sôn mwy amdani.

37. Un o fythynnod Silstwn. J. Idris Morgan

Saer maen a choed, plastrwr, hynny yw, crefftwr oedd tad Iolo, ac yn hannu o blwyf Llandochau Fach. Yr oedd yn ŵr a gafodd fwy o ddylanwad ar ei fab disglair nag a dybid unwaith. Dywed G. J. Williams ei fod yn trafod llenyddiaeth ag ef yn ei lythyrau, ac fel tadau'n gyffredinol yn cymryd diddordeb yn helyntion a gweithgareddau ei fab. Fe gadwodd Iolo gysylltiad â Silstwn ar hyd y blynyddoedd y bu fyw yn Nhrefflemin, trwy gadw bwthyn yno.

148

Cyn gadael Silstwn, fe ddylech fynd i lawr trwy'r pentref at y traeth eang. Cewch barcio'r car ar y traeth, ac ar brynhawn o hydref, fel oedd hi pan ymwelais i â'r pentref ddiwethaf, yr oedd yn braf cael seibiant yng ngolwg y môr. Mae rhyw swyn arbennig mewn gweld llongau'n tramwy'r culfor ar eu taith i ddociau Caerdydd neu Gasnewydd, a diwedd siwrne; neu ar ddechrau taith i'r cyfandir neu wledydd hudol y Dwyrain Agos, neu'r Dwyrain Pell. Mae rhyw rin hyfryd mewn gweld llong yn tramwy'r dyfnder sy'n deffro holl hiraethau'r fynwes, a hudo'r dychymyg i froydd pell, nas gwelodd erioed, efallai, ond mewn breuddwyd.

Y prynhawn hwn yr oedd y môr yn arw a'r llongau bychain yn brwydro'n gyndyn â'r tonnau gwyllt; trwyn yn mynd o'r golwg, ac yna'n codi'n fuddugoliaethus uwchlaw iddynt, cyn disgyn eto. Cofiwn am fy nhaith mewn llong bysgota (trawler) fechan rai blynyddoedd yn ôl, i 'erwau'r pysg', y tuhwnt i Iwerddon rywle! Yr oedd yn brofiad brawychus, ond yn brofiad gwych i edrych yn ôl arno!

Limpert Bay yw'r enw ar y traeth hwn, ac i'r dwyrain y mae *Breaksea Point,* a hwnnw, eto, yn f'atgoffa am yr adeg pan oeddwn yn gynghorydd ar Gyngor Bwrdeisdref y Barri, ac adeg y Nadolig yn mynd allan, gyda'r maer a chyd-gynghorwyr, i gario danteithion i longwyr unig y *Breaksea Lightship.* O'r traeth ar ddiwrnod braf ceir golwg gampus ar Wlad yr Haf, o fryniau Quantock hyd at Porlock, a chofio, wrth wylio Porlock, am y gŵr *"a person on business from Porlock"* a darfodd ar fyfyrdod Coleridge ac yntau ar ganol sgrifennu ei gerdd ryfedd Kubla Khan. Fe'i hysgrifennwyd, fel y gwyddom, tan ddylanwad opiwm, a bu ymweliad y gŵr busnes yn ddigon i ddryllio'r breuddwyd, a pheri i Coleridge adael y gân heb ei gorffen. Yr oedd opiwm (*Tincture of Opium* yw *Laudanum*) yn gyffur ffasiynol ymhlith beirdd a llenorion y ddeunawfed ganrif; nid oedd Iolo Morganwg yn eithriad. Mae'n bur debyg i Iolo a Coleridge gyfarfod â'i gilydd ym Mryste, yn nhŷ Mr. Estlin, gweinidog gyda'r Undodiaid, a oedd yn ffrind cyffredin i'r ddau.

Rhywbryd yn ystod 1796 y bu'r cyfarfod rhwng y ddau fardd. Ddwy flynedd ynghynt cyhoeddasai Iolo ei farddoniaeth Saesneg, yn ddwy gyfrol, ac mae'n anodd peidio â chredu nad yw dylanwad Coleridge ar ei waith. Y gân gyntaf yn y gyfrol gyntaf yw honno dan y teitl *To Laudanum*, ac ynddi mae Iolo'n canmol ei rinweddau.

Thou, Laudanum, can'st quickly steep
My burning eyes in balmy sleep,
And ev'ry grief controul.

Tybed faint o freuddwydion Iolo sy'n tarddu o'r cyffur hwn?

Ond rhaid gadael y traeth a'r môr atgofus a throi tuag adref.

38.   Adfeilion Plas Trebefered.   David Jones

9

Trebefered a Llanilltud Fawr

Rhaid chwilio ein ffordd yn ôl i'r ffordd fawr (B.4265) i gyrraedd
Trebefered a Llanilltud Fawr. Ar y dde inni mae awyrendy Sain
Tathan, a lyncodd gymaint o erwau ffrwythlon y Fro pan godwyd
ef. Ar y chwith, meysydd breision a'r môr. Yn un o'i sonedau mae'r
Dr. Iorwerth Peate yn sôn am y difrod a wnaed ar yr ardd "rhwng
môr a mynydd", gan yr awyrendy, a gweodd iddi enwau hyfryd
pentrefi'r Fro.

> ". . . mae'r llwybrau'n tywys
> y werin flin i'r dolydd îr lle tardd
> dyfroedd Bethesda a heddwch Eglwys Brywys.
> Ynddi fe ddodes amal bentref llawen
> yn em disgleirwyn yn y glesni mwyn—
> Llan-faes, Y Fflemin Melyn, Aberddawen—
> a chêl oludoedd gweirgloddiau, lôn a thwyn."

Gan y beirdd y cedwir hud a lledrith ein broydd; a hwy sy'n creu,
yn fwy na neb, debygwn i, ymwybod â chydwybod ynglŷn â'n
hetifeddiaeth. Ni allai neb a wybu am fro Iolo Morganwg, lai na
chythruddo wrth weld sarnu'r etifeddiaeth. Ond teg yw dweud i
ddiwydiant, hithau, wneud cymaint difrod â'r awyrendy ar rai o
lecynnau prydferth y Fro, megis Penarth, Y Barri ac Aberddawan.
Ond diloch fod llawer o'r pentrefi yn aros yn ddiarffordd dawel
a phrydferth; ond am ba hyd mae'n anodd proffwydo.

Wrth fynd i mewn i Drebefered mae'r heol yn culhau'n sobor;
ar y chwith wal gadarn a thŵr bychan twyllodrus yn awgrymu
hynafiaeth. 'Roeddwn i'n chwilio, un diwrnod, am *Orchard Place,*
cartref teulu Redwood a drigai yn Nhrebefered yn y ganrif
ddiwethaf. Fe ddaeth twr o blant trwy ddrws yn y wal, a dyma'u
holi am '*Orchard Place*'. "Dyma fe !" medde nhw, ac ar unwaith·
parciais y car ac yn ôl i'r tŷ, a chael croeso gan wraig y tŷ, a fu mor
garedig â dangos bob twll a chornel o'i chartref imi. Mae'n dŷ digon

urddasol, ac ystafelloedd eang ar y llawr, ond mi dybiwn i ei fod
yn dipyn o dreth ar wraig fodern, heb y morynion a oedd, yn ddiau,
yn gweini yma yn y ganrif ddiwethaf. Mae rhannau o'r tŷ yn go
hen, ond ychwanegwyd ato o dro i dro, a cheisiodd y penseiri gopïo'r
hen wrth godi'r newydd—o ran ffurf, os nad o ran defnyddiau.

Yma, fel y dywedais, y cartrefai teulu hynod Thomas Redwood,
a gadwai ysgol yn Nhrebefered, heblaw tanerdy yr oedd yn
berchen arno. Hwn oedd y gŵr a roes y tir i godi Bethesda'r Fro
arno, ac a bregethodd yn y cyfarfod agoriadol. Bedyddiwyd mab
iddo yn y capel bach. Hwn oedd Theophilus, a ddaeth wedi hynny
yn fferyllydd yn Llundain. Fe ddaeth Charles, mab arall yn ŵr
dylanwadol yn y Fro, ac fe gyhoeddodd *The Vale of Glamorgan:*
Scenes and Tales among the Welsh, fel y caf sôn yn yr ail gyfrol
wrth ymweld â Llandochau'r Bont-faen lle y bu'n byw mewn tŷ a
gyfaneddwyd unwaith gan John Walters y geiriadurwr.

Mae'n syndod faint o hen dai prydferth sydd yn Nhrebefered, ond
ychwanegwyd atynt nifer helaeth o dai o bob math, ac yn wir stad
o dai yr atgyfodwyd yr enw Cymraeg, yn lle'r enw Saesneg Boverton,
ar ei chyfer.

Saif castell Trebefered ar y bryn uwchlaw'r pentref,—adfeilion
talog, a'u muriau tyllog wedi'u gorchuddio â iorwg tew. Ysbeiliwyd
coed a meini o'r adfeilion i'w defnyddio yn y ffarm gerllaw. Fel
'stafell Gynddylan, mae maenordy Trebefered heddiw, "heb do, heb
dân", yn ddim ond cysgod du i'n hatgoffa am y gogoniant a fu.
Honnir bod Trebefered wedi'i godi ar y fangre a adweinid yn
nyddiau'r Rhufeiniaid fel *Bovium,* ond fe wneir cyffelyb honiadau
ar ran y Bont-faen a Llanilltud Fawr. Darganfuwyd arian bath
Rhufeinig yma yn niwedd y ddeunawfed ganrif, ac fe gewch olwg
arnynt yn Amgueddfa Genedlaethol Cymru.

Cred rhai haneswyr mai Plas Trebefered oedd un o gartrefi Iestyn
ap Gwrgant, ac eraill o arglwyddi Morgannwg, ac i'r plas fynd yn
eiddo Fitzhamon ar farwolaeth Iestyn. Yn ei nodyn ar Seisiaid
Trebefered, dywed Thomas Nicholas yn ei *The History and Antiqui-*
ties of Glamorgan, i'r castell ddod yn eiddo'r teulu hwn pan ddaeth
llinach teulu Voss i ben gyda'r etifeddes, Elizabeth Voss, a oedd yn
'forwyn anrhydeddus' i Elisabeth y Cyntaf. Priododd hi Roger Seis
(neu Seys), Twrnai-cyffredinol Cymru gyfan. Ein diddordeb ni yn y
Seisiaid yw bod mam Iolo Morganwg yn perthyn i'r teulu, ac wedi'i
derbyn i gartref Richard Seys, ar farwolaeth ei mam, ac iddi fyw yn

y plas am rai blynyddoedd. Mae llawer o ddirgelwch ynglŷn â hi, ond yn ôl barn G. J. Williams, "yr oedd gwraig Richard Seys—ni welais neb yn egluro pwy ydoedd—yn chwaer i fam-gu Iolo", a'r casgliad y daw iddo, wedi astudiaeth o'r hyn a ddywed Iolo ei hun, a chwilio achau'r Seisiaid yw : "rhaid mai plas Trebefered yn ymyl Llanilltud Fawr fu cartref mam Iolo wedi iddi adael Llangrallo. Yn Llan-faes y trigai pan briododd—efallai fod rhai o'r Seisiaid wedi symud i dŷ yn y pentref hwnnw."

Mae'n amlwg fod Iolo'r plentyn eiddil, yn drwm dan ddylanwad ei fam, ac ni pheidia â rhamantu yn ei chylch, ac yn y rhamant hwnnw, yr oedd lle arbennig i Drebefered. Gellwch ddychmygu ei ymweliadau â'r fangre hon, a'r cysylltiadau â Iestyn ap Gwrgant, heb sôn am y Rhufeiniaid, yn tanio'i ddychymyg cyffrous. 'Roedd ei fam, fel yntau, yn eiddil o gorff, ac yn etifedd i'r un anhwylderau— y fogfa (asthma) a'r diciáu.

Flynyddoedd yn ôl, mewn gwesty yn Llundain, cyfarfûm â llenor a beirniad llenyddol, Morchard Bishop. Wedi peth sgwrsio, deëllais ei fod yn ymchwilio i weithiau Coleridge, ac yn fuan daeth enw Iolo Morganwg i mewn i'r sgwrs. 'Roedd e'n cyd-weithio, os cofiaf yn iawn, â'r Athro Coburn o Ganada, a oedd yn golygu argraffiad newydd o 'Note-books' a llythyrau Coleridge. Yn y 'note-books', fel y'u hargraffwyd gan ŵyr y bardd, dan y teitl *Anima Poetica,* ceir nodiadau gan y bardd ar gyfer cerdd y bwriadai ei chyfansoddi ar 'blant a phlentyndod', ac yn eu plith ceir y nodyn hwn :

> *"Poor William seeking his Mother, in love with her Picture—and having that vision of beauty and filial affection, that the Virgin Mary may be supposed to give."*

Cymerwyd yn ganiataol mai William Wordsworth oedd y William hwn, hyd nes i'r Athro Coburn fynd yn ôl at y llawysgrif wreiddiol a chael bod llythyren 's' ar ddiwedd William. Wedi ychwaneg o ymchwil fe ddaeth yn amlwg mai Edward Williams, Iolo Morganwg, oedd y gŵr. Diau i Iolo ramantu llawer am ei fam, ond mae'n amlwg i Coleridge gael ei daro gan ymlyniad tyner Iolo wrthi, nes peri iddo daro'r nodyn ar bapur gan obeithio ei ddefnyddio wrth gyfansoddi'i gerdd. Ni chyflawnodd y bwriad hwn, ysywaeth. Gwelai Iolo yn ei fam bob rhinweddau—o briddyn bonheddig, o dalentau allan o'r cyffredin, yn hyddysg mewn llenyddiaeth gyda gwybodaeth o Ffrangeg a pheth Eidaleg, yn wnïadwraig gelfydd, heb sôn am y grefft o gribo, nyddu a gwau. Yn ei chysgod hi y tyfodd yn llanc pruddaidd (rhamantaidd brudd?), o hyd ac o hyd chwiliai am ei chwmni, fel rhyw nodded rhag helbulon y byd—ac mae'r rheini yn hynod o fawr a bygythiol mewn llencyndod.

"I never", ebr ef, yn y rhagymadrodd i'w ddwy gyfrol, *Poems Lyrical and Pastoral*, *"from a child, associated with those of my age, or learned their diversions. I returned every night to my mother's fire-side, where I talked or read with her; if ever I walked out, it was by myself in unfrequented places, woods, the sea-shore, etc., for I was very pensive, melancholy and very stupid, as all but my mother thought."*

Chwarae teg i'w fam! A phlentyn ei fam oedd Iolo. Saesneg siaradai â'i fam, ac fe ddywed yn rhywle mai wrth naddu ar ysgrifau cerrig beddau y dysgodd Gymraeg. Fe'i prentisiwyd yn gynnar, yn naw oed, os gallwn ddibynnu ar a ddywed yn y rhagymadrodd y dyfynasom eisoes ohono.

39. Y Sgwâr, Llanilltud Fawr. J. Idris Morgan

Gadawn Trebefered a brysio ar ein taith i Lanilltud Fawr. Erbyn hyn mae'r ddau le bron â rhedeg yn un, gyda thai bob cam ar ymyl y ffordd. Ar y chwith, cyn cyrraedd y dref, mae Ysgol Uwchradd Llanilltud Fawr, y bu Mr. Garfield Thomas, cyfaill bore oes i mi, yn brifathro arni. 'Roeddem yn yr un dosbarth yn Ysgol Ramadeg Tre-gŵyr, gyda Mr. Wynne Lloyd hefyd,—Prif-arolygydd Ysgolion Cymru. 'Rwy'n cofio ymweld â'r ysgol yng nghwmni fy mhriod, i ddosbarthu gwobrau 'ddydd y gwobrwyo', a chael cyfle, wrth annerch, i dalu teyrnged i Gyngor Sir Morgannwg, ac Alderman Percy Smith, yn y gadair, am adfer hen enwau Cymraeg y Fro a'r Sir, wrth enwi'r ysgolion. Dysgir Cymraeg yn yr ysgol, ac ar y diwrnod hwn canwyd alawon Cymraeg gan y plant, er nad oes neb, bron, yn dod o aelwydydd Cymraeg.

A dyma ni ar ffiniau anniben Llanilltud Fawr, a'i siopau nad ydynt fawr o gyflwyniad i'r dref hynafol hon. Ond toc down ŵyneb yn ŵyneb ag adeiladau sy'n hyderus hynafol eu gwedd. Ar y chwith, mae 'Neuadd y Dref', â'i grisiau cerrig yn arwain i lofft yr adeilad. Nid neuadd tref yw hi mewn gwirionedd, oherwydd ni dderbyniodd Llanilltud Fawr erioed urddas bwrdeisdref. Er hynny, nid ataliodd hyn yr hen Iolo rhag llunio breinlen iddi; o'r braidd yr oedd yn barod i gydnabod bod tref a chwaraeodd gymaint rhan yn ei freuddwydion â chôr Illtud, yn dref ddi-freiniau! Fe gewch freinlen ddychmygol Iolo wedi'i hargraffu yn y *Iolo M.S.S.*, mewn iaith ffug gyfreithiol, sy'n atgofio dyn yn fwy efallai, am iaith chwyddedig yr Orsedd, na dim arall. Yn yr un categori, mae'n sicr, y dylid gosod y cywydd i Sant Illtud, yn yr un gyfrol,—cywydd a dadogodd Iolo ar Lewis Morganwg, ac y dywed iddo'i gael yn llaw "Thomas ab Ievan o Dre'r bryn, plwyf Llangrallo ym Morgannwg, cylch 1670." Mae ceisio olrhain hanes Llanilltud Fawr, felly, gymaint peryclach oherwydd prysurdeb di-orffwys Iolo yn llurgunio hanes, yn creu achau personau dychmygol a dogfennau a fyddai'n garn i'r ffugio. O'r braidd fod modfedd o'r dref fechan hon heb ddwyn ôl traed Iolo, ac i deithiwr fel fi, rhaid dibynnu ar wŷr cyfarwydd i'm tywys trwy'r 'ffeithiau' gwir ac anwir.

Nid yw'r dref, yn ei hanfod, yn llawer gwahanol heddiw i'r hyn ydoedd pan wnaeth Iolo *sketch* pin ac inc ohoni yn ei ddyddiau ef, er ei bod erbyn hyn yn dref gwbl Seisnig. Yng nghasgliad Cadrawd o dribannau Morgannwg, ceir yr un Saesneg hwn :

157

Three things I cannot relish—
A woman that is peevish,
To meet a parson without wit,
And Llantwit's broken English.

Yn llith Mr. D. Elwyn Gibbs, mewn casgliad diddorol o ysgrifau a gyhoeddwyd gan 'Cymdeithas Hanes Lleol Llanilltud Fawr', ceir enghraifft o'r fratiaith hon.

"Be you a going to Cowbridge today?"
"Aye-aye gooshey-gay."
"Will you bring me a pound of allan (halen) gwyn glan,
for the mhenin week nessa?"

"Iss will I, if you give me a clwtyn gwyn glan to dote it."

A dyma'r fratiaith a gyfnewidiwyd am iaith Lewis Morganwg, Iorwerth Fynglwyd a Iolo Morganwg! Mae lle i gredu mai newydd-ddyfodiaid o Wlad yr Haf oedd yn gyfrifol am y newid mawr yn y bedwaredd ganrif ar bymtheg. Aeth llawer o weision ffermydd y Fro i fyny'r cymoedd i chwilio am waith uwch ei dâl yn y glofeydd, a chan fod tâl y gweision ffermydd yn y Fro yn uwch na'r hyn a geid yng Ngwlad yr Haf, daethant hwythau draw yma. Yr unig adeilad o bwys sy wedi diflannu er pan dynnodd Iolo ei lun o'r dref, yw Tŷ Ham, cartref Illtud Nicholl, a safai gynt ychydig o'r ffordd ar y chwith i'r heol sy'n arwain o Drebefered i Lanilltud Fawr, rhyw chwarter milltir cyn cyrraedd y dref. Rhif y tai yn Llanilltud Fawr ym 1871, yn ôl Dafydd Morgannwg, oedd 267; rhif y boblogaeth ym 1861 oedd 1,122, ac yn 1871, 1,097. Llai na chanrif yn gynharach, cyfrifodd Iolo'r tai annedd a'u cael yn gant a hanner.

Mae 'Neuadd y Dref' yno, fel y bu o'r drydedd ganrif ar ddeg pan godwyd hi gan Gilbert de Clare, er bod yr adeilad fel y mae heddiw yn perthyn i'r unfed ganrif a'r bymtheg. Fe'i defnyddiwyd, ymhlith pethau eraill, i gynnal llys, ac yn yr ail ganrif ar bymtheg pan ail-adeiladwyd hi, fel carchar. Fe fu atgyweirio mor ddiweddar â 1962-63, a chwedyn ym 1970-71.

Pan alwodd Ernest Rhys heibio i Lanilltud Fawr yn negau cyntaf y ganrif, fe gedwid ysgol yn yr adeilad, a chlywodd y plant yn siantio'u gwersi, a'i atgofio am siantio'r mynachod gynt. Yn nhŵr y neuadd ceir cloch sy'n perthyn i'r cyfnod cyn y Refformasiwn, ac arni, meddir, gwelir y geiriau hyn : *Sancte Iltute, Ora Pro Nobis,*

40. Llanilltud Fawr.   J. Idris Morgan

Sant Illtud gweddïa drosom. Fel mewn llawer o bentrefi'r Fro fe
fu'r neuadd yn gyrchfan trigolion y dref ar ddydd gŵyl a ffair. Yn y
neuaddau hyn y cynhelid y farchnad, a deuent ynghyd, hefyd, am
hwyl a miri yng nghwmni'r telynorion a'r ffidleriaid. Tref amaeth-
yddol a fu Llanilltud Fawr erioed, a'i chrefftwyr a'i siopwyr yn
gweini i angenrheidiau'r ffermwyr.

Gyferbyn â neuadd y dref mae tafarn hyfryd yr *Old Swan*. Mae
un olwg ar yr adeilad yn ddigon i ganfod bod hen hanes iddo. Fe'i
atgyweiriwyd, do, ond er hynny ni chollodd ei nodweddion hynafol.
Dywedir gan draddodiad mai Iestyn ap Gwrgant, y 'tywysog' y mae
teuluoedd bonheddig y Fro yn honni eu bod yn ddisgynyddion iddo,
a gododd yr adeilad gyntaf, ac iddo gael ei ddefnyddio fel banc, neu
fathdy. Yn ddiweddarach bu'n llety i'r barnwyr ar eu taith i gynnal
brawdlys. Ffinia'r *Old Swan* ar sgwâr eang y dref, er nad yw'n
wynebu arno. Ar ganol y sgwâr mae croes garreg fodern, ar y fan

159

41. Tafarn yr "Old Swan".   J. Idris Morgan

lle safai gynt, yn ôl pob tebyg, y groes fediefal, arferol. Mae tafarn y *White Hart* ar y sgwâr, a'i hanes yn mynd yn ôl dros y canrifoedd, hyd y bedwaredd ganrif ar ddeg.

O'r sgwâr edrychwn i lawr ar hyd heol fechan, ac yno yn y pant gwelwn dŵr hen eglwys Sant Illtud. Felly, i lawr â ni at yr eglwys a fu yn un o ganolfannau pwysicaf Cristionogaeth yn yr ynys hon.

42. Y Colomendy, Llanilltud Fawr.   J. Idris Morgan

160

Yno, allan o olwg y môr a'i ladron o wledydd y Gogledd, y treuliodd mynachod Illtud eu dyddiau mewn gweddi, gwaith a llafur ysgolheigaidd.

Efallai mai'r llawysgrif fwyaf dibynnol sy'n croniclo peth o hanes Illtud yw Buchedd Samson, a sgrifennwyd yn Dol, Llydaw, yn gynnar yn y seithfed ganrif. Yn ôl Syr J. E. Lloyd, rhydd y ddogfen yma ddarlun inni o ŵr dysgedig iawn, hyddysg yn yr Ysgrythurau, yr Hen Destament a'r Testament Newydd, ac ym mhob gwybodaeth megis geometreg, rhethreg, gramadeg, rhifyddeg, a gwybodaeth o'r holl gelfyddydau; a hefyd, mewn dewiniaeth a barai ei fod yn medru rhagweld digwyddiadau yn y dyfodol.

Anfonwyd Samson i Lanilltud Fawr i'w addysgu. Ganed Illtud ei hun, fel Samson, yn Llydaw, yn fab i deulu o uchelwyr. 'Roedd yn ddisgybl i Garmon, ac fe'i gyrrwyd i Gymru, a dyfod yn ben ar y fynachlog, a gwneud Llanilltud Fawr yn enwog fel canolfan dysg. Yma, yn ôl pob tebyg, y bu Gildas, awdur tybiedig y *De Excidio et Conquestu Brittania,* 'Am Ddistryw a Choncwest Prydain.' Yn ei frwdfrydedd dros Forgannwg a'i hathrofeydd, gwnaeth Iolo hyd yn oed Aneirin a Thaliesin yn aelodau o 'goleg' Illtud. Mae'r cwbl o'r dystiolaeth sydd gennym yn awgrymu mai Illtud a Dyfrig a roes sylfaen gadarn i fynachaeth Gymreig, sefydliad a wnaeth gymaint i lunio cymeriad ein cenedl. Ond nid oedd hyn yn ddigon i Iolo. Mewn llythyr maith at John Carne, yr As Fach, a welais yn archifau Morgannwg, ceir Iolo'n eistedd i lawr i roi hanes, neu amlinelliad o hanes Llanilltud Fawr. Yn ôl ei arfer, mae'n rhamantu ei ffordd drwy hanes, ac yn creu tystiolaeth yn sail i'r rhamantau! Yng nghanol y llythyr, rhydd gopi o ddogfen a sgrifennwyd, ebr ef, gan y Parchedig David Nicholls ym Mehefin 1729, ond nad yw ddim mwy na'i waith ef ei hun wedi'i dadogi ar y gŵr hwnnw. Un enghraifft yn unig o'i ramantu. Dywed mai yn ystod taith Garmon a Lupus i Brydain, ym 429, i wrthweithio dylanwad Pelagius y sefydlodd Garmon Illtud yn ben ar y fynachlog yn Llanilltud Fawr. Ni all hyn fod yn gywir, oherwydd nid oedd Illtud wedi'i eni bryd hynny, na chwaith erbyn ail daith Garmon i Gymru.

Dywed un hanesydd mai ar Ynys Bŷr, ar arfordir Sir Benfro, y sefydlwyd 'llan' gyntaf Sant Illtud, ac mai oddiyno yr estynnodd ei ddylanwad hyd yn Llanilltud Fawr.

Beth bynnag am hynny, â Llanilltud Fawr y cysylltir Illtud yng nghof y genedl, ac mae'n amhosibl gor-bwysleisio dylanwad ei

weithgarwch yma, a dylanwad y clas a'i goroesodd. Ond gyda dyf-
odiad y Normaniaid newidiwyd holl drefniadaeth, a hyd yn oed
deithi meddwl, yr eglwys yng Nghymru. Mae'r hyn a ddigwyddodd
yn Llanilltud Fawr a Llancarfan gerllaw, yn adlewyrchu tynged y
'fynachaeth' Gymreig gysefin. Trosglwyddodd Robert Fitzhamon
lawer iawn o eiddo'r Cymry ym Mro Morgannwg i Abatai cyf-
oethog yn Lloegr. Yn y ddeuddegfed ganrif trosglwyddwyd tiroedd
a degymau'r mynachod yn Llanilltud Fawr i Abaty Tewkesbury,
ac eiddo Llancarfan a Phennon i abaty Caerloyw. Nid oedd gan y
Normaniaid fawr o gydymdeimlad â phatrwm y gymundod yn
Llanilltud Fawr. Eu patrwm hwy oedd mynaich di-briod dan
awdurdod Abad, tra 'roedd mynaich y clasau Celtaidd yn briod, ac
yn trosglwyddo'r tir a'r eiddo o genhedlaeth i genhedlaeth y
tumewn i'r teulu.

Ond gwell inni symud i gael golwg ar yr eglwys ei hun. Pan fu
John Wesley'n pregethu yma ym 1777 croniclodd yn ei ddyddiadur
fod y gynulleidfa a ddaethai i'w wrando yn un lluosog iawn, ac
na welodd eglwys mor fawr na chyn hardded ers pan adawodd
Loegr. Mae'n eglwys hynod o urddasol, ac mae dyn yn synnu
gweld eglwys mor fawr mewn tref mor fechan. O ran ffurf mae'r
eglwys ar lun croes, a thŵr cadarn, castellog yn ei chanol. Bu llawer
o adeiladu ac ail-adeiladu yn ystod ei hanes hir. 'Roeddwn i'n
edrych pa ddydd ar un o ysgythriadau Gastineau o'r eglwys a
wnaed yn hanner cyntaf y ganrif ddiwethaf, a sylwi bod pen gor-
llewinol yr eglwys, bryd hynny, yn ddi-do, ond 'roedd y tŵr o hyd yn
codi'i ben urddasol o ganol yr adeilad. O'r heol rhaid disgyn ar hyd
grisiau i'r fynwent, ac ynddi fe welwch groes fediefal, ond mai
diweddar yw'r pen arni. O ddiddordeb arbennig efallai, ar ymyl y
llwybr ychydig latheni o borth yr eglwys, mae carreg fedd
Margaret Williams, merch Iolo Morganwg, a fu farw ym 1846, yn
bump a thrigain oed. Bedyddiwyd hi gan John Walters, y geir-
iadurwr,—"y druanes honno," fel y dywed G. J. Williams amdani,
"a fyddai'n addoli ei thad". Bu Margaret farw mewn tlodi mawr.
Etifeddodd beth o ddawn farddonol ei thad, er mai yn Saesneg y
rhigymai ei phenillion.

I gael golwg ar wychder yr eglwys ewch i mewn a sefyll yn y pen
gorllewinol ac edrych i lawr trwyddi hyd yr allor a'i *reredos* carreg,
cerfiedig yn y pen draw. Sylwch ar y bŵau gothig pigfain, a fu
unwaith dan haen o wyngalch. Rhain a roddodd y syniad i Mr.

162

George Pace, pensaer diwethaf eglwys gadeiriol Llandâf, am ffurf bwâu Capel Coffa'r Gatrawd Gymreig a gododd yno, ac sy'n un o nodweddion hyfrytaf yr ail-adeiladu wedi difrod y rhyfel diwethaf.

Wrth syllu ar yr adeilad, o ben i ben, fe gewch ryw syniad o'r gwahanol gyfnodau yn hanes yr adeiladu a fu yma. Nid oes fawr ddim o olion cyfnod y Normaniaid yma, er mai ef yn sicr a adeiladodd gyntaf ar y fangre lle bu'r adeiladau Celtaidd gynt. (Gan mai coed a phridd fyddai deunydd yr hen eglwys, ni ellir disgwyl iddi or-oesi adeiladau cerrig y Normaniaid). Wrth fynd i mewn i'r eglwys, trwy'r prif borth, sylwch ar fwa'r drws. Hwn, ynghyd ag ychydig o'r muriau o boptu iddo yw'r unig bethau sy'n aros o bensaernïaeth y Normaniaid. Yn yr eglwys, mae'r bedyddfan, gyda'i batrwm 'scallop', ebr Ficer wrthyf, yn perthyn i'r un cyfnod. Ceir, enghreifftiau o'r patrwm hwn yn eglwysi Mawdlam a Sain Dunwyd, a pherthynant i'r un cyfnod.

Rhennir yr eglwys yn ddwy ran, 'yr eglwys Orllewinol' a'r 'eglwys Ddwyreiniol', y naill wedi'i chodi ar seiliau'r hen eglwys Normanaidd yn y bymthegfed ganrif, a'r llall yn rhan o'r ychwanegiadau a wnaed yn y drydedd ganrif ar ddeg, pan ddaeth yr hyn a elwir yn arddull gynnar Seisnig i fri. Perthyn y ffenestri tal (ond nid y gwydr) o bobtu'r porth yn yr eglwys orllewinol, i'r bymthegfed ganrif, a chredir, ebr y Ficer, y Parch Llewellyn Jones, i'r ddwy ffenestr fechan gael eu cadw o'r adeilad cyntaf. Mae'r allor yn y rhan yma o'r eglwys yn perthyn i ddyddiau cyn y Refformasiwn—allor garreg, gyda phum arwydd y Grog arni. Fe'i defnyddiwyd yn garreg fedd, unwaith, ond symudwyd hi i'w lle presennol gan Mr. George Pace, a fu'n gyfrifol am yr atgyweirio diweddaraf a fu ar yr eglwys. Wrth ffenestr y de-orllewin mae delw o Fair a'i Baban, a achubwyd o domen rwbel yn ystod atgyweirio diwedd y ganrif ddiwethaf.

Ym mhen pellaf, gorllewinol, yr eglwys, mae'r casgliad o hen feini a daniodd ddychymyg Iolo Morganwg, a pheri iddo ramantu am ddechreuadau côr Illtud. Tybiodd fod y meini hyn yn gyfoes â'r sant, a rhydd ddisgrifiadau manwl ohonynt.

Yn y llythyr at John Carne, y cyfeiriais ato eisoes, mae Iolo'n sôn am ddarganfod un o'r meini hyn, ac mae'n rhoi disgrifiad manwl ohono. Dyma fel y disgrifia'r digwyddiad rhyfedd hwn (mentrais gyfieithu'r ddogfen).

"Yn haf 1789 cloddiais o'r ddaear ym mynwent Llanilltud Fawr garreg goffa fawr; paladr croes ydyw, ac mae ei hanes yn cynnig tystiolaeth hynod o gywirdeb traddodiad poblogaidd.

Tua deugain mlynedd yn ôl, 'roedd hen, hen ŵr, Richard Punter wrth ei enw, yn byw ar y pryd yn Llan-maes yn ymyl Llanilltud Fawr; er nad oedd yn ddim ond crydd 'roedd yn fwy deallus na nemor neb o'i ddosbarth; darllenasai hanes yn fwy na'r rhelyw, 'roedd yn rhywfaint o hynafiaethydd, ac i'w gof cynhaeafodd stôr o draddodiadau poblogaidd diddorol. 'Roeddwn i bryd hynny yn ddeuddeg neu bedair ar ddeg oed, ac fel ef yn hoff o hanes a hynafiaethau, ac un diwrnod dangosodd imi fan ar ochr ddwyreiniol porth yr hen eglwys yn Llanilltud Fawr, lle y gorweddai yn y ddaear, ebr ef, garreg goffa fawr, ac arni arysgrif yn coffáu dau frenin. Dyma'r traddodiad am y ddamwain a'i claddodd yn y ddaear, a adroddai ef : ymhell yn ôl cyn cof yr hynaf o ddynion a adnabu ef, oherwydd traddodiadol yn unig oedd eu gwybodaeth hwy, 'roedd gŵr ifanc yn Llanilltud Fawr a elwid yn gyffredin yn Wil y Cawr; yn ddwy ar bymtheg oed 'roedd yn saith troedfedd a saith modfedd o daldra, ond fel gyda thwf annhymig a goruwchnaturiol o'r fath, syrthiodd i'r dicâu, ac wrth farw, mynegodd ei ddymuniad i gael ei gladdu yn agos i'r garreg goffa a safai wrth y porth, ac fe gafodd ei ddymuniad; torrwyd y bedd, o angenrheidrwydd un llawer mwy na beddau'n gyffredin, fel yr estynnai un pen iddo hyd at droed y garreg a oedd yn sownd yn y ddaear. Yna gosodwyd y corff i orwedd yn y ddaear, symudodd y garreg o'i lle, a syrthiodd i'r bedd, gan ei lanw bron; a bu bron i rai gael damwain angeuol, ond gan fod y garreg mor fawr a heb fod yn hawdd ei symud, gadawyd hi yno, a llanwyd y bedd. Wedi imi glywed y disgrifiad traddodiadol hwn, fe'm llanwyd â dymuniad i gloddio am y garreg, a llawer gwaith y ceisiais ennill diddordeb a chymorth nifer (o bobl), ond yn wastad derbyniwyd y syniad gyda gwawd. Yn y traddodiadol hwn, fe'm llanwyd â dymuniad i gloddio am y garreg, a llawer gwaith y ceisiais ennill diddordeb a chymorth nifer (o bobl), ond yn wastad derbyniwyd y syniad gyda gwawd. Yn y flwyddyn 1789, a minnau'n gweithio yn eglwys Llanilltud, ac un diwrnod heb allu mynd ymlaen â'm gorchwyl oherwydd diffyg cynorthwy, a hithau ar y pryd yng nghanol tymor y cynhaeaf llafur, heb fod dyn ar gael, treuliais y rhan fwyaf o un diwrnod yn cloddio am y garreg hon, a dod o hyd iddi, a chliriais y pridd o'i chwmpas. Pan welodd Mr. Christopher Wilkins, a'r diweddar Mr. David Jones, dau ffarmwr rispectabl, y garreg hon gorchymynasant i'w dynion fy nghynorthwyo, a chydag anhawster mawr codasom hi o'r ddaear, ac arni cawsom yr arysgrif yma."

Yn dilyn yn y ddogfen ceir ei ddarlleniad ef ohoni, ond gwell imi roi darlleniad y Dr. Nash Williams; nid yw'n gwahaniaethu fawr iawn oddi wrth ddarlleniad manwl Iolo.

IN NOM/INE D(E)I SU/MMI INCI/PIT CRU/X
SAL/UATO/RIS QUA/E PREPA/RAUIT/SAMSO/
NI :APA/TI PRO/ANIMA/SUA : (ET) P/RO ANI/
MA IU/THAHE/LO REX/ET ART/MALI ET/
TEC(AI)N+

(Yn enw Duw Goruchaf dechrau Croes y Gwaredwr a
baratodd yr Abad Samson ar ran ei enaid ac ar ran enaid
y Brenin Juthahel ac (ar ran eneidiau) Artmail a Tecain).

43. Copi Iolo Morganwg o'r arysgrif

Rhydd Iolo yn ei lythyr ddisgrifiad manwl o'r maen, ei faint, natur
y garreg, a dywed iddo orwedd yn y fynwent, ar ôl iddo'i chodi o'r
bedd, tan Awst 28ain. 1793. Rhydd ddisgrifiadau manwl, hefyd o'r
meini a welir yn yr eglwys heddiw, ond er bod ei ddisgrifiadau a'i
ddarlleniadau yn hynod gywir, eto, pan â ati i ddamcaniaethu rhaid
i ddyn wisgo mantell Thomas yr Apostol. Ambell waith mae Iolo'n
camddarllen. Ar un garreg ceir dau enw, Spertus Sandit (=sancti,
yn ôl Dr. Nash Williams), a Houelt, a ddarllenir gan Iolo yn Peredur
Sant, a Houel, hynny yw Howel. Awgryma Beverley Smith yr
hanesydd o Goleg y Brifysgol, Aberystwyth (a gofiaf, gyda llaw, yn
grwt yn eglwys fy nhad yng Ngorseinon) mai'r Hoelt yma oedd
Hywel ap Rhys, brenin Glywising, ac iddo, yn ôl pob tebyg, godi'r
gofadail yn Llanilltud Fawr i goffáu ei dad Rhys, gŵr a dalai wrog-
aeth i Alfred, brenin Wessex, yn y nawfed ganrif.

Gellwch ddarllen arysgrifau'r meini yn Llanilltud Fawr yn
weddol hawdd, ond y pwynt pwysig i'w gofio yw, nad oes un
ohonynt yn mynd â ni yn ôl ymhellach na'r nawfed ganrif, er ichi
weld enwau fel Illtud a Samson yn eu plith.

Y mae'r cyfeiriad at yr Abad Samson yn yr arysgrif a geir uchod,
ym marn y Dr. Nash Williams yn cadarnhau'r traddodiad fod yma
fynachlog.

Ond y meini hyn a daniodd ddychymyg Iolo Morganwg, a pheri
iddo greu rhamant rhwysgfawr am Lanilltud a'i bri fel canolfan
dysg. Wrth gwrs, mae'r enwau hyn, Illtud, Samson, Howel ac eraill
i'w cael ym mucheddau'r saint, ac nid oedd yn anodd i ddyn o
athrylith a dychymyg Iolo ail greu darlun lliwgar o'r dyddiau pan
ymsefydlodd Illtud yn y Fro; ac ni ddylem anghofio *bod* Illtud yn
un o seintiau pwysicaf ei ddydd, ac yn ddylanwad mawr ar y
'seintiau' (h.y. y mynachod) a'i dilynodd.

Nid ar frys yr eir trwy'r eglwys hon, ond ni allaf eich tywys bob
yn gam, dim ond sôn am rai o'r pethau y dylech sylwi arnynt, os
ymwelwch â'r lle. Un o'r pethau cyntaf sydd yn taro'r llygad wrth
fynd i mewn drwy'r porth deheuol, yw'r murlun anferth o'n
blaen. Digon amrwd ydyw, mewn gwirionedd, ond fe fyddai
ganddo, yn ddïau, arwyddocâd mawr i'r pererin blinedig a âi i
mewn i'r eglwys yn y Canol Oesoedd, oherwydd darlun ydyw o
Sant Christopher, nawddsant pererinion a theithwyr o bob math.
'Roedd yn arfer bryd hynny i'w osod fan yma, yn y gred y byddai
golwg arno yn cadw'r teithiwr rhag damwain ar y ffordd. Heddiw

aeth yn arfer gan yrrwyr ceir i gario delw fechan o'r sant; mwy
o ofergoel na dim arall, heddiw, dybiwn i. Yn y darlun hwn, fe
welwch y sant yn cario'r Crist ar ei ysgwydd, ac yn llaw ein Har-
glwydd y mae pelen sy'n cynrychioli'r byd. Yn y gangell ceir
murddarlun arall, o Fair Fagdalen yn dal yn ei llaw y cawg o
ennaint gwerthfawr. Mae'n anodd i ni heddiw sylweddoli mor lliw-
gar oedd eglwysi'r Canol Oesoedd. Y darluniau hyn, y croesau a'r
delwau a'u lliwiau amryliw oedd un o'r cyfryngau i ddwyn yr
addolwr i werthfawrogi gyfoethoced y Ffydd, ac i ddysgu iddo
hanesion y Beibl mewn oes ddi-lyfrau. Os edrychwch chi'n fanwl ar
furiau Llanilltud fe welwch olion lliwiau ym mhobman. Uwchben y
groglofft, er enghraifft, mae patrwm bwrdd gwyddbwyll, a oedd,
mae'n debyg, yn gefndir effeithiol i'r Grog draddodiadol, liwgar,
gyda'i delwau o Sant Ioan a'r Forwyn Fair. Dim ond syllu'n fanwl
fe welwch sumbolau'r croeshoelio, y Groes (gwyrdd), y goron
ddrain (gwyrdd a du) a'r hoelion, y waywffon a'r chwip mewn
melyn a du.

Ar y dde i'r fynedfa i'r gangell mae Eilunfa Jesse (*Jesse Niche*).
'Roedd Jesse yn un o sumbolau cyffredin artistiaid y Canol Oes-
oedd. Cyfeiria, wrth gwrs, at broffwydoliaeth Eseia : Yna y daw
allan wialen o gyff Jesse; a Blaguryn o dŷf o'i wraidd ef; a chym-
hwysir yr adnod at Grist yn yr Epistol at y Rhufeiniaid. Mae'r
eilunfa hon yn un hynod gelfydd, ac yn hen iawn, yn wir yn
perthyn i gerfio'r drydedd ganrif ar ddeg. Dywedodd y Ficer
wrthyf, fod lle i gredu mai uwchlaw'r allor fawr yr oedd hi ar y
cyntaf, cyn iddi gael ei disodli pan godwyd y *reredos* carreg, godi-
dog sydd yn awr i'w gweld y tucefn i'r allor. Digwyddodd hyn yn y
bedwaredd ganrif ar ddeg. Darlunia Jesse'n gorwedd ynghwsg, a'r
'blaguryn' yn tyfu o'i ochr, ac yn dringo o bobtu i'r eilunfa. Ar y
canghennau gwelwch frenhinoedd Juda, ac yn uchafbwynt y bwa
ben yr Arglwydd Iesu. Ni fyddaf fi'n peidio â rhyfeddu wrth weld
y ddawn a'r ynni creadigol a'r dyfalbarhad a aeth i greu cerfluniau
prydferth o'r fath i harddu teml yr Arglwydd.

Ar garreg fedd y tumewn i'r eglwys, gwelais bennill dwys i ferch
fach, ac er ei fod yn Saesneg, mentraf ei ddyfynnu.

Had restless Time whose harvest is each hour
Made but a pause,—to view this lovely flower,
In pity he'd have turn'd his scythe away,

And left it blooming to a future day;
But ruthless! he mow'd on, and it, alas,
(So soon) fell withering with the common grass.

Ar garreg arall cofnodir marwolaeth un Mathew Voss a fu farw yn rhyw 129 mlwydd oed. (Enghraifft arall o hirhoedledd trigolion y Fro, y tynnodd Iolo sylw ato).

Yma, hefyd, mae cofebau'r Bassetiaid, Bassetiaid Tresigin, a rhes o aelodau'r teulu o'r ddeunawfed a'r bedwaredd ganrif ar bymtheg, 'o'r plwyf hwn'.

Mi dybiwn i mai braf o beth yw cael bod yn offeiriad ar eglwys fel hon. Mae'r Ficer presennol yn ymwybodol o dreftadaeth Llan-illtud Fawr, a gwna bopeth o fewn ei allu i gadw'r traddodiadau'n fyw. Mewn ymgom ag ef, dywedodd wrthyf :

"Cofiwch, nid amgueddfa yw'r eglwys hon, er y gallai'n hawdd fynd yn un, oherwydd mae ynddi drysorau, ac olion sy'n mynd â ni yn ôl dros ryw ddeg canrif. Ond eglwys fyw yw hon, yn perthyn i'r ugeinfed ganrif, ac yn ceisio wynebu ei phroblemau."

Clywsom eisoes am ymweliadau Llydawyr â Llanilltud Fawr, a holais ef am yr hanes.

"Oherwydd cysylltiad yr eglwys hon â Llydaw, a geni Illtud yno, ceisiwn gadw cyfathrach fyw â'r wlad honno. Ymhlith y seintiau y dywedir iddynt gael eu haddysg yma, mae Sant Paulinus, un o ddis-gyblion Sant Garmon. Credir mai ef yw'r sant a adweinir yn Llydaw heddiw fel Sant Pol de Leon. 'Roedd ef yn gyd-ddisgybl â Sant Samson yn Llanilltud Fawr, a symudodd yn ddiweddarach i Dol yn Llydaw."

Ymwelodd y Ficer a'i wraig droeon â St. Pol de Leon,* yn westai i faer y dref. Ar ddydd Gwyl Sant Samson, Gorffennaf 28, 1968, gwelwyd rhyw bedwar ugain o wŷr a gwragedd, wedi'u gwisgo yng ngwisgoedd tref St. Pol de Leon, ar strydoedd culion, troeog Llan-illtud Fawr, a'r orymdaith yn cael ei harwain gan Faer y dref honno a rhai o'i chynghorwyr. Gorymdeithiasant, gyda baneri'n chwifio a'r bag-bibau'n canu alawon Cymreig, i'r eglwys yn y pant. Golygfa odidog, a ddug yn ôl ychydig o liw ac afiaith i strydoedd llwyd y dref ! Yn ystod y gwasanaeth canwyd emyn St. Pol a Sant Illtud, ac wedi'r gwasanaeth gwelwyd y Llydawyr yn dawnsio'u dawnsiau traddodiadol ar lawnt y ficerdy ac yn strydoedd y dref.

Y flwyddyn ganlynol gwahoddwyd y Ficer i ŵyl y 'Bleun Brug', a gynhelir mewn gwahanol ganolfannau yn Llydaw. Gweinyddwyd

yr Offeren Fawr gan Archesgob Rennes, a phregethwyd yn Llyd-
aweg gan Esgob Quimper, a'r Ficer yn eistedd ymhlith y Canoniaid
yn y côr. 'Roedd yr Esgob Mullins, y gŵyr pawb yng Nghymru
amdano fel Gwyddel a ddysgodd, ac a raddiodd yn y Gymraeg, yn
cyd-weinyddu. Canwyd rhai o'r emynau yn Gymraeg gan Gôr
Merched Tregaron. Bydd côr yr eglwys gadeiriol yn aml yn canu
emynau Cymraeg wedi'u cyfieithu i'r Llydaweg. Mewn un emyn a
genir ganddynt adroddir fel yr anfonodd Sant Illtud Sant Pol i
sefydlu'r llan yn y dref a adweinir yn awr wrth ei enw. Fe genir yr
emyn hwn yn ysgolion Llanilltud Fawr ar ŵyl eu nawddsant, Tach-
wedd y chweched.

Gyda dyfodiad y Farchnad Gyffredin, fe wêl y Ficer gyfle am
gyfathrach agosach rhwng yr Eglwys yng Nghymru a Llydaw,
gydag ymweliadau, neu bererindodau i gysegr-fannau'r wlad honno.

Ond mae'n bryd inni adael yr eglwys. Wrth ddod allan drwy'r
porth, trown ar y dde, ac ar ei phen gorllewinol mae muriau adfeil-
iedig adeilad a adweinid gynt fel 'Capel Galilea'. Daeth y capel
hwn dan ŵg y Protestaniaid oherwydd mai capel *chantry* ydoedd,
lle yr offrymid offerennau dros y meirw. Mae yn y muriau olion
eilunfa a *piscina*.

Awn allan o'r fynwent a chroesi afonig Hodnant, a dringo'r rhiw
(allt). Ar ymyl y ffordd, wrth gyrraedd y brig, mae olion hen ysgub-
oriau'r degwm, rhan o fferm weddol fawr a oedd yn nwylo'r
Normaniaid, y gwŷr, fel y dywedais, a drawsnewidiodd holl drefnia-
daeth yr hen eglwys Geltaidd. Pan gloddiwyd y tir yma ym 1912 a
1937, daethpwyd o hyd i grochenwaith a oedd yn cadarnhau'r cyf-
rifon sydd ar gael o hyd, sy'n dangos gweithgareddau'r ffarm a'r
ffatri wlân a geid yn y cyfnod rhwng dyfodiad y Normaniaid a'r
Refformasiwn.

Mewn cae ar y llaw chwith i'r ffordd fe welwch hen golomendy,
columbarium, nid anhebyg i'r un sydd i'w weld yn Ewenni.

Gyda'r Refformasiwn, os nad yn wir ychydig cyn hynny, daeth
newid arall dros y Fro, a thros y plwyf hwn. Gwelwyd enwau new-
ydd yn ymddangos, ac fe'u gwelwch ar gofebau yn yr eglwys—y
Carniaid, y Rhaglaniaid, y Vaniaid a'r Seysiaid. Bu'r ardal hon yn
ferw gan gwerylon gwaedlyd a fu rhwng y teuluoedd hyn a'i gilydd.

* Hon yw 'prif-ddinas' gwlad 'Sioni Wynwns'. Y tro nesaf y daw heibio ichi,
holwch ef am y dref!

Mae'n ddiddorol sylwi ar yr ansoddeiriau a ddefnyddiwyd gan Iolo Morganwg i ddisgrifio nodweddion teuluoedd y Fro.*

Wrth ymadael â'r dref, ar y ffordd i'r Bont-faen (heol B.4270) fe welwch y Tŷ Mawr, adeilad Jacobeaidd, ond tlodaidd yr olwg erbyn hyn. Dyma, unwaith, gartref teulu'r Nicholls. Yn y llythyr at John Carne, y dyfynnais ohono eisoes, dywed Iolo ei fod yn arfer gan y teulu hwn roi'r enw Illtud ar y mab hynaf.

Trown ar y chwith yn ymyl y Tŷ Mawr a dyma ni ar ein ffordd i Sain Dunwyd.

*Efallai y bydd o ddiddordeb i'r darllenydd gael rhestr ohonynt.
"Y Carniaid Penchwiban. Y Bassediaid Trwynuchel. Y Ffleminiaid mudion (a melynion). Y Twrbiliaid Ffrostus. Yr Herbertiaid Gweddeiddion. Y Matheuaid Poethwylltion. Y Stradlingiaid Llawen. Y Gamesiaid Tawelion. Y Saisiaid Tywyllion. Y Manseliaid Gwallgofus. Y Lewysiaid Arafion. Y Lleisioniaid Dysgedigion. Y Tomasiaid Meddwon. Y Siencyniaid Dichellgar. Y Gibyniaid Gwirion. Y Rhaglaniaid Chwaldodog. Y Spenseriaid Ynfydion." Dywed G. J. Williams ei bod yn bur debyg i Iolo glywed y disgrifiadau hyn ar dafod leferydd yn y Fro.

44. Castell Sain Dunwyd.   J. Idris Morgan

10

Sain Dunwyd

Gan adael Llanilltud Fawr ar ein hôl, awn ar ein hunion ar hyd ffordd wledig sy'n arwain i Sain Dunwyd. Ar y ffordd awn heibio i'r lle y safai *Dimlands,* lai na milltir o Lanilltud Fawr. Hwn oedd cartre'r Parchedig Robert Nicholl a briododd i mewn i deulu Carniaid yr As Fach, gan ychwanegu cyfenw ei briod at ei eiddo yntau. Codwyd y tŷ ym 1800, blwyddyn y briodas, ac 'roedd y tŷ Sioraidd hwn i fod yn arwydd fod y Parchedig wedi dal i fyny â'r Jonesiaid !

Yn fuan down at lannerch goediog sy'n ymestyn i lawr i'r môr, ac yno yn ei chanol saif castell Sain Dunwyd, yr harddaf, ond odid, o gastelli'r Fro. Saif ar dwyn gorllewinol y cwm, â'i erddi yn mynd i lawr yn derasau hyd at y pwll nofio bron ar ymyl y traeth.

Ymwelais â'r castell hwn droeon ar wahanol achlysuron, ond y tro diwethaf y bûm i yno, 'roeddwn yn ffodus i gael y Dr. Graham Loveluck, aelod o'r staff a Phennaeth Adran Gwyddoniaeth Coleg Iwerydd, i'm harwain o gwmpas.

Yr enw ar yr eglwys fechan sy'n nythu yn y coed dan gysgod y castell, ebr Dafydd Morganwg, yw Llanywerydd, a dywed i'r enw gael ei newid gan y Normaniaid. Yr unig sail dros gredu ym modolaeth Sant Gwerydd, ebr awduron *Lives of the British Saints,* yw'r hyn a geir yn y *Iolo MSS.,* ac wrth droi i'r gyfrol ryfedd honno, cawn y 'wybodaeth' yma : "Gwerydd Sant, ap Cadwn ap Cynan ap Endaf o wehelyth Bran Fendigaid yn Llanwerydd yng Ngwent, a elwir yn awr San Dunwyd." Barn Baring Gould a Fisher yw : "his existence is very doubtful." Ond pa amheuaeth bynnag sydd ynglŷn â'r enw, mae'n fwy na thebyg fod y llecyn hwn yn gysylltiedig â dechreuadau Cristnogaeth yn y Fro. Atgofia'r Athro Glanmor Williams ni fod Sain Dunwyd yn ymyl Llanilltud Fawr, a thros y dŵr mae Glastonbury, a gallwn fod yn sicr, ebr ef, fod addoli ar y llecyn hwn yng nghyfnod yr eglwys Geltaidd, os nad yn wir yng nghyfnod goresgyniad y Rhufeiniaid.

Pan gyrhaeddais Sain Dunwyd 'roedd y Dr. Loveluck yn disgwyl amdanaf y tuallan i byrth y castell, a dyma gychwyn ar unwaith ar ein taith o'i gwmpas. Yn ein hwynebu 'roedd twr y prif borth, a dyma ni wyneb yn wyneb â thystiolaeth i gymhlethdod achau'r Stradlingiaid, y teulu y bu'r castell hwn yn ei feddiant am ganrif-oedd lawer. Uwchben bwa'r twr ceir arfau'r Stradlingiaid ac arysgrif yn cofnodi priodas Janet Stradling ag un o deulu'r Carniaid ym 1652. Diben yr arysgrif, a osodwyd yno yn y bedwaredd ganrif ar bymtheg gan y Dr. Nicholl Carne, a brynodd y castell ym 1862, oedd profi'i gysylltiad â hen deulu'r Stradlingiaid.

Wedi mynd trwy'r porth, fe'n hwynebir gan borth i'r cwrt oddi-mewn lle y cawn olwg ar bensaernïaeth Duduraidd y castell yn ei holl ogoniant tawel. O sefyll wrth yr ail borth mae dau dwr yn y golwg, i'r dde Twr y Grocbren (*Gibbet Tower*), ac i'r chwith Twr y Fonesig Ann, a godwyd gan Syr Edward Stradling (I) ar gyfer ei briod. "Yma", ebr Dr. Loveluck wrthyf, "mae'r Prifathro a'i deulu'n byw."

Byddai'n ormod o dasg i fanylu ar holl ystafelloedd a nodwedd-ion pensaernïol y castell, ond os ymwelwch ag ef, ac fe ddylech wneud, fe gewch hanes pur fanwl am y manylion hyn mewn llyfryn hylaw. Sylwadau cyffredinol fydd gennyf fi ar rai o gysylltiadau hanesyddol y lle a fydd, mi obeithiaf, o ddiddordeb ichi, ac yn ychwanegu at eich pleser os dowch i grwydro'r lle.

Fel y sylwais, Tuduraidd, gan mwyaf, yw'r adeiladau o gwmpas y cwrt, ac i mi mae rhywbeth syml, dirodres ac urddasol yn perthyn i bensaernïaeth y cyfnod. Fe'm trawodd i droeon fod y bensaer-nïaeth hon, a miwsig y cyfnod o ran hynny yn llwyr wrthwyneb i natur filain cymdeithas ar y pryd. Efallai mai un o'r atebion i'r ffenomen yma yw cofio bod haneswyr, gan mwyaf, wedi troi o gwmpas y llysoedd a'r bobl fawr, ond bod artistwaith artistiaid yn ymdeimlo â dyheadau dynoliaeth, ac yn eu mynegi yn eu gwaith.

Yn union ar y dde wedi mynd trwy'r porth i'r cwrt mewnol, mae ffenestr oriel fechan, a roed yno yn y bedwaredd ganrif ar bymtheg i oleuo'r hyn a elwir yn 'ystafell yr offeiriad'. Dywedir mai yma yr oedd y capel, ond nid oes arwydd ohono i'w weld heddiw, a def-nyddir yr ystafell heddiw fel man cyfarfod y myfyrwyr i gynnal eu gweithgareddau crefyddol. Gan eu bod yn perthyn i lawer gwlad ac amryw grefyddau, cadwyd yr ystafell yn syml a di-addurn.

Mae'n bur debyg mai cysylltiadau modern y castell, a'r *Atlantic College* yn bennaf, a ddaeth â Sain Dunwyd i'r amlwg heddiw. Efallai fod rhai ohonoch yn cofio William Randolph Hearst, yr Americanwr a'r perchennog papurau newyddion cyfoethog, a fu byw yma yn y tri degau. Gwelsai Hearst lun o'r castell yn *Country Life,* fe'i hoffodd, ac fe'i prynodd. Ef a fu'n gyfrifol am lawer o'r cyfnewidiadau a welir yn y castell heddiw. "I Randolph Hearst", ebr Dr. Loveluck, "yr ŷm yn ddyledus fod y castell yn lle mor gyfforddus i fyw ynddo. Ef a roes y gwres canolog, a'r llu o gyfleusterau eraill sydd yma."

"Mae 'na lawer o gyfnewidiadau yn y castell heblaw gwres canolog, onid oes?"

"O oes. 'Roedd y nwyd gasglu yn rhan o gymeriad Randolph Hearst. Heblaw casglu darluniau, llestri arian, celfi a phethau o'r fath, 'roedd e' mewn gwirionedd yn gasglwr cestyll! 'Roedd ganddo ddau gastell yn America, ac i Sain Dunwyd fe ddug y lle tân a welwch chi, yn y man, yn yr ystafell frecwast. Daeth hwnnw yno o briordy Bradenstoke yn Wiltshire, ac mae'r tô i'r ystafell, o bren, wedi'i gerfio a'i addurno â lliwiau, fel yr un yn yr ystafell ginio, wedi'u dwyn o eglwys Boston yn swydd Lincoln.

Perthyn y cerfio cywrain hyn i'r Ffleminiaid a ymfudodd i'r rhan yma o Loegr. Daeth darnau eraill o wahanol wledydd, megis y scrin garreg o St. Albans a'r lle tân o Ffrainc.

Wedi bod yn yr ystafell frecwast a'r ystafell ginio, aeth Dr. Loveluck â mi i'r Neuadd Fawr. Hon yw Ystafell yr Athrawon heddiw. Dyma enghraifft o neuadd Duduraidd o ail hanner y bymthegfed ganrif, ac yr ydym yn ddyledus i gyfeillion Coleg Iwerydd am ail godi'r lle tân gwreiddiol a dynnwyd allan gan Randolph Hearst. Yn ffodus 'roedd y meini gwreiddiol wedi'u cadw. Modern yw'r ffenestr a dodwyd hi yno gan Morgan Stuart Williams, Aberpergwm a brynodd y castell ym 1901. Sylwch ar y rhosynnau Tuduraidd yn y tô cerfiedig. Dyma, wrth gwrs, arwyddlun Brenin Tuduraidd cyntaf Lloegr—Harri'r VII—wedi iddo esgyn i'r orsedd a chymryd Elisabeth o Efrog yn wraig. Ymhlith yr arfbeisiau yn y gwydr fe welwch eiddo Iestyn ap Gwrgant, Einion ap Collwyn, a'r Herbertiaid. Fel llawer o adeiladau hynafol eraill, mae gan gastell Sain Dunwyd ei stori am ysbryd sy'n dal i aflonyddu ar dawelwch y lle. Honnir mai ysbryd gwraig Syr Harri Stradling ydyw yn dis-

175

gwyl i'w gŵr ddychwelyd o'i bererindod i Jeriwsalem. Bu ef farw ar ynys Cyprus ar ei ffordd adref, a dywedir y gellir clywed troediad aflonydd ei wraig, a siffrwd sidanaidd ei dillad, ar yr oriel a oedd un adeg yn rhedeg gyda'r wal, ond yn awr mae wedi'i throi yn stafelloedd.

Cafodd Randolph Hearst wasanaeth Syr Charles Allom, un o benseiri enwocaf ei ddydd, i fod yn gyfrifol am yr adnewyddiadau i'r castell. Syr Charles oedd yn gyfrifol am adnewyddu Palas Buckingham yn nyddiau Siôr V.

Pan ymwelodd Lloyd George ag Eisteddfod Caerdydd ym 1938, yma y lletyodd ac yn y neuadd hon y bu beirdd yr Orsedd ac eisteddfodwyr eraill Eisteddfod Caerdydd yn gloddesta, ond nid cyn iddynt, ar ganiad yr utgorn, ddeisyfu am fynediad i'r neuadd gan Mr. Lloyd George, Arglwydd y Faenor, a hwnnw'n ei roi mewn Ffrangeg-Normanaidd! Bu Lloyd George yn aros yma yn 1930 hefyd, pan dderbyniodd ryddfraint y Bont-faen.

Bu'r castell hwn yn nyddiau Hearst yn gyrchfan pob math o enwogion o bob rhan o'r byd, yn wladweinwyr ac yn sêr y ffilmiau. Ei gydymaith agosaf oedd Marion Davies. Wedi i ddyddiau blin syrthio ar yr Americanwr, penderfynodd werthu'r castell, ond cyn iddo fedru gwneud fe ddaeth yn rhyfel, a defnyddiwyd y lle fel canolfan hyfforddi swyddogion. Wedi'r rhyfel, bu bron i'r castell gael ei droi'n wersyll carafannau, a rhaid codi het i Gyngor Dos-

45. Castell Sain Dunwyd a'r Eglwys.   J. Idris Morgan

barth Gwledig y Bont-faen am ei achub rhag y trychineb hwnnw.
Yn awr mae'n goleg i ferched a bechgyn ifanc o blith amrywiol
genhedloedd y byd. Cânt fyw ynghyd yn un o fannau mwyaf den-
iadol y Fro.

Sefydlwyd y Coleg, *The United World College of the Atlantic*,
a rhoi iddo ei enw swyddogol, llawn, ym 1962, ac ef yw'r cyntaf
o'r colegau y gobeithir eu codi ar hyd a lled y byd. Yn ôl bwriadau'r
sefydlwyr, dau brif amcan y Coleg yw "hybu dealltwriaeth ryng-
genedlaethol trwy addysg", a "chreu patrwm addysgol wedi'i gyf-
addasu i ateb gofynion arbennig ein hoes ni." Paratoi ar gyfer
addysg Prifysgol a wneir yma, ac o dipyn i beth llwyddwyd i greu
diploma fydd yn dderbyniol gan y rhan fwyaf o wledydd y byd.
Felly, medr unrhyw efrydydd, o unrhyw wlad, fod yn ffyddiog os
derbynia ddiploma'r Coleg ar ddiwedd ei gwrs, y bydd yn ddigonol
ar gyfer mynediad i Brifysgolion unrhyw wlad.

Rhoddir pwyslais mawr yn hyfforddiant y Coleg ar iechyd corff,
yn ogystal â iechyd meddwl. Erbyn hyn, gŵyr pawb a ŵyr unrhyw
beth am broblemau diogelwch ar draethau arfordir Cymru, am
waith ardderchog gwasanaeth achub-bywyd y Coleg yn Sain
Dunwyd. Ymestyn y gwasanaeth hwn ar hyd yr arfordir o Aber-
ddawan hyd at enau afon Ogwr. Rhoddir pedair awr yr wythnos i
hyfforddi'r efrydwyr yn y gwaith yma, ac nid yw'n ormod dweud
i'w llwyddiant fod yn symbyliad i ehangu'r gwaith angenrheidiol
hwn ar hyd arfordir Cymru benbwygilydd.

Hefyd, cefnogir pob math o weithgareddau cymdeithasol yn yr
ardal o gwmpas Sain Dunwyd. Ymwela'r efrydwyr â thai yr hen
a'r methedig a phlant dan anfantais. Ymunir yng ngweithgar-
eddau'r clybiau ieuenctid lleol, a deuir â phlant o'r ardaloedd tlotaf
yn y dinasoedd i dreulio gwyliau ar dir y castell.

Ar yr ochr ddiwylliannol, hybir gweithgareddau megis cerddor-
iaeth gerddorfaol, dramâu, corau, paentio, crochenwaith ac yn y
blaen. Hynny yw, mae'r addysg a gyfrennir yn ymgeisio at gyt-
bwysedd diddordebau ac at feithrin y bersonoliaeth gyflawn.

Pan ofynnais i'r Dr. Loveluck p'un oedd y testun mwyaf pob-
logaidd ymhlith yr efrydwyr, cefais yr ateb annisgwyl braidd :
"Mathemateg". 'Roedd hyn yn fy synnu, ond wedi meddwl, tybed
nad y ffaith eu bod o wahanol genhedloedd a gwahanol ieithoedd
sy'n gyfrifol am hyn? Mae gan fathemateg fodern ei hiaith ei hun,
a honno, fwy neu lai, yn iaith fyd-eang.

"Mae'r rhan fwyaf o'r efrydwyr yn ddwy-ieithog", ebr Dr. loveluck, "a'r Saeson, a'r bechgyn o Sir Forgannwg, sy'n uniaith!" Enfyn Sir Forgannwg ddau efrydydd y flwyddyn i Sain Dunwyd. Siaredais â merched o Sir Fôn a Sir Gaernarfon, ac 'roeddynt hwy, fel y gellid disgwyl, yn ddwyieithog. 'Roedd Cadeirydd, Ysgrifennydd a Thrysorydd Cyngor y Myfyrwyr, yn Gymry Cymraeg! A yw hyn yn profi rhywbeth, tybed?

Yn ara deg, mae'r Coleg yn ymsefydlu yn y Fro, ac yn dechrau ymgydnabod â'i bywyd. 'Roeddwn i'n falch gweld ar furiau'r llyfrgell eang, ddarluniau o'r ardal, ac yn eu plith ddarlun olew, hyfryd o Fethesda'r Fro gan Charles White.

Wedi crwydro o ystafell i ystafell a rhyfeddu at y gogoniannau, allan â ni i'r gerddi, sy'n wynebu'r De a'r môr. Fe geir disgrifiad o erddi Sain Dunwyd mewn cyfieithiad o gân Ladin Tomas Lleision gan y Dr. Siôn Dafydd Rhys. Dyma rai llinellau â'r orgraff wedi'i diweddaru ychydig.

> Yr ardd aml y lliwiau sy'n disgleirio o amryw flodau prydferth
> i borthi i golwg :
> Yma y ceir chwegrawn gwinoedd, nardydd, amomydd,
> rhosy[dd] a lilioedd ceinaidd [i] ddisgwyl (edrych) arnynt.
> Yma y mae'r gwenyn yn llafurio y mêl gorau ag anodd bod
> hebddo ysgribl Aristaews . . .*
> Y gerddi hyn gerllaw'r forgraig gan farchog euraid a'i euraid
> wraig a gaffont yn wastad eu golygu;
> Afalau euraid a dyfant yn yr ardd, a chreigiau euraid llyna
> bethau hardd i fwrw golwg arnynt :
> A pha bethau byth a geffir yno onid aur yn gwbl hawdd ei
> dreiglo eithr nid fal aml aur Midas.†

Gwyddai Iolo Morganwg am y gerdd yma, ac yn ddiau ymwelodd droeon â Sain Dunwyd â'i erddi teg. Nid yw'n syndod felly wybod iddo dadogi cywydd ar Tomas Lleision. Cywydd mawl i Syr Edward Stradling yw hwn, yn sôn am y gerddi a'r perllannoedd. Os mai ffug ydyw, ac nid oes lle i amau hynny, eto ni allaf lai na

---

* Lladdwyd gwenyn Aristaews gan y Nymphae, ac fe geir hanes pa fodd yr adferwyd hwy iddo ym mhedwaredd o *Georgica* Fyrsil. Ef a ddysgodd i ddynion sut i gadw gwenyn.

† Midas, brenin Phrygia. Pan gynhigiwyd iddo unrhyw ffafr a ddymunai gan Silenus, dymunodd y byddai i bopeth a gyffyrddai droi yn aur. Felly y bu, a throdd hyd yn oed y bwyd a fwytâi yn aur pur.

chredu fod Iolo yn canu i'r hyn a welodd â'i lygaid ei hun. Fel y dywedais mae Sain Dunwyd ar lan y môr, a'r diwrnod yr ymwelais i ag ef, yr oedd cychod hwyliau bychain efrydwyr y Coleg yn gwynnu'r tonnau, ac ambell long yn hwylio ar ei thaith i ryw wlad bell neu'i gilydd.

> Chwech gardd yn wych a gwyrddion
> Aml dwf yn ymyl y don.
> Un a'i lle uwchben y llall, (h.y. yn derasau)
> Yn gaerog un ag arall.
> O'r rhain fe welir ar hyd
> Fôr Hafren ffrydfawr hyfryd,
> Mynwes môr yn agored,
> A'r llif ewynog ar lled . . .
> A llongau a ollyngwyd
> Mysg ewyn briw mewn lliw llwyd,
> Hwyliant ym mysg yr heli
> Lliaws nawf er lles i ni,
> Buan fal am y bywyd
> A'u hyder ar bellter byd.

Cysylltir Sain Dunwyd, gan draddodiad, ag enw'r Dr. Siôn Dafydd Rhys, ac er nad oes sail i gredu iddo fyw yma, eto gwyddom mai i Syr Edward Stradling (2) y cyflwynodd ei ramadeg *Cambrobrytannicae Cymraecaeve Linguae Institutiones et Rudimenta,* a gyhoeddwyd ym 1592. Syr Edward a dalodd am argraffu'r llyfr. Er nad oes, yn ôl y cyfarwydd, fawr o werth ysgolheigaidd i'r llyfr, eto, 'roedd ei amcanion wrth ei sgrifennu yn rhai digon teilwng, sef ennyn diddordeb estroniaid yn y Gymraeg. Go lugoer yw Cymru, hyd yn oed heddiw, i adael i estroniaid wybod am ogoniannau ei thraddodiad llenyddol. Ond mae pethau yn gwella ychydig yn hyn o beth. Ysgrifennodd y Doctor ei lyfr yn Lladin, gan mai'r iaith honno oedd *lingua franca* gwledydd Cred. Nid oedd yn ddieithr i wledydd y cyfandir, a chyhoeddodd lyfr ar yr Eidaleg a oedd, mae'n debyg, yn hyfforddwr hylaw i Gymry a ymwelai â'r Eidal. *"The language there, which is Italian, he understood as well any native",* ebr Anthony Wood, yr hanesydd o'r ail ganrif ar bymtheg. 'Roedd yn un o blant y Dadeni Dysg, ac yn awyddus am weld y Gymraeg yn cael ei lle fel un o ieithoedd Cred.

Graddiodd y Ddoethur mewn meddygaeth yn Siena, a bu am ysbaid yn feddyg yng Nghaerdydd, ond yn Sir Frycheiniog y trigai pan ysgrifennai ei Ramadeg. Yn y rhagymadrodd iddo dywed :

"Nid oes nemor o iaith (hyd y gwn i) yn Ewrop a'i hynysoedd nas cafas ei hymgeleddu a'i choledd gan Ieithyddion a'u gwladwyr 'i hun o amser i gilydd; onid ein hiaith ni y Cymry. Yr hon yn awr yn hwyr ac o fraidd, a ddechreuodd gaffael peth gwrtaith gan wyrda dysgedig o'n hamser ni; a hynny yn enwedig o ran cymreighau corff yr ysgrythur lan . . ."

Mae tinc Salesbury a Richard Davies a Gruffudd Robert yn y rhagymadrodd hwn, er ei fod ef yn pwysleisio mwy ar werth y Gymraeg, efallai, na rhai o'i ragflaenwyr efengylaidd.

"Canys nid oes na ffordd na modd well yn y byd i warchadw iaith rhag ei cholli, na gwneuthur Gramadeg iddi ac ohoni."

Beia'r beirdd am gadw a chuddio eu llyfrau a'u gwybodaethau mewn cistiau a lleoedd diogel, ac wedi "angau a marwolaeth eu ceidwaid, ddyfod o'r llyfrau hyn drwy ddrwg ddi laith a thyngedfen, i ddwylo plantos a'u rhwygo, ac i wneuthur babïod ohonynt; neu at siop-wrageddos i ddodi llysiau siopau ynddynt : neu yntau at deilwriaid i wneuthur dull fesurau dillados : hyd nad oes nemor o'r pethau godidocaf yn y Gymraeg (wrth hyn o gamwedd) heb eu hanrheithio a'u difa yn llwyr."

Tybed ai disgrifio a wna yma yr hyn a welodd yn Llanfaethlu, lle y'i ganed, neu yn Sir Frycheiniog, lle'r oedd pan ysgrifennai'r Gramadeg? A sôn am Sir Frycheiniog deuthum ar draws llythyr gan y bardd Henry Vaughan at Anthony Wood yn Rhydychen sy'n cyfeirio at Siôn Dafydd Rhys a'r Stradlingiaid, ac 'rwy'n credu ei fod yn werth ei ddyfynnu.

"I received your letter in the declination of a tedious and severe sickness with a very slow recovery; but as soon as I get abroad I will contribute all I can to give satisfaction to your inquiries; specially about the learned Dr. John. David Rhesus: a person of great curious learning; but had the unhappiness to sojourn here in an age that understood him not. For the Stradlings I shall imploy a friend I have in Glamorganshire, to pick up what memorials remain of them in these parts."

Mewn llythyr arall at yr hynafiaethydd John Aubrey mae'n sôn am lyfr gramadeg Siôn Dafydd Rhys. Fe ddywedir i'r Doctor gael ei gladdu ym Mhriordy Aberhonddu, yr eglwys gadeiriol bresennol, ond fel y dywed Alun Llywelyn-Williams, yn *Crwydro Brycheiniog,* ni all neb heddiw nodi'r fan lle claddwyd ef.

Efallai y byddai'n dda yn y fan yma roi ychydig bach o hanes teulu'r Stradlingiaid. Honnai Syr Edward Stradling, mewn llawysgrif sy'n rhoi hanes sut y goresgynnwyd Morgannwg gan y Normaniaid dan arweiniad Robert Fitzhamon, fod y teulu yn disgyn o Syr William le Esterling, un o'r deuddeg marchog a ddilynai Fitzhamon. Yn ôl haneswyr sy'n abl i farnu, nid oes sail o gwbl i'r rhestr achau a geir yn y ddogfen hon. Dywed yr Athro Glanmor Williams mai myth yw saith cenhedlaeth gyntaf y Stradlingiaid fel y'u ceir yn yr hanes hwn. Mae'r ddogfen yma i'w gweld yn Llyfr-gell Rydd Caerdydd. Y cyntaf o'r Stradlingiaid i gyfaneddu castell Sain Dunwyd oedd Syr Peter 'de Stratlinges', pan briododd Joan de Hawey, etifeddes ei theulu a oedd yn berchen ar Sain Dunwyd a thiroedd yng Ngwlad yr Haf. Yr oedd hyn tua diwedd y drydedd ganrif ar ddeg. Dyma gychwyn cysylltiad y Stradlingiaid â'r castell, ac fe barhaodd drwy'r canrifoedd tan y ddeunawfed ganrif pan fu farw Syr Thomas yn ŵr ifanc di-etifedd. Deryn gwyllt oedd y Syr Thomas hwn, ac adroddir iddo fynd ar daith drwy Ewrop gyda'i gyfaill Syr John Tyrwhitt, ac iddynt addunedu i'w gilydd pwy bynnag a fyddai farw gyntaf y byddai'r llall yn etifeddu ei ystad. Bu farw Syr Thomas, ac etifeddodd Syr John gastell Sain Dunwyd. Oddi wrth y teulu hwn y prynodd John Nicholl Carne y castell.

Ymhlith cenhedlaethau teulu'r Stradlingiaid mae ambell un o ddiddordeb arbennig oherwydd eu cysylltiadau â bywyd diwylliannol Cymru. Y cyntaf ohonynt i ddyfod yn ymwybodol o ddiwylliant arbennig Cymru oedd Syr Harri Stradling. Yr oedd hwn yn ôl pob hanes yn noddwr i'r beirdd. Dywed G. J. Williams mai mewn cywydd gan Gwilym Tew o Dir Iarll y ceir 'y cyfeiriad cyntaf' at y Stradlingiaid yn llenyddiaeth Cymru. Canodd Gwilym Tew i deuluoedd Bro Morgannwg, megis Twrbiliaid Llandudwg, Mal-ffawntiaid Sain Siorys a Stradlingiaid Sain Dunwyd. Dros Syr Harri Stradling yr anfonodd gywydd at Harri Ddu o Ewias i erchi ceffyl. Fe argraffwyd cywydd o waith Gwilym Tew yng Ngramadeg Siôn Dafydd Rhys. 'Roedd Syr Harri yn bererin diflino. Ef yw'r gŵr a ddaliwyd gan Colyn Dolphyn, môr-herwr Llydewig, pan oedd yn hwylio o gartref ei rieni yng Ngwlad yr Haf i Sain Dunwyd. Bu rhaid iddo werthu nifer o'i faenordai i dalu'r prid-werth a hawlid gan yr herwr. Dyma'r pryd y codwyd y tŵr gwylio, sydd i'w weld o hyd ar y bryn gorllewinol o'r cwm yn Sain Dunwyd. i warchod y castell rhag dihirod y môr.

Un arall o noddwyr y beirdd oedd Syr Edward Stradling, a fu farw ym 1535, y dywedodd Thomas Wiliems o Drefriw amdano :

"Syr Edward Stradling, marchog disgleirlathr, prif ymgeleddwr ein hiaith Gymraeg yn neheuwlad Cymru, teilwng i'w goffáu yn y deunydd hwn, ac i bob dawnus ragorgamp yn perthyn i rinweddau a gwrolder."

'Roedd Thomas Wiliems yn gyd-oeswr â'r Dr. Siôn Dafydd Rhys, ac fel yntau yn ffisigwr. Ychydig wybodaeth sydd gennym am y Syr Edward hwn, ond gwyddom fod Lewis Morgannwg yn fardd teulu iddo. Ef a gododd y Neuadd Fawr a'r rhan fwyaf o'r adeiladau o gwmpas y cwrt. Priododd ei chwaer Siân â Syr Wiliam Gruffudd o'r Penrhyn, Arfon, a chanodd Lewis Morgannwg a Thudur Aled farwnadau iddi pan fu farw. Dyma ran o farwnad Tudur Aled :

I'm gwŷn y'm ganed,
Gloi un, a'i glaned,
Am gŵyn fy mhlaned im, gan mlynedd;
Mae'r cur im, a'r cri,
Mair fyw ! mawr wae fi—
Mal cri merthyri môr a thiredd . . .

Hyd pan aeth, maeth mawr,
Ystlys llys i'r llawr,
Ar hyn y bu awr o'i rhoi'n y bedd
Arch Siân ferch Sioned;
Wen fun, anfoned
At Duw gogoned Tegau Gwynedd;
Daearu'n dorau
Dan fur doe'n forau;
Dod i wraig orau, Duw, drugaredd.

Er mor ffurfiol yw'r crefftwaith, mae teimlad y bardd yn brigo i'r ŵyneb yn yr awdl hon.

Fel hyn y canodd Lewis Morganwg iddi mewn cywydd marwnad.

Llefain dwys llif Noe a'i dwg
llef ar gwyn holl Forganwg.
dagrau hyd ruddiau a dring
Sy draw hidlaid Ystradling . . .
Siân fry'n hynys frenhinwaed
Sy dan lawr, ystanlei waed;
Ar elor mae wyr Wiliam
Ymreich cor y marchog cam . . .
Chwarae ag angau nid gwiw
Rhy gadarn yrhawg ydyw

Gwae ddwy Wynedd, gwaedd union,
Gladdu merch o arglwydd Môn . . .
Duw a wyl ado Wiliam
Oni fo iarll, nef yw fam.

Efallai ei bod yn anodd i ni sydd heb ein cyflyru i ddulliau canu beirdd yr oes honno, amgyffred, mewn gwirionedd, beth oedd dyfnder eu teimladau; neu, benderfynu pryd y mae crefft yn gorlywodraethu ar deimladau dynol. Mae holl ragdybiau crefyddol a chymdeithasol y cyfnod mor ddieithr i ni heddiw nes bod yn rhaid gweithredu cryn ymdrech ac amynedd i fedru mynd i mewn i'w byd.

Yn ddiau, y Stradling y gwyddom fwyaf amdano yw'r Syr Edward a anwyd ym 1529, a'r un y canodd Iolo Morganwg ei ffug gywydd mawl iddo. Ef a fu'n gyfrifol am lawer o ail-adeiladu a fu yn Sain Dunwyd, ac am osod y gerddi a folwyd gan Thomas Lleision, fel y sylwais eisoes. Fe wyddom gryn lawer amdano trwy'r llythyrau ato a gyhoeddwyd gan y Parchedig J. M. Traherne, Coedrhiglan, yn y ddeunawfed ganrif. Mae hon yn gyfrol ddifyr i'w darllen, a chyfyd y llen ar lawer agwedd ar hanes yr unfed ganrif ar bymtheg. Yn Syr Edward cawn enghraifft dda o wrbonheddig y Dadeni; gŵr a ymhyfrydai yn y clasuron ac yn llenyddiaeth ei ddydd, gan gynnwys llenyddiaeth Cymru. Casglodd lyfrau lawer a hen lawysgrifau i'w lyfrgell gyfoethog. Yn yr ail ganrif ar bymtheg, yn ystod y Rhyfel Cartref, 'roedd y teulu yn Frenhinwyr cadarn, a chafodd James Ussher, Archesgob Armagh, yr ysgolhaig a'r hanesydd mawr, loches yn Sain Dunwyd, ac 'roedd yn llawn edmygedd o lyfrgell gyfoethog y castell, a gwnaeth ddefnydd helaeth ohoni yn ei alltudiaeth.

'Roedd Syr Edward, hefyd, yn hanesydd, a gellir ei restru ymhlith haneswyr eraill y Fro, megis Rhys Amheurug o'r Cotrel a Thomas Wilkins o Lan-fair. Yn ei ddydd 'roedd yn gyfeillgar â gŵr enwog fel Lewis Dwnn yr achyddwr, a Wiliam Camden yr hynafiaethwr ac awdur *Britannia*. Elwodd y ddau ar wybodaeth Syr Edward am hanes y Fro a Morgannwg. Syr Edward, fel y crybwyllaf wrth ymweld â'r Bont-faen, a roes, trwy ei ewyllys, ar ei nai Syr John Stradling y dasg o sefydlu ysgol ramadeg y dref honno.

O ddyddiau Syr Edward ymlaen, ychydig o ddiddordeb sydd i mi yn hanes y teulu. Mae enw'r teulu yn fyw o hyd ym Morgannwg. Pan oedd fy mab Owen yng Ngholeg Llanymddyfri, 'roedd ganddo gyfaill â'r cyfenw Stradling, a honnai ei fod yn disgyn o deulu Sain Dunwyd; sut ni wn i!

Cyn ymadael â'r castell aeth y Dr. Loveluck â mi i weld yr eglwys fechan yn y pant islaw. Wrth fynd i lawr, sylwais ei fod mewn man diarffordd iawn.

"Ydi, heddiw", ebr ef, "ond nid felly yr oedd hi bob amser. Welwch chi'r adfeilion draw fan acw yn y coed. Wel, yno oedd yr hen bersondy, hefyd ysgol ac ychydig o dai. Un adeg 'roedd y ffordd oedd yn arwain o Lanilltud Fawr i Farcroes yn mynd heibio iddyn-nhw. Fe welwch y ffordd wedi'i marcio ar y map ordnans 2½ modfedd."

Fe gaewyd y ffordd hon, meddai, ym 1903, gan Morgan Williams, Aberpergwm, pan brynodd y castell. Fe fu yntau, fel ei ragflaenwyr yn gyfrifol am lawer o atgyweirio digon cydwybodol ar y castell.

Ym mynwent yr eglwys, fe welwch enghraifft wych o un o'r ychydig groesau mediefal sy'n aros yn y Fro, ac mae'n wyrth iddi gael ei gadael yn ddianaf wrth gofio bod rheswm dros gredu i Cromwell a'i filwyr ymweld â Sain Dunwyd. Fe wnaeth hynt y gwynt a'r glaw ddifrod ar garreg y groes, ond fe ellir gweld o hyd amlinell y delwau cerfiedig traddodiadol—yr Arglwydd Iesu ar y groes, gyda Mair Fendigaid a Sant Ioan yn gwylio wrth ei throed, ar un ochr, a Mair a'r Baban ar yr ochr arall.

Yn yr eglwys fel y mae hi heddiw gellwch weld olion o'r eglwys Normanaidd gyntaf, fel yn y bwa i'r gangell. Yn nechrau'r drydedd ganrif ar ddeg ehangwyd yr adeilad, ac mae'r twˆr gyda'i fwa Seisnig yn perthyn i'r cyfnod hwn. Esboniaf wrth ymweld ag eglwys Sant Ioan, y Drenewydd yn Notais, i allorau carreg gael eu difwyno a'u dileu yng nghyfnod y Refformasiwn, ac y ceir ambell allor garreg hwnt ac yma o hyd. Fe fu'r *mensa* (bwrdd) carreg yn Sain Dunwyd yn gorwedd ar lawr am ganrifoedd, ond fe'i adferwyd i'w le priodol ym 1907. Mae i hwn, fel i allorau cyffelyb, bum arwydd y Grog, a chroes gysegru'r esgob ar ymyl y garreg.

Mae'r groes ar yr allor, a'r ddarllenfa, yn werth eich sylw. Fe wnaed y groes o ddarnau o groes orymdeithiol, ac mae'n enghraifft arbennig o wych o grefftwaith Tuduraidd. Daeth y ddarllenfa o Lydaw, a chyflwynwyd hi i'r eglwys ym 1913. Yn lle'r eryr sydd fynychaf yn dal y bwrdd darllen, ceir ffigur o Sant Ioan. Honnir ei

46. Y Groes Fediefal, Sain Dunwyd.   H. Gastineau

fod yn perthyn i'r oes fediefal, yr hyn a elwid bryd hynny yn *ambo*,
eto credir mai copi yw llawer ohono, er bod rhai arbenigwyr o'r
farn fod y panelau a'r bais arfau yn wreiddiol.

185

Ara deg fu'r Stradlingiad yn troi gyda gwynt y Refformasiwn, ac 'roedd Syr Thomas Stradling, a fu farw ym 1573, yn Babydd selog. Ef a fu'n gyfrifol am godi Capel Mair yr eglwys. Hyd yn oed wedi i Elisabeth esgyn i'r orsedd daliodd yn ffyddlon i'r 'hen Ffydd'. Fe adroddir un hanes rhyfedd am y gŵr hwn. Mewn storom fawr ym 1559, fe ddrylliwyd onnen fawr, ac wrth ei harchwilio, honnwyd fod arwydd y groes i'w weld yn glir ar y darn pren oedd yn dal i sefyll. Gwnaed darluniau ohoni ac anfonodd Syr Thomas gopïau i'w blant, ac eraill. Taenwyd y stori ar led, ac yn y cyfnod cythryblus hwn, fe ddefnyddiwyd y digwyddiad fel rhyw fath o arwydd gwyrthiol gan y Pabyddion, ac fel propaganda dros yr hen Ffydd. 'Roedd yr amserau yn ddrwg, ac arweiniodd brwdfrydedd Syr Thomas dros y stori ef i'r Tŵr yn Llundain. Ond ni lwyddodd hyn beri iddo wadu ei ffydd.

Troes ei fab Edward y capel yn fawsolewm i'r teulu, a chasglodd iddo gymaint o gyrff ei hynafiaid ag y medrai ddod o hyd iddynt. Y mae cofadail wych iddo ef ei hun ymhlith rhai ei hynafiaid yn y capel. Un peth arall o ddiddordeb yma yw'r gyfres o bortreadau mewn olew ar bren o rai o deuluoedd y Stradlingiaid. Mae yno dri darlun, y cyntaf o Syr Harri Stradling a'i deulu; yr ail, Syr Edward Stradling, a fu farw ym 1535, a'i deulu; a'r trydydd, Syr Edward Stradling a fu farw ym 1609, a'i wraig. (Doedd ganddyn-nhw ddim plant).

Yma y claddwyd yr olaf o'r Stradlingiaid, y gŵr ifanc Syr Thomas, 'rwy' eisoes wedi sôn amdano, a gorwedd gyda'i frawd dan gofadail farmor fawr.

Felly y darfu am linach un o deuluoedd dylanwadol y Fro, ac ni welwyd neb a allai honni cysylltiad â'r teulu, tan i'r Dr. John Nicholl-Carne brynu'r castell ym 1872.

47.   Yr arfordir ger Marcroes.   J. Idris Morgan

11

Marcroes, Yr As Fawr, Brychdwn, Y Wig

Y tro yma awn trwy Lanilltud Fawr, ac yna troi i'r chwith i gyfeiriad Sain Dunwyd, ar hyd ffordd B4265. Mae'n ffordd wledig hyfryd a dolydd breision gwastad o bob tu iddi. Gan ei bod yn tynnu am hydref, mae'r caeau yn dangos olion y fedel a'r ffermydd ar bob llaw yn dwyn arwyddion cyfoeth. Ychydig dros filltir o'r Wig, mae tro ar y chwith yn arwain yn union syth i Marcroes, ac ar hyd honno yr awn yn awr, a chyrraedd y pentref bach ymhen rhyw filltir. Nid yw poblogaeth y plwy wedi newid fawr ar hyd y canrifoedd. Ni fu'r plwy erioed â llawer mwy na phedwar ugain o drigolion ynddo, ac yn y pentref heddiw nid oes mwy na rhyw ddau ddwsin o dai, a'r rhan fwyaf ohonynt yn dai cownsil. Rhyw chwech neu saith o dai oedd yn yr hen bentref, ac nid yw'n anodd eu hadnabod heddiw. Mae yno, hefyd, dafarn ac eglwys.

Uwchben drws y dafarn gwelais yr enw 'Stuart Deere', ac enynnodd hyn fy chwilfrydedd. Tybed a oedd hwn yn hannu o'r Fro? Gan ei bod yn ddiwrnod digon poeth, ac yn bryd i mi gael tamaid a llymaid, i mewn i'r dafarn â mi. Yr oedd y gŵr y tucefn i'r bar â golwg tafarnwr arno, er mai cwpaned o de, neu goffi, oedd o'i flaen ar y cownter! Gelwais ddiod a brechdan gig. Yna gofynnais:

"Mr. Deere?"

"Ie."

"Enw go adnabyddus yn y Fro. Ydych chi wedi'ch geni ym Marcroes?"

"Nac ydw, yn Llanilltud Fawr."

"Oes gennych chi ddiddordeb yn hanes teulu'r Deere?"

"O oes, wir," ac ymlaen ag ef i ddweud bod gŵr o Lanilltud Fawr yn paratoi rhestr achau'r teulu ar ei gyfer, a bwriadai pan orffenid ef, ei osod ar fur y bar. Yr oedd yn beth braf ei glywed yn sôn am y teulu, a gweld dyn yn ymhyfrydu yn ei wreiddiau, ac yn falch o gael siarad amdanynt â dieithryn fel hyn. Holais ef am rai mannau yn y pentref yr oeddwn yn awyddus i ymweld â hwy, a ffwrdd â mi i lawr am y traeth yn Nash Point.

'Doeddwn i ddim wedi mynd ymhell ar hyd y ffordd cyn gweld arwydd yn fy rhybuddio y byddai'n rhaid talu am barcio'r car ar y maes uwchben y môr. Mae mwy a mwy o hyn yn digwydd ar hyd y glannau heddiw. Nid yw cynddrwg ag yn yr Eidal, dweder, lle mae dyn yn gorfod talu am fynd ar y traeth o gwbl!

Ar y dde inni, mae cwm bychan, serth, ac afonig nad yw ei henw ar y map yn llifo tua'r môr gerllaw. Dim ond 'Cwm Marcross' a nodir ar y map 'ordnance' dwy fodfedd a hanner. Ar ben y bryn y tudraw i'r cwm fe welwch dair tomen fawr a ffosydd rhyngddynt; hen gyfundrefn amddiffyn, na ŵyr neb, am wn i, ei hoedran.

Pan gyrhaeddais y maes parcio, a *maes* agored ydoedd, nid erw o goncrid, gofynnais i'r wraig a ddynesai ataf i gynnig tocyn parcio i mi hyd yn oed cyn i'r car stopio, ple'r oedd yr 'hen eglwys' y darllenais amdani mewn llyfrau taith, ond ni wyddai; ni wyddai neb arall a holais o gwmpas y lle, chwaith. Yn ôl y map, mae 'cae'r eglwys', ar y chwith i'r lôn sy'n arwain i'r goleudy ar Nash Point, ond ni allwn i weld adfeilion o fath yn y byd.

Er hynny, pan ymwelodd Malkin â'r fan tua 1803, fe welodd "another ancient cromlech called the Old Church; and they have still a tradition, both here and at Llangonoyd, that these rude structures, or old churches, were formerly the places of worship belonging to the villages." Mae'n debyg na chaf fi gyfle byth mwy, i ymweld â'r fan eto, i geisio cael gafael ar y 'rude structures' yma. (Tybed a oes ychydig o ôl Iolo ar y ddamcaniaeth hon, fel gyda'r ddamcaniaeth Ioloaidd am y gromlech yn Nyffryn Golych?) Dylwn nodi, hefyd, fod Dafydd Morganwg, yn ei *Hanes Morganwg,* yn sôn am y 'gromlech fawr', ond nid yw'n glir oddi wrth yr hyn a ysgrifennodd iddo'i gweld â'i lygaid ei hun.

Mae'r olygfa o'r maes parcio uwchlaw'r môr yn odidog wych; llawr gwastad creigiog y traeth islaw, a'r graig yn codi'n syth, a honno wedi'i gosod yn haen ar haen ar ben ei gilydd, gan greu effaith sydd wedi denu miloedd o arlunwyr i'r rhan yma o arfordir y Fro. Os oes rywle lle y gellir canu "Ar lan y môr mae carreg wastad", arfordir Morgannwg yw hwnnw.

Ar y penrhyn mae dau oleudy, yn codi'n llachar wyn uwchlaw'r môr. Mae'r rhan yma o'r arfordir yn un neilltuol o beryglus i

48. Goleudy "Nash Point".   J. Idris Morgan

longau, nid yn unig oherwydd y creigiau, ond hefyd oherwydd y
tywod twyllodrus sy'n ymestyn o'r Penrhyn am bellter o ryw bedair
milltir. Mor bell yn ôl â 1831 collwyd llong yma, a bywydau pedwar
ugain o bobl. Hwn oedd achlysur codi'r gri am adeiladu goleudy
ar y fan. Ceir, wrth gwrs, lawer o storïau am ymddygiad haerllug
ac annynol rhai o bobl yr arfordir yn y dyddiau gynt, yn ysbeilio'r
llongau a ddrylliwyd ar y creigiau, neu a ddaliwyd gan y tywod;
ond mae'n deg ychwanegu nad ym Mro Morgannwg yn unig y ceir
y fath storïau.

Os ydych am brynhawn o dorheulo yng ngolwg y môr, mae Nash
Point cystal lle â'r un. Pan oeddwn i yno ddiwethaf, ym Medi 1970,
nid oedd mwy na rhyw hanner dwsin o geir yna.

Ond rhaid gadael y môr a'i donnau glas, a symud i gyfeiriad yr
As Fawr, gan ei fod yn ymyl. Ond cyn gadael Marcroes, fe alwn
heibio i'r eglwys fechan, Eglwys y Drindod, yr euthum heibio iddi

ar fy ffordd i lawr i'r traeth. Yn anffodus yr oedd y drws ynghlo; sylwais fod bwa'r porth o ffurf ddiddorol iawn,—bwa Normanaidd yn codi o'r ddeupen, allan o ddau ben cerfiedig, digon annynol yr olwg arnynt. Yr oedd y bwa ei hun o batrwm na welais ei debyg o'r blaen.

Gelwais mewn siop yn ymyl, a holi a oedd allwedd (agoriad) àr gael i mi gael mynd i mewn i'r eglwys. Nid oedd; yr oedd honno gyda'r offeiriad. Bu raid cloi yr eglwys rhag difrod fandaliaid ifainc a fu'n distrywio a lladrata addurniadau'r allor. Holais a wyddent unrhyw beth am 'yr hen eglwys' y bûm i'n chwilio yn ofer amdani. Ni wyddent hwy; yr oedd tri ohonynt, gŵr a gwraig a merch ganol oed.

Holais y wraig : "Ydych chi wedi'ch geni yma?"

"Ydwyf".

Trwy ychydig bach o holi pellach cefais ei bod yn un a thrigain oed.

"A 'dŷch chi ddim wedi clywed am yr 'hen eglwys'?"

"Naddo; y mae Bryn-eglwys yn enw ar dŷ yn y pentre nesaf."

"Na," meddai'r gŵr, eto, yn Saesneg; "not *bryn* eglwys, but *hen* eglwys—old church."

"O", meddwn i, " 'rŷch chi'n medru Cymraeg."

"Ydw", meddai, ac aeth ymlaen i siarad mewn Cymraeg gloyw, a oedd yn gymysgedd ryfedd o acenion y De a'r Gogledd.

"Nid un o'r pentre yma ŷch chi?"

"Nage, siŵr."

"O ble te?"

"Bangor!"

"Faint sy ers pan ŷch chi yma?"

"Deugain mlynedd".

Ac nid oedd angen gofyn pwy ddaeth ag e' yma. Daeth i lawr o'r Gogledd i Benrhiw-ceibr, i weithio yn y pyllau glo. Cyfarfu â geneth a ddenodd ei fryd ar ryw brynhawn yng Nghaerdydd. Cyn bo hir priododd y ddau, a dymà nhw wedi byw, yn hapus ddigon, yn Marcroes. Tybed a yw'r gŵr weithiau'n breuddwydio am fynydd-oedd Eryri a'u cribau talog?

Ond rhaid gadael Marcroes, a chan fod yr As Fawr, Brychdwn a'r Wig yn ymyl, gwell inni roi tro amdanynt. Mae'r ardal hon, gan gynnwys Marcroes, yr As Fawr, Brychdwn a'r Wig, yn rhoi rhyw deimlad mwy Seisnig na llawer ardal arall yn y Fro. Wrth gwrs fe

49. Brychdwn a'r Wig.   J. Idris Morgan

fu dylanwad y Normaniaid a'r mynachod yn drwm yma; eto, wrth edrych ar enwau'r ffermydd, y meysydd ac yn y blaen, ar y map ordans, fe welwch fod llu ohonynt yn Gymraeg, enwau fel Ty'n-y-caeau, Llan, Heol Felen, Cae'r Eglwys, Castell y Dryw, Blaen-y-cwm, Clawdd-y-Mynach, Cwrt-y-mynach, Glanmôr, Pysgodlyn, a chymysgedd fel Monkton Isaf, ac eraill.

Nid yw'r As Fawr yn bentref o faint, ond ganrifoedd yn ôl, cyn diddymiad y mynachlogydd, yr oedd iddo le pwysig yn economi'r mynachod. I ba le bynnag y trowch chi ar hyd meysydd y plwy, fe welwch, ar wahan i'r enwau sy'n awgrymu cysylltiad â'r mynachod, olion hen waliau, adfeilion hen ysguboriau o'r dyddiau hynny. Ym-ddengys fod y plwy wedi'i roddi'n waddol i Abaty Nedd gan y Norman, Richard de Grenville. Fe gafodd yntau'r plwy gan Fitzhamon, adeiladydd castell Caerdydd, a arglwyddiaethai ar For-gannwg o afon Taf i Dawe. Mae enw Saesneg y lle, *Monknash,*

193

yn awgrymu cysylltiadau mynachaidd, er mai *Great Nash* yw'r enw ar fap John Speed, 1610. Mae'r enw Cymraeg, yn ôl yr Athro Melville Richards, yn tarddu o'r Saesneg Canol, *'attenashe'*, sef 'lle yn ymyl yr Onnen.

50. Adfeilion hen ydlannau, yr As Fawr.   J. Idris Morgan

Fe waddolwyd Abaty Nedd â chyfran o dir yn yr As Fawr, y tir y tuhwnt i afon *Nash,* gan Maurice de Londres, Arglwydd Ogwr, y gŵr a orchfygodd Wenllïan, gwraig Gruffudd ap Rhys, ar faes Gwenllïan, ger Cydweli. Ef, fel y sylwais wrth ymweld âg Ewenni, oedd yn gyfrifol am sefydlu'r priordy yno; nid yw'n rhyfedd, felly, fod cysylltiad agos wedi bod rhwng Ewenni a'r As Fawr.

Fe fu'r lle yn ydlan i Abaty Nedd, ac mae olion ei muriau i'w gweld yno o hyd. Yn yr unfed ganrif ar bymtheg fe brynwyd yr As

Fawr gan Stradlingiaid Sain Dunwyd. Mae rhannau o eglwys fechan y plwy' yn perthyn i'r cyfnod Normanaidd, fel y bwa rhwng y corff a'r gangell, er ei fod, erbyn heddiw, dan haen o sment, a'r unig beth yn y golwg yw'r ddwy garreg rhwng y bwa ei hun a'r

51.   Eglwys y Santes Fair, yr As Fawr   J. Idris Morgan

pileri. To teils carreg sydd i'r eglwys, ac o'r tumewn fe welwch nad oes dim yn cuddio'r dellt sy'n eu dal. Fe ddywed C. J. O. Evans, awdur y teithlyfr diddorol, *Glamorgan,* fod traddodiad i'r trawstiau a'r coed gael eu casglu o longau'r *Armada;* ond mae'n bur debyg fod y coed yn hŷn, hyd yn oed, na hyn.

Wrth fynd o'r eglwys tua'r Brychdwn (*Broughton,* a yngenir Bruffton, yn y Fro) fe gewch weld y ffermydd o'r naill du i'r heol, a'u muriau hen, a'r adfeilion sy'n nodweddu'r As Fawr.

Ymhen ychydig gannoedd o lathenni wedi gadael yr eglwys, fe drown ar y dde, a dyna ni ym mhentref Brychdwn, pentref un heol, ac ni ellwch lai na gweld y bragdy â'i dŵr pyramydaidd, ar ymyl y ffordd. Buaswn wedi rhuthro heibio i hwn, yn ddigon di-sylw, oni bai fod y fangre hon yn gysegredig i filoedd ar filoedd o Gymry. Yma, o 1932 tan 1939, cyfnod y dirwasgiad mawr, y cynhaliai George M. Ll. Davies ei wersyll gwyliau i lowyr di-waith y Rhondda. Deil Cymru i anwylo ei enw, ac i gyrchu at ei fedd yn Nolwyddelan. Dyma, yn ddiau, un o gymeriadau rhyfeddaf y ganrif hon,—cymeriad y mae dylanwad ei bersonoliaeth i'w deimlo yn rymus o hyd mewn llawer cylch yng Nghymru heddiw. Heddychwr a Christion, a gŵr a ymboenai beunydd am ddioddefaint ei bobl. Efallai na ellir crynhoi buchedd y gŵr hwn yn well na thrwy ddyfynnu o gân R. Williams Parry i'r Gwrthodedigion.

> Yr ail oedd seraff yr efengyl seml
> A fu'n ymgynnal heb na thâl na theml
> Oherwydd fod ei gariad at ei Dduw
> Yn fwy nag at ei fara ac at ei fyw.

'Y cyntaf' yn y cyswllt hwn, wrth gwrs, oedd Saunders Lewis, gŵr o deithi ac o dymer hollol wahanol. Yr ail oedd George M. Ll. Davies, y cyn-fancer. Gyda llaw, yr oedd yn nodweddiadol o Fardd yr Haf i fynegi ei gydymdeimlad â chyfeillion mor wahanol i'w gilydd â George M. Ll. Davies a Saunders Lewis; yr hyn oedd yn gyffredin i'r ddau, ac yn ennyn ei gydymdeimlad, oedd eu bod ill dau, yn ei olwg ef, yn 'wrthodedig'.

Yn ei dro fe fu'r bragdy hwn yn wersyll carcharorion, yn noddfa i noddedigion, ond erbyn hyn fe'i trowyd yn fflatiau di-ramant; a oes rhywrai ymhlith y tenantiaid presennol sy'n cofio am ramant y gwersyll gwyliau?

Dyma'r cyfnod hapusaf yn hanes George M. Ll. Davies. Teimlai ef i'r byw gyni'r di-waith yn y Rhondda, a'r cymoedd eraill. Gwyliai gyda thristwch cynyddol ddylifiad y Cymry i Loegr. Mewn erthygl yn *Y Drysorfa* ym 1938 mynegodd ei dristwch, ac ebr ef:

"Y mae dylifiad y gwaed ifanc o'r cymoedd glo i Loegr yn dal i gynyddu. Eisoes y mae 360,000 wedi dianc o'r De er dechrau'r dir-wasgiad, ec erbyn hyn y mae rhieni yn dechrau dilyn y plant a sef-ydlodd yn Lloegr. Pe gallai ffigurau gyfleu personau byw i'n dychymyg, y fath loes, y fath unigedd, y fath hiraeth a olygir wrth feddwl am y dadwreiddio o'r cysylltiadau arferol—teulu, cymdog-aeth, cyfeillion a chenedl, er mwyn y gwaith a'r geiniog! Wedi cyrraedd Dagenham neu Watford deallant fod hen "gymdogaeth dda" y cymoedd wedi darfod, clywant lach ambell Sais yn sôn am "bloody Welshmen", a dônt o'u gwaith i'r llety heb na chroesaw na chyfeillgarwch. Felly melir y De rhwng meini'r felin—angen a thlodi yma, neu alltudiaeth ac unigedd draw. Nid yw'r Sais yn amgyffred cwyn a chyflwr y Cymry, mwy na chwyn a chyflwr y cyfandir, nac yn deall bod y naill a'r llall i'w briodoli i raddau helaeth i bolisi cyffredinol Prydain."

Mae'n sôn am Watford, ac mae hyn yn dwyn i gof mai yno yr oeddwn i a'm priod am ran o'r cyfnod yma. Cofiaf yn dda y dosbarth Beiblaidd a gynhelid ar aelwyd y Dr. a Mrs. Tom Phillips, yn Harrow, ar gyfer yr alltudion, gan mwyaf, o Ddeheudir Cymru. Yr oedd hyn yn enghraifft o "gymdogaeth dda" dau Gristion clodwiw i alltudion mewn estron dir.

Fe ysgrifennodd Mr. Davies bamffled bychan am y bragdy, *Around the Malthouse*, sy'n anodd dod o hyd iddo heddiw. Yn hwn mae'n crynhoi hanes y gwersyll gwyliau yno, a gobeithiaf y maddeuwch imi am ddyfynnu yn yr iaith wreiddiol.

"Originally (the Malthouse) was built to make malt; later it was bought to make men happier in the long years of unemployment in the Valleys. For over ten years up to a thousand men and women came there for a week's summer holiday, perhaps a hundred each week. The cost to them was three shillings for a week's board and lodging . . . We are not all angels or tee-totallers yet it was never found necessary to expel a single camper. We relied on the good sense and fair play of the community when we had problems or failures to face. And as the year went on the understanding deepened and the friendships grew. As the clouds of war deepened in 1939 and we knew not what was to happen to our world, the shells of differences opened and the human heart in its need became visible, especially as we stood at the last day of the Camp and sang Cwm Rhondda together with a new feeling of the old words 'Guide me O thou great Jehovah, Pilgrim through this barren land'."

Fe'm symudwyd i pan ddarllenais i'r paragraff diymhongar hwn gyntaf, ac er na chefais i'r fraint o gyfarfod George M. Ll. Davies, teimlaf imi synhwyro rhywbeth o rin ei bersonoliaeth yn ei eiriau syml.

Cafodd yrfa ryfeddol, ac yn ei dro bu'n fancer, yn ysgrifennydd y *Welsh Town Planning and Housing Trust*, yn Aelod Seneddol dros Brifysgol Cymru, yn Weinidog yr Efengyl, ac yna gyda'r Crynwyr ym Maes-yr-haf, yn y Rhondda, lle y rhoddodd ei holl nerth a'i ynni at wasanaeth y di-waith. Bu farw ym 1949, a'i gladdu yn Nolwyddelan.

Wrth edrych ar y bragdy hwn, ar ymyl y ffordd, mae darllen penillion Tom Nefyn iddo, yn rhoi llafar i'r meini, a'u gwneud yn gofadail i ŵr a ymdreuliodd yng ngwasanaeth ei gyd-ddyn.

O bell, bell
Fe glywid rhu y môr
Fel traffig trwm hyd anweledig ffyrdd;
O'r tir
Ymgodai'n hen
Ac uwch na'r cloddiau ceimion fyrdd.

A phell, pell
Oedd dwndwr pob cul stryd,
Fel gelyn dreng a gedwid draw gan lonydd gaeau gant;

A'r bragdy glwys
Rôi saib i wŷr diwaith o'u syrffed hir,
Heb foddio mwy annirwest, afrad, chwant.

Pell, pellach fyth
Na rhu y môr, neu ddwndwr stryd,
Yw llawer un a dariodd yno ddyddiau'r cledi mawr;

Y bragdy'n wag,
Gyda'i eiddew gwyrdd a choch,
Yn gwylio'n fudan uncwrs rawd y gwyll a'r wawr.

Codais y darn hwn o gofiant George M. Ll. Davies, mewn dwy gyfrol, gan E. H. Griffith. Maent yn gyfrolau anhepgor i'r neb a fynn wybod am fywyd a buchedd y gŵr rhyfedd hwn.

52. Saint-y-Brid. J. Idris Morgan

12

Saint-y-Brid, Dwn-Rhefn

Heddiw trown tua Saint-y-brid a Dwn-rhefn. Fe ddown o hyd i Saint-y-brid o ddau gyfeiriad; troi i'r chwith o'r Pwrtwai ar yr ail 'roundabout' i'r deau o Ben-y-bont ar Ogwr, ac ymlaen trwy Ewenni nes cyrraedd y pentref. Neu fe ellir agosáu ato o gyfeiriad Llanilltud Fawr, ar hyd yr un heol (B4265) a thrwy'r Wig. Fe dyfodd Saint-y-brid yn arw yn ystod y blynyddoedd diwethaf, ac o'r braidd y cewch chi ymdeimlad o gwbl eich bod yn un o bentrefi'r Fro. Ond efallai mai fi sy'n methu. Fe geir un triban rhamantus lle mae'r bardd wedi cydio'r pentref wrth ei 'ferch fach lân' :

> Yn Sant-y-brid mae 'nghariad,
> Yn Sant-y-brid mae 'mwriad,
> Yn Sant-y-brid mae merch fach lân,
> Os caf hi o flan y 'ffeirad.

Y mae eglwys a 'ffeirad yma o hyd, ac mae'n debyg mai'r eglwys fechan a'i thŵr castellog ar ben y bryn, a'r groes fediefal ar bentwr o risiau carreg, yw'r unig beth yn y pentref heddiw a all atal troed y crwydryn. Hon yw eglwys Sant Ffraid. Gwyddeles oedd Ffraid, neu Bridget, neu Brigid, neu Brid fel yn yr enw Cymraeg. Sant Phred y'i gelwir yn y copi o gywydd Iorwerth Fynglwyd yn llawysgrif Llanstephan. Yn y cywydd edrydd y bardd, a drigai gynt yn y pentref hwn, hanes ei buchedd a'i gwyrthiau.

> Y lleian, hardd yw llun hon
> Lle urddaist holl Iwerddon . . .

Yr oedd yn ferch i 'Dipdagus', un o ddugiaid yr Ynys Werdd, 'Dipdagus o dop dugiaid'. Daeth i Gymru, yn ôl y chwedl, trwy nofio ar ddarn o dir ar draws y môr, a glanio ar lannau Dyfi.

O Iwerddon ar donnen
Y môr yn wir morwyn wen
Da y nofiaist hyd yn Nyfi
Dull duw ar [dy] fantell di,
Ar lif y daethost i'r lan
O ffrwd loew San Phred leian.

Dywed Baring Gould a Fisher, yn eu pedair cyfrol ar y seintiau Celtig, fod chwedl am Sant Ffraid yn troi'r brwyn yn bysgod, brwyniaid, yn dal i gael ei hadrodd yn Nyffryn Conwy. A diau mai dyma'r hyn y cyfeirir ato yn y cywydd pan ddywed y bardd :

Gwnaethost o'r brwyn yng Ngwynedd
Bysgod glân basg gyda gwledd . . .

Mae'n debyg mai ymgais i esbonio'r enw 'brwyniaid' sydd yma; ac felly ymlaen â'r cywydd o wyrth i wyrth. Fe geir tystiolaeth i'w phoblogrwydd yn nifer yr eglwysi sy'n arddel ei henw. Ceir tair ohonynt yn y Fro : Saint-y-brid, Llansanffraid-ar-Elái a Llansanffraid-ar-Ogwr. Y mae hefyd ddwy Brigid, y naill o Kildare, a'r llall o Cill-Muine, a'r olaf, yn ôl awduron *Lives of the British Saints,* oedd yr un a ddaeth yn enwog yn Ne Cymru. Dywedir am y Santes o Cill-Muine, fel am yr un o Kildare, iddi groesi'r môr ar ddarn o dir, ac iddi lanio yn Neganwy, yn ymyl Conwy. Y mae stori arall gyffelyb yn ei chysylltu ag afon Ddyfi.

Â'r eglwys yn Sant-y-Brid yn ôl i'r cyfnod Normanaidd, fel y gwelir wrth fwa'r gangell a bwa'r porth gogleddol. Ar wahân i'r rhain y mae'r eglwys o gyfnod diweddarach. Ymhlith y cofebau a'r beddrodau mae un i deulu'r Butler's, neu'r Botelers o Ddwn-rhefn gerllaw. Credir mai delwau o John Butler a Jane Basset o Bewpyr yw'r rhai a welir yn yr eglwys.

Mewn agen ym mur y gangell, ceir delw Saint Ffraid, ac mae'n ogleisiol meddwl y gallai'r ddelw hon fod yma yn nyddiau Iorwerth Fynglwyd, ac mai hon, efallai, a'i symbylodd i ganu ei gywydd iddi. 'Roedd ef yn un o ddau gywyddwr mawr Morgannwg yn oes y meistri. Y llall oedd Lewis Morgannwg o'r Bont-faen. Trwy ddarllen ei gywyddau caiff dyn yr argraff ei fod yn ŵr synhwyrgall, ond eto cynnes ei deimladau. Wrth gymharu ei gywydd i Rys ap Siôn o Lyn Nedd ag eiddo Lewis Morgannwg, fe allwn, 'rwy'n meddwl, synhwyro'r gwahaniaeth rhyngddynt. Mae Lewis yn canu ar ffordd ganol y traddodiad canu mawl.

Nef i'r dyn a roed ennyd
A fu'n ben tra fu'n y byd.
Och o'i farw yn iach fawredd,
Och miliwn, och am Lyn Nedd . . .

Marw pen a chapten chwe chant,
Marw ail Gwalchmai a Rolant,
Marw Llŷr yr henwyr ben raith
Marw Selyf a Mars eilwaith . . .

Ni chaf win na chyfannedd
Na chalon iach am Lyn Nedd,
Dwyn Rys hael, dawn yr oes hon,
Dwyn golwg dyn a'i galon . . .
Ei fawr ofn fu ar ryfalch
Fo wnâi o'r bedd ofn i'r balch.

Mae Iorwerth Fynglwyd, yntau, yn dilyn yr un traddodiad, ond rywfodd neu'i gilydd, teimlaf fod ei gywyddau a'i awdl i Rys ap Siôn, Aberpergwm yn taro ychydig bach yn fwy o'r nodyn personol. Fe ddwedir mai yng ngharchar Syr Mathias Cradog yn Abertawe, yr ysgrifennodd y cywydd hwn i'w noddwr.

Pwy ar dafod pur difai,
Pwy ŵr a fydd heb ryw fai?
Oerfel im er a wnelon
Os beius iwch, Rys ap Siôn,
A fu enwog o fonedd
I alw a wnaed o Lyn Nedd;
Bonedd heddiw ni wedda,
Baedd yw dyn oni bydd da;

Os byw neb dros ben 'i oes,
Ba dda a wnâi byw ddwyoes?
Pwy'r hael o'r pur wehelyth,
Pwy'r rhai beilch sy'n parhau byth?
Ba ddug, o bai dda'i waith,
Ba frenin heb farw unwaith?
Pwy nen na chwympai'n unawr,
Pan elo'r un pen i lawr?
Y pen aeth, er pan aethost;
A fo pen, ef yw y post . . .

Ac yna fe geir y cypledau angerddol hyn, sy'n codi ymhell uwchlaw gofynion moliant confensiynol.

> Ni mynnaf fyth, mi â'n fud,
> Dy wadu, tra fwy'n dwedud;
> Mae'r tafod yn gyfrodedd
> A'r galon iwch, iôr Glyn Nedd;
> Er torri yn gwarteron
> Y crau, i ti y cred hon.

Nid yw'n debyg y ceir cywydd mwy ysol ei deyrngarwch na hwn. Hefyd, canodd awdl i Rys ap Siôn, a hoffwn ddyfynnu ychydig linellau huawdl.

> Hyd y bo yr haul, hyd y bo rhych,
> Hyd yr heuir ddim, hyd i hardd ych,
> Hyd y daw y glaw hyd y gwlych—gaeaf
> Hyd y chwyso haf a hyd y sych.

> Ni'm dawr o ungerdd ond tra cerddych,
> Ni'm dawr o fawredd pan orweddych,
> Ni'm dawr o faenawr neu fynych neithiawr
> Ni'm dawr o fyw awr ond tra fych.

Wrth ddarllen ei waith nid anodd yw sylwi ar yr hyn y tynnwyd sylw ato gan fwy nag un beirniad, sef ei ddawn i greu cypledau cofiadwy, diarhebol eu naws. Fe'i gwelwch yn y llinellau a ddyfynnwyd eisoes, neu mewn cwpled fel hwn, er enghraifft :

> Rhaid i fardd os rhodio fydd
> Gnoi cil i ganu celwydd.

neu hwn,

> Tydi'r gwan, taw di â'r gwir,
> Arian da a wrandewir.

Fe geir y cwpled yma yn y cywydd a argraffodd y Dr. Thomas Parry yn yr *Oxford Book of Welsh Verse,* ac a sgrifennwyd gan y bardd i gysuro Rhys ap Siôn pan syrthiodd ar ddyddiau drwg, a'i orfodi i fynd ar herw. Fe fu ei lys yn gyrchfan ac yn noddfa i lawer o feirdd Cymru yn y cyfnod hwn.

> Pand hir na welir ond nos?
> Pe byr, hir yw pob aros,
> Os hir cannos i orwedd
> Hwy yw blaen awr heb Lyn Nedd.

Ac mae'r cywydd hwn hefyd yn llawn cypledau cryfion, epigrama-
tig.

> Wrth ddau beth yr aeth y byd—
> Wrth ofn ac wrth werth hefyd.

Ddwy dudalen ymlaen yn y casgliad hwn y mae marwnad Tudur
Aled i Siân Stradling, Sain Dunwyd, ac mae hyn yn ein hatgoffa
y byddai ef a Iorwerth Fynglwyd yn cyfarfod yn llys Syr Rhys ap
Tomas yng Nghydweli ac Ystrad Tywi. Canodd Iorwerth englyn i
groesawu Tudur Aled i'r llys.

> Groeso, gras Iago, nid segur—y gras
> Mal groesawu Arthur,
> Gras y Pab, mae'n groeso pur,
> Gras Duw wyd, groeso Dudur.

Dyfalodd G. J. Williams y gallai ef a Lewys Morgannwg, a oedd
hefyd yn gyfarwydd â llys Syr Rhys, fod yno pan fu farw ei noddwr
a Thudur Aled ym 1526, a'u claddu yng Nghwrt y Brodyr, yng
Nghaerfyrddin.

A fydd adeg eto, tybed, pan gofir Iorwerth Fynglwyd, ac adrodd
ei gywyddau yn Saint-y-brid?

Wrth adael Saint-y-brid, daeth i'm cof i 'nghyfaill y Dr. Alun
Oldfield Davies ddweud wrthyf mai yn y pentref hwn y treuliodd
y Dr. Dillwyn John flynyddoedd ei blentyndod, ac yn ddiweddarach
cefais sgwrs ag ef. Gŵr tawel, diymhongar yw'r Dr. John, ac mae'n
anodd credu iddo dderbyn Medal y Pegynnau (Polar Medal) am
ei deithiau, dair ohonyn-nhw, i'r Antarctig yn y llongau ymchwil,
William Scoresby a'r *Discovery*. Ganed ef yn Llan-gan, ond sym-
udodd y teulu i Saint-y-brid pan oedd yn grẁtyn bach. 'Roedd ei
dadcu a'i famgu ar ochr ei fam yn siarad Cymraeg, a'i dad felly
hefyd. Ni fedrai ei fam Gymraeg; a hynny a gyfrif fod Dr. John
yn Gymro di-Gymraeg. Er hynny, cofia fynd i ddosbarth Cymraeg
yn Seion, capel y Methodistiaid Calfinaidd. Pan oedd ef yn blen-
tyn, Cymraeg oedd iaith gwasanaeth y bore yn y capel, a Saesneg
y nos. Mi fyddai bob amser bregeth Gymraeg yn y Cyrddau Mawr.
Fe roes ei dad, ebr ef, restr o bobl â'u gwreiddiau yn Saint-y-brid
a'r Wig, a fedrai Gymraeg, i G. J. Williams; ac fe recordiwyd y
bobl hyn gan adran tafodieithoedd Sain Ffagan. Gofynnodd
Dr. John i'w dad unwaith, pa iaith a ddeuai'n naturiol iddo wrth
gyfarch pobl ar heolydd Llanharri, pan oedd yn byw yno, ac
yntau'n ŵr ifanc. Ei ateb pendant oedd mai Cymraeg a ddefnyddiai,

a dyma gadarnhau unwaith eto honiad y gŵr o Waelod y Garth am Gymreigrwydd y Fro yn y ganrif ddiwethaf.

Mae'r Dr. John wedi ymddeol o'r Amgueddfa Genedlaethol lle y bu'n Gyfarwyddwr o 1948 tan 1970. Yn ystod y cyfnod hwn bu datblygiadau a chynnydd mawr yng ngwaith yr Amgueddfa; y cyfnod hwn a welodd agor yr Amgueddfa Werin yn Sain Ffagan dan oruchwyliaeth y Dr. Iorwerth Peate; hefyd, cychwynwyd y gwasanaeth i'r ysgolion, ac agor adran ddiwydiant yr Amgueddfa; gwelwyd, hefyd, ychwanegu casgliad gwych Misses Gwendoline a Margaret Davies o baentiadau rhai o brif artistiaid Ffrainc at oriel ddarluniau'r Amgueddfa. Trwy fy swydd fel Pennaeth Rhaglenni yn y BBC, cefais ryw 'olwg o bell' ar un sydd ar unrhyw gyfrif yn foneddwr, yn ysgolhaig, ac yn ŵr o chwaeth.

Ond rhaid gadael Saint-y-brid, gan gymryd heol B.4524 sy'n arwain yn syth i *Southerndown* a Dwn-rhefn. Pentre glan môr yw *Southerndown,* ac fel y tystia'i enw, fe geir yno wastadedd helaeth uwchlaw'r môr, sy'n hyfryd i gerdded arno, ac yn rhoi golwg ar y sianel a threfi a phentrefi Gwlad yr Haf dros y dŵr.

Cofiaf dreulio noson ddifyr yng nghwmni Cymdeithas Gymraeg y Bont-faen a'r Cylch, yng ngwesty *Little West, Southerndown,* i ddathlu Gŵyl Ddewi. Deuthum oddiyno y noson honno, ar waethaf gorfod defnyddio cryn dipyn o Saesneg yn fy araith, yn fwy ffyddiog nag erioed, y gellir gydag ymdrech droi Bro Morgannwg unwaith eto'n Gymraeg. Yn eistedd gyferbyn â mi 'roedd gŵr ifanc a'i wraig brydweddol, ac ni siaredais air o Saesneg â hwy. Felly y dylai hi fod mewn cinio Gŵyl Ddewi. Ie siŵr, ond cefais mai dysgu Cymraeg a wnaeth y ddau yma. 'Roedd y gŵr ifanc yn perthyn i deulu o argraffwyr yn y Bont-faen, D. Brown a'i Feibion. Ar wahân i ddim arall, ei brofiad oedd bod gwybodaeth o'r Gymraeg o werth amhrisiadwy iddo yn ei waith. 'Roedd un arall o'r teulu, trwy briodas, yn bresennol, ac yntau'n siarad ac yn canu yn Gymraeg. 'Roedd yntau yn gweithio yn ffyrm ei dad-yng-nghyfraith. Mae dysgu Cymraeg yn dechrau dod yn ffasiwn yn y Fro, ac onid ffasiwn oedd crefydd y Dic-Siôn-Dafyddion hwythau? Efallai mai'r neges orau y gellir ei throsglwyddo heddiw yw geiriau Iolo Morganwg, pan ddywedodd :

"There can be no doubt, but that the preservation and retention of the Welsh language will be the greatest blessing of all others to Wales. In this Language and in no other can civilization . . . be advanced and sustained among the Welsh."

Yn eistedd nesaf ataf yn y ginio hon yr oedd gŵr yn dwyn yr enw W. J. Bevan, ac wrth ymgomio ag ef cefais mai ef oedd y gŵr a roes wybodaeth i G. J. Williams am beth o hanes teulu Thomas ap Ieuan, y copïwr llawysgrifau o Dre'r-bryn, ym mhlwyf Llangrallo. Disgyn Mr. Bevan o'r teulu hwn, ac mae rhai o'r teulu o hyd yn byw yn agos i Dre'r-bryn. Caf sôn am hyn wrth ymweld â Llangrallo.

Ond mae'n debyg mai prif atyniad *Southerndown* yw'r bae islaw, —Bae Dwn-rhefn, â'i draeth eang a'i glogwyni anferth yn codi'n syth o'r môr; a'r ogofau ardderchog ac ofnadwy o bob math a luniwyd gan chwipio di-dostur y don ar hyd miloedd o ganrifoedd. Fe ellwch fynd â'r car i lawr i'r traeth, ac wrth ddisgyn iddo, ar y llethr gyferbyn â chi, fe welwch y fan lle safai 'castell' Dwn-rhefn. 'Rwy'n ei gofio'n dda—mwy o blasty na chastell. Fe'i codwyd gan Thomas Wyndham, Aelod Seneddol Sir Forgannwg, ar ddechrau'r ganrif ddiwethaf. Pan ddaeth Malkin heibio i'r fan yn 1803, 'roedd yr adeiladu ar eu hanner, ac ebr ef :

"There was nothing worth preservation in the old building, or I am inclined to think that it would be preserved. It was altogether inadequate to the hospitable requisitions of its owner, who has nearly completed a large and handsome Gothic mansion."

53. Yr arfordir ger Dwn-rhefn.   J. Idris Morgan

Ni ellid gwell safle i blasty na hwn ar y llethr uwchlaw'r môr. Ond yn ei dro fe'i tynnwyd yntau, fel ei ragflaenwyr, i'r llawr.

Adroddwyd hanesion a chwedlau di-rif, ar hyd y canrifoedd, am Ddwn-rhefn. Diau bod yr enw yn mynd â ni yn ôl i ddechreuadau ein hanes, ac yn debyg o fod yn gysylltiedig ag olion yr hen gaerau sydd i'w gweld yng nghyffiniau'r 'castell' o hyd. Os gwir a ddywedir yn atgofion Elijah Waring am Iolo, mi fu'r bardd yn arfaethu sgrifennu hanes Dwn-rhefn. Mewn darn o lythyr o waith Iolo a gyhoeddir gan Waring, mae'n dweud iddo, ar wahoddiad Mrs. Wyndham, fynd i'r castell i weld agor rhan hynafol o'r "ancient entrenchment and embankment". Rhydd ddisgrifiad gweddol fanwl o'r hen furiau, y cerrig, y clai a'r mortar. Mae yn ei elfen yn trafod crefft yr adeiladwyr, ond ni wn a oedd yr hyn a welodd yn ddigon i gadarnhau ei gasgliad mai gwaith yr hen Gymry ydoedd, ac iddynt ddysgu'r grefft oddi wrth y Rhufeiniaid.

Yn nyddiau'r Normaniaid 'roedd y lle yn nwylo de Londres, Ewenni. Os cywir yr hyn a ddywed Leland, yna, maenor oedd Dwn-rhefn, ac fe'i trosglwyddwyd gan y de Londres i ddwylo le Boteler, neu Butler. Mae'r enw yn dynodi safle'r gŵr yn nhŷ ei arglwydd, ond yn golygu tipyn mwy nag a olygir wrth y gair 'butler' heddiw. Os edrychwch chi ar arfbais y teulu yn eglwys Saint-y-brid, fe welwch gwpan â chlawr arno, yn arwydd o'i swydd. Fe fu'r teulu hwn yn byw yn Nwn-rhefn am ddeg cenhedlaeth, o'r unfed ganrif ar ddeg tan y bedwaredd ganrif ar ddeg, ac yn y cyfnod hwnnw gysylltu trwy briodas â rhai o deuluoedd pwysig y Fro, megis y Twrbiliaid, y Basetiaid, a'r Matheuaid. Terfynodd llinach y Bwtleriaid gydag aeres, yn nechrau'r unfed ganrif ar bymtheg, a phriododd hi Syr Richard Vaughan o deulu Fychaniaid Bredwardine a Thretŵr, Sir Frycheiniog. Dyma linach y bardd Henry Vaughan, a oedd wrth gwrs, yn Gymro Cymraeg. Bu Dwn-rhefn yn nwylo'r Fychaniad tan 1642, pan aeth y stad trwy bwrcas, i ddwylo John Wyndham, a'r teulu yma a fu'n gyfrifol am godi'r adeilad olaf ar y tir, a ddymchwelwyd yn y ganrif hon.

Y mae traddodiad lliwgar, os nad cywir, am yr olaf o Fychaniaid Dwn-rhefn. Dywedir i'r mab hynaf adael Dwn-rhefn a mynd i wledydd pell i chwilio am ffortiwn. Yr oedd y tad, erbyn hyn, wedi syrthio ar ddyddiau drwg, a cheisiodd ychwanegu at ei gyllid prin trwy 'wreca', a 'doedd unman gwell i gyflawni'r fath anfadwaith na Dwn-rhefn â'i greigiau peryglus. Ymunodd 'Mat Law-haearn',

54. Plas Dwn-rhefn, 1776. S. Hooper

hen forleidr, ag ef yn ei ddrwgweithredoedd. Un diwrnod, collodd
Vaughan ddau o'i feibion trwy foddi, a'r trydydd trwy ddamwain
yn y tŷ. Gwelai hyn fel dial Duw am ei weithredoedd ysgeler, a
cheisiodd wella'i fuchedd a thorri'n rhydd oddi wrth Mat. Treuliai
ei ddyddiau yn awr yn gwylio'r môr am arwydd o long a ddygai ei
fab hynaf adref.

Un noson stormus gwelwyd llong yn ymyl yr arfordir yn chwilio
am loches. Ond ni newidiasai Mat ei fuchedd, a gwelwyd ei oleu-
adau bradwrus yn disgleirio ar y dyfnder, yn denu'r llong i'w
thranc. Trawodd yn erbyn y creigiau, ac ymhen ychydig amser ym-
ddangosodd Mat â'r newydd i Vaughan i bawb ond y capten golli'u
bywydau,—a Chymro oedd hwnnw. Yn ôl y stori, taflwyd hwnnw
ar y traeth, sylweddolodd Mat mai mab ac etifedd Vaughan
ydoedd. Llofruddiodd ef, a thorri ei law chwith i ffwrdd, er mwyn
medru dangos y fodrwy arni i'r hen Vaughan. Y fodrwy hon a
brofai pwy ydoedd.

209

Dyma'r pryd, meddir, y gwerthwyd Dwn-rhefn i'r Wyndhams, a ffodd Vaughan o'r wlad, ac ni chlywyd mwy amdano.

Pa wirionedd sydd yn hyn oll, ni wn i. Mae'n debyg mai cysgod y traddodiad hwn sydd ar eiriau'r hen unawd poblogaidd gynt, 'Brad Dynrafon'. D. Pughe Evans, y cerddor o Gynwyl Elfed biau'r gerddoriaeth, ond ni wn pwy yw awdur y geiriau. 'Roedd llong-ddrylliad yn thema boblogaidd gan y beirdd yn y ganrif ddiwethaf, ac nid yng Nghymru yn unig, ond yn Lloegr, hefyd, megis *Wreck of the Deutschland*, Gerard Manley Hopkins. Mae blynyddoedd er pan glywais i ganu Brad Dynrafon. Dyma'r geiriau, fydd yn siŵr o ddwyn atgofion o'r hen eisteddfodau i lawer un.

Ar graig Dynrafon uwch y dwfn,
    Y sai'r morleidr cry',
Gan edrych dan ei guchiog ael
    Dros donnau'r dyfnder du.
Ei goffrau oedd o aur yn llawn
    Diderfyn oedd ei stôr,
Er hynny dal i speilio wnai
    Y meirw ar lan y môr.

Ei unig fab oedd wedi mynd
    Am dro i arall wlad,
I ddod yn ôl yn llon rhyw ddydd
    I dderbyn ei ystad.
Ond hiraeth dros ei galon ddaeth,
    A throdd ei rudd yn wleb,
Mewn llong marsiandwr tua thre'
    Heb anfon gair at neb.

Machluda'r haul mewn cwmwl prudd,
    A chwynfan mae y gwynt,
A sŵn y storm ar hwyr y dydd,
    Sy'n chwiban ar ei hynt;
Mae'n arwydd drycin yn y nef,
    A thwllwch o bob tu,
A'r hen forleidr dremia draw
    I'r môr trwy'r noson ddu.

Ah ! beth sy' ger y lli?
Mae'n dod yn nes, o hyd yn nes !
Dacw hwyl !

"Wel, dyma long yn dod", medd ef,
    "Yn llwythog dros yr aig",
Ac yng ngoleuni hudol fflam,
    Mae'n taro ar y graig!
Y lladron a'u llusernau'n dân
    A ruthrent am y stôr,
A'r tad a ganfu ei fab ei hun,
    Yn farw ar draeth y môr.

Mae'n debyg i lawer cynulleidfa trwy Gymru yn y ganrif ddiwethaf gael, a defnyddio gair ffasiynol y dwthwn hwn, 'gwefr' wrth wrando ar yr unawd melodramatig hwn. Ond gwareder ni rhag bod yn uchel-ael feirniadus; on'd ydym ni yn yr oes deledol hon, yn cael y cyfryw brofiadau o nos i nos!

55. Castell Ogwr.   J. Idris Morgan

13

Sutton, Castell Ogwr, Merthyr Mawr, Tregawntlo

O *Southerndown,* awn ar hyd ffordd yr arfordir (B.4524) trwy Aberogwr, a Sutton a'i chwareli enwog, y mynnodd Iolo fod Iorwerth Fynglwyd unwaith yn berchen arni, a'r lle, meddai ef, y gweithiai Richard a William Twrch disgynyddion i Iorwerth! Richard Twrch oedd y gŵr yr honnodd Iolo iddo godi porth godi-dog y Bewpyr. Cyn hir, down i olwg afon Ogwr, ac wedi teithio rhyw filltir neu ddwy, fe welwch arwydd yn eich cyfeirio tuag adfeilion castell Ogwr, ar fin yr afon. Ni chewch fan mwy dymunol i ymweld ag ef; yr afon yn llifo'n llyfn a thawel heibio i odre'r castell a cherrig rhyd dros yr afon, a phlant a phlant hŷn yn cael hwyl yn eu croesi! Dywedodd rhywun fod mwy o 'snaps' wedi'u tynu yn y fangre hon nag yn unrhyw fan trwy Gymru gyfan! Yr enw a roddir ar y cerrig rhyd yw 'stepsau Teilo'; ond nid dyma'r 'stepsau' gwreiddiol. Ceid rhain ychydig yn uwch i fyny'r afon, i roi ffordd i groesi i Ferthyr Mawr. Pan ddilewyd y cerrig hyn a gosod cerrig rhyd is-law'r castell, trosglwyddwyd yr enw i'r rhyd hon. Ychydig o'r castell sydd yn weddill bellach ond mae olion lle tân y dywedir ei fod yn perthyn i'r ddeudegfed ganrif, i'w weld o hyd. Nid oes un arall o'r cyfnod hwn yn Sir Forgannwg.

Bu arglwyddiaeth Ogwr yn un enwog yn hanes Morgannwg. Fe'i goresgynwyd gan y Normaniaid, fe gredir, gan Robert Fitz-hamon, ac 'roedd gan y castell hwn ran bwysig yn strategiaeth y goresgynwyr wrth iddynt geisio dal eu gafael ar Forgannwg. Mae a wnelo enw, a ddaeth yn enwog yn hanes y Fro, â'r castell hwn—William de Londres, y daethom ar ei draws wrth ymweld ag Ewenni. Credir iddo gael ei osod yng nghastell Ogwr, i'w ddal yn erbyn y Cymry gwrthryfelgar o gwmpas. Fel y soniais eisoes, bu gan y teulu hwn ddylanwad mawr, nid yn unig ar wleidyddiaeth yn y Fro, ond hefyd ar ei chrefydd. Trwy'r Fro mai dylanwad y Normaniaid i'w weld ar adeiladwaith yr eglwysi. Dilewyd pob atgof am yr eglwysi Celtig, Cymreig, ac yn eu lle daeth yr eglwysi cerrig, cadarn a'u bwâu addurniedig. Ond prin y mae un eglwys gwbl Normanaidd yn aros yn y Fro, dim ond olion ambell fur neu fwa neu fedyddfa.

Byddai adrodd hanes y castell hwn yn golygu traethawd hanes-yddol, maith. Ond efallai y goddefwch imi nodi ffaith fach neu ddwy. Yn nechrau'r bymthegfed ganrif ymosododd Owain Glyn-dŵr ar gastell Coety, ryw bum milltir, fwy neu lai, i ffwrdd, a'r pryd hwnnw gwnaed difrod mawr yn arglwyddiaeth Ogwr. Mae'n ymddangos i'r werin ymuno â Glyndŵr, oherwydd wedi i'r brwydro orffen, ac i bethau ddechrau tawelu, rhoddwyd pardwn y brenin i denantiaid yr arglwyddiaeth. O hynny ymlaen bu'r castell a'r arglwyddiaeth yn nwylo llawer teulu, trwy briodas neu ymgyf-reithio, un o hobïau pennaf teuluoedd y Fro! Yn eu tro bu'r Matheuaid, y Stradlingiaid, a'r Thomasiaid yn ddeiliaid tir yn arglwyddiaeth Ogwr, ac yn eu dydd yn noddwyr ein beirdd. Mae'n ddiddorol sylwi fel y bu i'r Gymraeg edwino wedi goresgyniad y Normaniaid, ond iddi, tua'r bedwaredd ganrif ar ddeg, ddechrau ymysgwyd o'r llwch, nes adennill ei lle, a throi llawer o'r teuluoedd Normanaidd yn Gymry Cymraeg.

Y tudraw i afon Ogwr, rhyngom ni â Phorth-cawl, mae'r twyni tywod mawr a anfarwolwyd mewn telyneg ddwys gan Wil Ifan. Bu ef yn byw am flynyddoedd ym Mhen-y-bont, nepell i ffwrdd, a chanodd lawer i'r Fro a oedd mor annwyl iddo.

> Drwy'r dydd daw llef y durtur drist
> O'i chawell melyn ger y tŷ.
> Beth yw ei llais? Rhyw ddwyster pêr
> A loes caethiwed, gofid cu,
> A chenedlaethau o hiraeth gwyllt
> Am rywbeth gollwyd, ddyddiau fu.
>
> Daeth nos, a mud yw'r cawell hesg:
> Distaw yw miri'r byd yn awr;
> Ond dros y morfrwyn crwydra cri
> Y dyfnder lleddf yn disgwyl gwawr—
> Y durtur lwyd a gaeodd Duw
> Tu ôl i'r twyni tywod mawr!

56. Bwthyn ym Merthyr Mawr.   J. Idris Morgan

O ddilyn yr heol (B.4524), heibio i bentref Ewenni, gan gadw ar
y chwith, down yn fuan at fynegbost yn cyfeirio at Ferthyr Mawr.
Bûm droeon ym Merthyr Mawr; unwaith yn ffilmio ar ran y BBC
ar gyfer ffilm ar y Fro i'w darlledu ar drothwy Eisteddfod Genedl-
aethol Caerdydd, 1960. Ymwelais â'r pentref bach droeon wedi
hynny. Y tro a roes fwyaf o bleser i mi yw hwnnw pan gefais fyn-
ediad i'r faenor. 'Roedd hi'n ddiwrnod o Wanwyn cynnar, cynnes,—
un o'r diwrnodau hynny sy'n dyfod yn sydyn a di-rybudd wedi
dyddiau o oerni deifiol gwynt y Dwyrain. Teithiais i lawr o Gaer-
dydd, ar hyd y pwrtwai, a throi i'r chwith wedi pasio'r ail *round-a-
about* sy'n mynd â chi, ar y dde i Ben-y-bont, ac ar y chwith i
Ogwr. Ar ymyl y ffordd mae adfeilion hen wersyll carcharorion yr
ail ryfel byd. Yma y carcharwyd un o gadfridogion enwocaf yr
Almaen, y Cad-farsial Gerd von Rundstedt. Cofiaf ynganu ei enw
droeon, wrth ddarllen y newyddion am y brwydro yn Rwsia yn
nyddiau cynnar y rhyfel. Fe'i cofir gan bobl Merthyr Mawr fel gŵr

215

toredig yn casglu blodau ar y cloddiau wrth ymlwybro trwy'r pentref i gastell Tregawntlo. Wedi troi i'r chwith a gyrru rhyw ganllath neu fwy, rhaid croesi'r ffordd sy'n arwain i Ewenni, a phont fechan dros afon Ogwr. Hon yw'r bont a godwyd gan Syr John Nicholl (1759-1838), arglwydd y faenor, i roi mynedfa i bentref Merthyr Mawr, heibio i'r faenor newydd a godwyd ganddo ar ddechrau'r ganrif ddiwethaf. Mae'r bont fwyaf diddorol, i'w gweld ychydig ffordd i fyny i gyfeiriad y pwrtwai. Pont bedwar bwa yw hon, wedi'i chodi yn y Canol Oesoedd, ac yn hyfryd i edrych arni. Pont y *New Inn* yw enw'r trigolion arni, gan mai yma y safai'r dafarn gynt. Fe'i defnyddir o hyd gan ffermwyr y Fro i dipio defaid. Mae dau agoriad ym muriau'r bont, a thrwyddynt y gwthir y defaid i'r afon is-law. Arhosais am ychydig wrth y bont newydd i wylio'r brithyllod bach yn mentro'u trwynau'n betrus i'r awyr dyner uwchlaw'r dŵr. 'Roedd y wialen bysgota yn y car, ond ffrwynais yr awydd i'w thynnu allan, ac ymlaen â mi i'r pentref. Mae hwn yn bentref nodweddiadol o'r Fro, gyda'i dai gwynion to gwellt. 'Roedd y towr wedi bod wrthi'n adnewyddu'r to ar un o'r tai, ond yn anffodus 'roedd e' wedi codi'i gefn am y dydd. Holais ddau grwt ar ymyl y ffordd pwy oedd y towr, a chefais yr ateb mai 'rhyw Mr. Jones o'r Coety', ydoedd. Dodais ei enw yn fy llyfr nodiadau gan obeithio cael ei gyfarfod cyn diwedd fy nghrwydradau !

Merthyr Mawr, yn sicr, yw un o bentrefi prydferthaf y Fro, ac nid oes neb, hyd yma, wedi cychwyn adeiladu tai newyddion i lygru naws a hyfrydwch y lle. Yng nghanol y pentref mae eglwys newydd yn y dull Gothig, wedi'i chodi ar safle eglwys hŷn. Ychydig o olion yr hen eglwys sydd i'w gweld yma, ar wahân i'r fedyddfan.

Wrth roi sgawt trwy'r fynwent synnais gael cynifer o gerrig beddau ac arysgrifau Cymraeg arnynt. Sylwais ar dair carreg fedd, 1883, 1886 a 1888, ac adnodau Cymraeg o dan yr arysgrifau Saesneg.

Troi yn ôl i gyfeiriad y bont gyda'r bwriad o weld y faenor. 'Roedd bwthyn to gwellt wrth y fynedfa, a gwraig wrthi'n brysur yn manteisio ar y tywydd i gymhennu'r ardd.

"Hon yw'r lôn i'r faenor?" gofynnais.

"Ie."

"Ydy' teulu Nicholl yn byw yma o hyd?"

"Ydy', o leiaf Nicholl yw'r wraig, ond mae'r gŵr, Mr. McLaggan, o Rydychen; gŵr clên iawn, hefyd."

Ac ar y gymeradwyaeth hon, mentrais drwy'r llidiart, ac ar hyd y lôn, heibio i yrr o eidionau du. Croesodd ceiliog ffesant lliwgar yn hamddenol a bonheddig ei gam dan drwyn y car. Mae'r faenor yn adeilad o bensaernïaeth syml, ond urddasol. Troais o gwmpas am ychydig, yna mentrais trwy'r drws a agorai ar y gerddi. Wrth agor, dyma fi ŵyneb yn ŵyneb â gwraig ifanc. Mentrais ei chyfarch :

"Mrs. McLaggan?"

"Yes," ebr hi.

Esboniais fy mod yn crwydro'r Fro i geisio paratoi cyfrol amdani.

"I'm sorry," ebr hi, *"but I'm on my way to meet the children from school, but perhaps you would care to speak to my husband; he's down there."*

Euthum i lawr ato. Daeth yntau i'm cyfarfod. Cefais, fel y dywedodd y wraig wrth y 'lodge' wrthyf, ei fod yn ŵr hawdd siarad ag ef. Wedi ychydig funudau'n trafod hanes y faenor, gofynnodd a hoffwn i fynd i fyny i'r tŷ i barhau'r sgwrs.

Aethom i mewn i ystafell eang, yn llawn llyfrau. Gadawodd fi am ychydig funudau i fynd i gyrchu mapiau i'w dangos imi. Bwriais olwg dros un o'r silffoedd oedd gyferbyn â mi. Y llyfr cyntaf y

57. Maenor Merthyr Mawr.   J. Idris Morgan

trawodd fy llygad arno oedd copi o Destament Newydd Salesbury, 1567, a chopi 'mint' o *Barddoniaeth Dafydd ab Gwilym* a gyhoeddwyd gan y Gwyneddigion ym 1789, a olygwyd gan Owain Myfyr a'r Dr. William Owen Pughe. I'r gyfrol hon, wrth gwrs, y cyfrannodd Iolo Morganwg ei gywyddau ffug, a adwaenir heddiw fel 'Cywyddau'r Ychwanegiad'. Bu Owain Myfyr yn gohebu ynglŷn â chynnwys y gyfrol ag un arall o wŷr y Fro, y Parchedig John Walters, y geiriadurwr o Landochau'r Bont-faen. Gwelais hefyd, gofiant Saesneg i Christmas Evans, ond cyn imi gael amser i gael mwy na chipolwg frysiog dyma Mr. McLaggan yn ôl yn yr ystafell. Cyfeiriais at y llyfrau Cymraeg, a dywedodd fod nifer go lew o lyfrau Cymraeg yn y llyfrgell.

"Mae dros ugain mil o lyfrau yn y tŷ yma," meddai.

"Ydyn-nhw wedi'i catalogio?"

"Nag ydyn', ddim yn llwyr, ond mae gen i syniad go dda beth sydd yma."

"Beth am y Testament yma," gofynnais, gan gyfeirio at Destament Salesbury.

"Fe brynnwyd hwnna tua chanol y ganrif ddiwethaf, oddi wrth lyfrwerthwr yn Llundain. Dyma'r llythyr oddi wrtho."
Ei bris bryd hynny oedd £62! Beth yw ei werth heddiw, tybed?

Darlithydd yn y Gyfraith yn Rhydychen oedd Mr. McLaggan, cyn dyfod i lawr i fyw yma, ac 'roedd yn amlwg iddo wneud ymdrech i ddyfod i wybod am hanes Merthyr Mawr a'r faenor.

Rhoddodd o'm blaen nifer o fapiau o wahanol gyfnodau yn hanes ystad Merthyr Mawr, ac ar bob un ohonynt fe restrid enwau caeau'r stad. 'Roedd hi'n llonni calon dyn i weld bod enwau Cymraeg ar y rhan fwyaf ohonynt; tystiolaeth i wytnwch y Gymraeg yn y Fro, hyd yn oed tan adain y maenordai a'u teuluoedd estron, yn aml. Ffaith gysurlon, yn sicr, i'r neb sy'n poeni am ddyfodol yr iaith yw i'r 'brodorion' lwyddo i Gymreigio'r goresgynwyr estron, a dyfod yn noddwyr ein beirdd, a thraddodiadau ein cenedl.

Ymhlith enwau'r caeau a nodais 'roedd Cae'r Glawty (o 'gwaelod y tŷ', ebr yr Athro T. J. Morgan), Caia'r tule (tyle?), caeau yn ôl erwau'r meysydd megis, Cae Pum Erw, Chwech Erw ac yn y blaen, Pedair Erw Bess Shenkin, Saith Erw'r 'Sgubor, Cae'r Cappel, Coed y Quinton (yn atgofio dyn am gysylltiad teulu St. Quintin, Llanfleiddan â Merthyr Mawr). Ceir Quinton Wood ar y map hyd heddiw. Cefais weld, hefyd, gyfres o fapiau'r stad a wnaed ar gais

218

Syr John Nicholl, pan adeiladodd y faenor newydd. Rhwymwyd rhain yn gyfrol hardd, ac yn wyneb ddalen ceir darlun dyfr-lliw o'r tŷ a wnaed gan y mapiwr, William Weston Young. Fe fu hwn byw am gyfnod yn y Drenewydd yn Notais, ac 'roedd yn gyfrifol am rai o'r addurniadau a welir ar rai darnau o tseina Abertawe, a Nant-garw y gellwch eu gweld yn Oriel Glynn Vivian yn Abertawe, neu Amgueddfa Genedlaethol Cymru. Un o'i oruchwylion yn y Drenewydd yn Notais oedd codi llongau drylliedig a suddwyd ar arfor-dir Morgannwg, a bu hyn yn gymorth mawr iddo adfer ei sefyllfa ariannol simsan.

Cyn imi ymweld â Merthyr Mawr, fe fûm yn pori yn hanes y frwydr gyfreithiol a fu rhwng teuluoedd Tregawntlo, Cwrt Notais a Sain Dunwyd yn yr unfed ganrif ar bymtheg, ynglŷn â pherch-nogaeth y twyni a adwaenid fel "the Lower Borowes." Sgrifennwyd achos yr ymrafael hwn gan Syr John Stradling, perthynas i Syr Edward Stradling un o'r ymgyfreithwyr, ac felly nid yw'n hollol ddi-ragfarn! Dechreuodd yr ymrafael, rhwng Syr John Herbert, Tregawntlo a Watkin Lougher, y Drenewydd yn Notais. Galwyd Syr Edward Stradling, Sain Dunwyd i gyflafareddu. Gwrthododd ef hawliau'r ddau, gan hawlio mai ei eiddo ef oedd y tir! Cyhoedd-wyd llawysgrif Syr John Stradling, *The Storie of the Lower Borowes of Merthyr Mawr* gan y 'South Wales and Monmouthshire Record Society," yn ei chyfrol gyntaf, yn wir, gyda nodiadau ysgol-heigaidd gan H. J. Randall a'r Athro William Rees.

Gofynnodd Mr. McLaggan imi a hoffwn weld 'The Storie of the Lower Borowes", ac yn fy niniweidrwydd atebais innau imi eisoes ei darllen.

"No," ebr ef, "I mean the original manuscript."

Ychydig a feddyliais i wrth ddarllen yr hanes, y cawn ymhen ychydig wythnosau, fodio'r llawysgrif ei hun. Dyma'i chyrchu, llaw-ysgrif o'r unfed ganrif ar bymtheg, wedi'i rhwymo mewn *vellum,* a synnu mor ddestlus oedd yr ysgrifen—gwaith copïwr wrth ei grefft mae'n debyg. Ni all byseddu hen lawysgrif fel yma lai na rhoi gwefr i ddyn, a gwneud oes a fu, a'i phobl, yn rhywbeth mwy nag enwau mewn hanes.

Yn y llawysgrif ceir map lliw deniadol iawn o Ferthyr Mawr fel yr oedd y dwthwn hwnnw. 'Roedd y faenor, os nad oedd y mapiwr yn gelwyddog, yn adeilad â chryn addurn iddo, er nad yw, yn ôl yr arbenigwyr wedi'i leoli'n iawn, oherwydd awydd y perchennog i bwysleisio ei arbenigrwydd. Fe atgynyrchwyd y map, mewn lliw, yn y gyfrol y soniais amdani, ac fe wnaed hynny yn hynod o gelfydd, gan lynu'n bur agos at y lliwiau gwreiddiol.

Heblaw rhoi hanes yr ymgyfreithio ceir llawer cipolwg ar arferion y Fro yn yr unfed ganrif ar bymtheg. Ceir un hanes arbennig o ddiddorol i ni'r Cymry Cymraeg, yn y cyfeiriad at "John Gamage gent. and Meyrick David rhymer." 'Roedd y ddau yn feirdd, a gwysiwyd hwy i'r llys i brofi achau. Yr olaf a enwir yw'r Meurug Dafydd sydd â'i enw yn britho *Traddodiad Llenyddol Morgannwg*, G. J. Williams. Braidd yn ysgafnfryd y sonia Siôn Stradling am y bardd. *"Of his skill in poetry I am not able to judge, but I cann tell you for a truth howe old William Basset of Bewper, a good learned esqr. judged of yt. . . . This Bard (h.y. Meurug Dafydd) resorting abrode to gentlemens howses in the loytringe time between Christmas and Candlemas to singe songes and receave rewardes, comminge to Bewper hee presented the good ould squier with a cowydh (cywydd), odle (awdl) or englyn (I know not whither) containinge partelie the praises of the gentleman, and partelie the pettygrees and matches of his ancestors. The gentleman having perused the rhyme, prepared in his hand a noble for a reward and called the poet who came with a good will of whome demaunded whether he had reserved to himself any copie of that rhyme; no by my fayth (sayd the rhymer) but I hope to take a copie of that which I delivered to you: then replyed the gentleman, hould, here ys the fee, and by my honestie I swere yf there be no copie of this extant, none shall ever bee, and therewith put it sure enough in the fier. Then I ned not tell you further what was his judgement whereof.*

Efallai taw enghraifft o feirniadaeth lenyddol ymarferol a geir yma! Mae'n rhyfedd gweld Siôn Stradling yn siarad mor ddifrïol am un o feirdd amlwg Morgannwg, ac yntau ei hun â chryn enw iddo fel bardd (Saesneg). Ond fel y sylwais eisoes, nid heb gryn ragfarn y sgrifennwyd yr hanes hwn am yr ymgyfreithio. Gŵr o Lanisen, Caerdydd oedd Meurug Dafydd, ac yn ddisgybl i'r bardd a'r achyddwr enwog, Lewis Morganwg. Pan fu farw Lewis, etifeddodd Meurug Dafydd a Dafydd Benwyn (un arall o ddisgyblion Lewis) ei lyfrau achau a'i arwyddfarddoniaeth. Canai, nid yn unig i'r Bassetiaid, ond hefyd i'r Stradlingliaid a Gamesiaid y Coety.

Ond efallai mai'r hyn a welwn yng ngeiriau Siôn Stradling, yw dechrau diwedd y gyfundrefn farddol, pan ellid mentro galw bardd, a hawliai ran mor amlwg yn y llys, gynt, ac yn ddiweddarach yn nhai'r boneddigion, yn 'rhymer'.

Yn ôl traddodiad, arglwydd cyntaf maenor Merthyr Mawr oedd Robert de St. Quintin. Perthynai ef i deulu mawr a dylanwadol, a oedd yn dal tiroedd lawer yn Lloegr. Hwy, hefyd, oedd yn dal maenordai Llanfleiddan a Thalyfan. Dilynwyd hwy gan y Siward-iaid a ddaeth i feddiant Merthyr Mawr tua chwarter cyntaf y drydedd ganrif ar ddeg. Bu Merthyr Mawr, hefyd, yn nwylo teulu'r Berclos, tan i Lawrens Berclos farw'n ddi-etifedd ym 1411. Priod-odd Gwenllïan Berclos un o'r Stradlingiaid, ac fe ddaliwyd y tir-oedd ganddynt hwy tan i'r llinach ddarfod ym 1738. Wedi ym-gyfreitha, syrthiodd y faenor i feddiant Hugh Bowen, y priodasai ei dadcu, George Bowen, un o ferched y Stradlingiaid. Gwerthwyd y stad ym 1804 i Syr John Nichol, cyfreithiwr o fri, ac un o farnwyr Uchel-lys y Morlys. 'Roedd e'n fab i John Nichol o Lan-maes. Dilynodd mab Syr John ôl traed ei dad ac ennill bri yn y Gyfraith, a dyfod yn *Judge Advocate General,* ac yn aelod o'r Cyfrin Gyngor.

Un o'r cwestiynau olaf a ofynnais i Mr. McLaggan, oedd am yr adfeilion o gapel a ddangosir ar y map, yn ymyl y maenordy.

"Mi af â chi i'w weld," ebr ef. A ffwrdd â ni. Dringo'r llechwedd y tu cefn i'r tŷ, ac yna'n fuan cyrraedd llecyn gwastad, ac adfeilion y capel bychan yn sefyll yno. Capel ar gyfer pererinion y Canol Oesoedd ydoedd, oherwydd nid yw Ewenni nepell i ffwrdd, i'r dwyrain, ac Abaty Margam i'r Gorllewin. Yn ôl Mr. McLaggan, fe fyddai'r pererinion yn lletya dros nos yn y 'New Inn' islaw, ac fe fyddai'r capel i'w weld yn amlwg ar y bryn, a'i gloch yn eu denu yno i ddweud eu paderau neu i borthi'r Offeren.

Mae'r muriau ar eu traed o hyd, a chlochdy bychan, di-gloch, ar y mur gorllewinol. Y tumewn ceir meini coffa y daethpwyd o hyd iddynt yn yr ardal a'u cyrchu yma. Ceir arysgrifau arnynt sy'n anodd iawn eu darllen bellach. Codwyd un ohonynt gan ryw Conbelanus, sant, hwyrach.

O gwmpas y llannerch mae arwyddion hen domen amddiffyn (tumulus), ac ychydig lathenni o'r capel ceir twll anferth yn y ddaear, y mae dyn fel fi o leiaf, yn oedi'n nychlyd wrth ei odre. Edrych fel twll chwarel, ond nid dyna ydyw, er bod traddodiad i'r Rhufeiniaid fod yn cloddio yma. Yn ei waelod rhed afon fechan dan-ddaearol i lawr i afon Ogwr yn y dyffryn islaw.

Ond 'roedd yn bryd ymadael â'r faenor, ac i lawr â ni'n dau at fy nghar yng nghyntedd y tŷ. Siglo llaw, a diolch am y croeso, ac yn ôl i'r ffordd a'i dilyn trwy'r pentref tua Thregawntlo. Yn y pentref ei hun (Merthyr Mawr) fe welwch ffermdy mawr, yr *Home Farm,* a saif lle bu yr hen faenor unwaith. Yma y bu Iorwerth Fyng-lwyd yn ymryson â Rhisiart ap Rhys, ei athro barddol, pan oedd Siôn Stradling yn arglwydd y faenor. 'Rwy' eisoes wedi sôn am farwnad Tudur Aled i Siân Stradling, gwraig Syr William Gruffydd o'r Penrhyn. Dyma englyn o'r awdl, sy'n cyfeirio at y faenor hon.

Gwent, llwyr, Mair a'i gŵyr, marw gwawr—Morgannwg,
　　Mur Gwynedd aeth i'r llawr;
　　Merch Goel, mae arch ag elawr,
　　Martha'r Mars, o'r Merthyr Mawr.

Ond O'r tro ar fyd a ddaeth ar hanes y Fro! Rhaid cofio, wrth gwrs, mai dyma fel y digwyddodd hi yn hanes y beirdd yn gyff-redinol yng Nghymru. Gyda'r Dadeni Dysg 'roedd newid yn holl drefn cymdeithas yn anorfod. Unwaith, bu'r bardd yn rhan annatod o gymdeithas, a'i swydd a'i safle yn y gadarn a sicr. Ond pan chwal-wyd undod y gymdeithas honno, seliwyd tynged y bardd o dipyn i beth, ac aeth yn ŵr unig, yn canu'i gerddi mewnddrychol i'w ddiddanu ei hun, ac unrhyw un a fynnai ei ddarllen. Ond erys ymdeimlad yr hen oesau yn y parch a delir, o hyd yng Nghymru, i'r bardd. Dyna pam mae mor anodd cael gan yr Eisteddfod Genedl-aethol osod y rhyddieithwr ar yr un tir â'r bardd. Pa mor gel-wyddog bynnag fo'r Orsedd, yr oedd greddf yr hen Iolo yn gywir, greda' i!

Wrth edrych o gwmpas y ffermdy ym Merthyr Mawr, fe welir bod ambell ddarn ohono fel petai wedi goroesi o ddyddiau'r hen faenor, ac yn dwyn ambell awgrym o bensaernïaeth Duduraidd. Cofiaf i 'mrawd Goronwy, sydd heddiw'n offeiriad ar blwyf Betws Cedewain, y tuallan i'r Drenewydd, Sir Drefaldwyn, dreulio haf yn gweithio ar y fferm yma, pan oedd yn efrydydd yng Ngholeg y Brifysgol, Abertawe. Ei atgof pennaf am Ferthyr Mawr yw'r gwaith caled a'r tâl bychan—coron yr wythnos!

Ond brysiwn ymlaen trwy'r pentref, ar hyd ffordd sy'n gorffen wrth droed castell Tregawntlo, neu Tregantllo, ar ymyl y twyni tywod. "Llecyn dieithr a phrudd" a welodd R. T. Jenkins pan ymwelodd â'r lle yn y pedwar degau. Fe fu pentref bach o gwmpas y castell, unwaith, ond digwyddodd iddo dynged bwrdeisdref Cynffig—ei orchuddio gan y tywod. Arddwyd y tir yma gan genhedlaeth ar ôl cenhedlaeth o dyddynwyr y Fro.

Barn haneswyr yw mai'r enw Cantelo, neu Cantelupe sydd yn enw'r lle, Tregawntllo, neu Candleston, yn Saesneg. Daeth teulu o'r enw hwn i'r Fro gyda goresgyniad y Normaniaid. 'Roeddynt yn deulu o gryn ddylanwad, ac un o'u plith yn Abad Margam ym 1325, ac un arall yn fynach yn yr Abaty yn fuan ar ôl hynny. Pan fu Syr Edward Stradling yn ymgyfreithio ynglŷn â'r 'lower borowes' y twyni tywod islaw'r castell, Syr William Herbert oedd y perchennog. Ond rhaid bod tir amaethyddol yno bryd hynny, a brwydro am hawliau ar y tir hwnnw a wnaeth Syr William,—a cholli.

Dyry adfeilion y castell syniad go dda o'r hyn ydoedd yn y dyddiau pan gyfaneddid ef, ac nid oes cymaint â hynny o amser ers pan oedd pobl yn byw yma. Perthyn rhannau ohono i ddiwedd y bedwaredd ganrif ar ddeg, ac os edrychwch chi ar wal y llofft, fe welwch olion hen le tân addurniedig—er bod y gwynt a'r glaw wedi gadael eu hôl arno erbyn hyn.

Y tu ôl i'r castell mae'r twyni tywod yn codi'n fryniau talog, a gellwch eu cerdded, os mynnwch, a sylweddoli mor ddi-allu a fu dyn yn wyneb yr elfennau.

58. Porth-cawl.

Porth-cawl, Notais, Drenewydd yn Notais, Cynffig, Mawdlam, Y Sger

Pe gofynnech chi i naw o bob deg o bobl sy'n gyfarwydd â Phorth-cawl, beth yw ei nodwedd amlycaf, 'rwy' bron yn sicr mai'r ateb fyddai "gwynt ac awel"; ac wrth gerdded i lawr y promenâd, neu i fyny ar y comin uwch-law'r môr, fedrwch chi lai nag ategu'r gosodiad.

Mae ynys yn y Barri,
Ac *awel* ym Mhorthcawl . . .

'R oedd Bardd yr Haf wedi'i gweld hi!—a'i theimlo hi!

Un prynhawn gwyntog yn y gaeaf trefnais i gyfarfod â'r Parchedig W. R. Nicholas, gweinidog gyda'r Annibynwyr ym Mhorth-cawl, a chyd-olygydd *Y Genhinen*. Yn garedig iawn, cytunod i'm tywys o gwmpas y dref a'r plwy. Dechreuwyd gyda chinio yng ngwesty'r *Sea-bank*, ac eistedd wrth fwrdd yn ngolwg y môr a'i donnau geirwon. Cefais gyfle i'w holi am rai pethau ynglŷn â'r dref, a Notais a'r Drenewydd yn Notais; hefyd am Sger, a chofio wrth wneud, mai ef oedd yn fuddugol ar faled i'r "Ferch o'r Sger" yn Eisteddfod Genedlaethol Aberafan. Y mae'r *Sea-bank* gyda'r gorau ymhlith gwestai trefi glannau môr Deheudir Cymru, ac yr oedd yn hyfryd cyfarfod a'r goruchwyliwr a chael ei fod yn Gymro Cymraeg—peth digon prin yng Nghymru. Pam, tybed?

Yn rhyfedd iawn, ni bu Porth-cawl yn dynfa fawr i mi erioed. Gallwn gyfrif ar ddwy law fy ymweliadau â'r lle—trip Ysgol Sul Libanus, Gorseinon, cyhoeddiad i siarad, ac ambell dro, ymweliad yn ystod yr haf. Ac eto, mae Porth-cawl yn un o'r trefi glan môr hyfrytaf, a'r Notais a'r Drenewydd, yn bentrefi sy'n llawn hanes rhamantus a difyr.

Ym Mhorth-cawl ceir nid yn unig bromenâd destlus a chymen a lliwgar, ond ar ochr orllewinol y dref mae comin agored uwch-law'r môr, lle y ceir cyfle i hamddena neu gerdded, a mwynhau'r

haul, y gwynt a'r awel iachusol. Yma i'r *Rest,* Y Cartref Gwerin,
y daw glowyr a'u teuluoedd am wyliau. I'r Dwyrain y mae traeth
Trecco, lle ceir y casgliad mwyaf o garafannau a welais i erioed, ac
fe ddwedir, y maes carafannau mwyaf yn Ewrop. Aeth Mr.
Nicholas â mi trwy'r drefedigaeth wag yma, a dangos wrth fynd,
yr eglwys fechan yng nghanol y stad; a gyferbyn â hi noddfa
gamblwyr dyddiau haf !

Efallai fod perygl inni ladd yn ormodol ar y stadau carafannau,
heb gofio bob amser eu bod yn rhoi i filoedd o deuluoedd gyfle am
wyliau o fewn cwmpas eu cyflogau. Erbyn hyn, mae bron yn
amhosibl i deulu gydag enillion cymedrol, fentro ar wyliau mewn
gwesty yng Nghymru, neu Loegr. Yn aml y mae'n rhatach i fynd i'r
Cyfandir !

Y mae *Coney Beach* yn draeth eang a hyfryd, ond bod ffair
wagedd, liwgar, swnllyd, aflafar yn gefndir iddo.

O'r promenâd a'r comin fe gewch olwg ogoneddus ar y wlad
tudraw i'r dŵr o Minehead yng Ngwlad yr Haf, hyd at Ilfracombe
yn Nyfnaint, a bannau Exmoor rhwng y ddau bwynt.

Y mae ystyr yr enw Porth-cawl, a'i ffurf gywir, yn dipyn o ddir-
gelwch. Fe'n hanogir gan *Restr Enwau Lleoedd* i ddefnyddio'r ffurf
Porth-cawl. Pan ymwelais â Phorth-cawl un gaeaf rai blynyddoedd
yn ôl, i fod yn bresennol mewn cinio o hen drigolion y dref, euthum
ati i holi'r rhai hynaf—y rhai dros eu pedwar ugain—a gofyn a
allent hwy daflu goleuni ar yr enw. Yn ddieithriad yr esboniad a
gefais oedd mai *'port o' call'* y gelwid ef yn nyddiau eu plentyndod.
Ond fe all hwn fod yn llygriad o'r Gymraeg, oherwydd yn 1628,
mewn *survey* o Faenor Penfro, fe geir y ffurf, *port-call.* Dehonglir
yr enw gan Mr. Higgins, hanesydd y câf gyfeirio ato eto, fel cyfeir-
iad at hafan naturiol yng nghysgod *Porthcawl Point.* Y mae cyfeir-
iad mewn deddf a basiwyd yn 1825, i sefydlu tramwe i gludo glo o
ddyffryn Llynfi i Borth-cawl, at "the port of Pwll Cawl". Dad-
leuodd G. J. Williams dros y ffurf Porth-y-cawl, ond Porth-cawl a
geir yn *Gasetîr* y Brifysgol, a chredais mai gwell fyddai glynu wrth
yr awdurdod hwn yn y gyfrol yma.

Ond rhannau hynafol yr ardal yw'r ddau bentref ar gyffiniau'r
dref. Os edrychwch chi ar y map, fe welwch fod Notais, a'r Dre-
newydd yn Notais yn ddau bentref ar wahân, a dyma rannau
mwyaf diddorol yr ardal. Y mae Notais i'r gorllewin, ar y ffordd
sy'n arwain i Gaerdydd.

Yn y blynyddoedd diwethaf fe ddaeth Porth-cawl yn boblogaidd fel lle i ymddeol iddo; hefyd lle i fyw ynddo, i bobl â'u gwaith yng Nghaerdydd. Ymhlith y bobl hyn y mae cryn nifer o Gymry Cymraeg, ac yn naturiol fe atgyfnerthwyd yr achosion crefyddol Cymraeg gyda'r newydd-ddyfodiaid i'r dref. Un o'r achosion cryfaf heddiw yw eglwys yr Annibynwyr, y mae'r Parch. W. R. Nicholas yn weinidog arni. Mae'r eglwys hon wedi cynyddu'n sylweddol yn y blynyddoedd diwethaf, ac 'rwy'n rhyw dybied bod a wnelo brwdfrydedd bugeiliol y gweinidog lawer â'r cynnydd.

Mae cryn draddodiad Ymneilltuol yn yr ardal hon sy'n mynd â ni yn ôl i ddyddiau John Miles o Ilston, a ddeuai i'r Notais i bregethu, ac ar ei ôl Lewis Thomas, y Bedyddiwr Calfinaidd o ardal Abertawe. Fe gewch beth o'r hanes yn llyfr godidog y Prifathro Tudur Jones, *Hanes Annibynwyr Cymru.* Mae Dr. Jones yn adrodd bod Ymneilltuwyr Notais yn cyd-gyfarfod yn nhŷ Richard Craddock, a bod "Lewis Thomas y Mŵr ger y Drenewydd yn Notais, yn pregethu ar yn ail â Richard Craddock, yn ei dŷ yn y pentref". Tybed ai yn Gymraeg, neu yn Saesneg, y cynhelid y cyfarfodydd hyn?

Cymraeg oedd iaith capel "Hope" yn y Drenewydd, a godwyd yn 1827, ac a agorwyd yn 1828, ond erbyn 1916, yr oedd Porth-cawl wedi tyfu, a thaflu'r Drenewydd i'r cysgod. Daeth galw am godi capel Cymraeg ym Mhorth-cawl ei hun; ac felly bu, a dyma'r achos y mae Mr. Nicholas yn fugail arno heddiw.

Sefydlodd Howel Harris seiat yn Notais ym 1743, a cheir hanes am Ysgol Sul yn nhafarn *Victoria,* ym 1859. Erbyn 1864 dechreuwyd codi capel Bethel, a'i agor ym 1866. Capel Cymraeg oedd hwn, ond ni bu'n hir cyn i'r gweinidog, y Parchedig Watkin Joseph, ofyn am ganiatâd i bregethu yn Saesneg; gwrthodwyd caniatâd, a gadawodd y gweinidog i ofalu am achos Saesneg newydd gyda'r Annibynwyr yn y dref. Yr oedd hyn yn ymddygiad rhyfedd i ŵr fel ef, oherwydd yr oedd yn fardd o gryn fri yn y ganrif ddiwethaf. Enillodd ddwy gadair yn yr Eisteddfod Genedlaethol, y naill yng Nghonwy ym 1879, ar y testun "Y Meddwl", a'r llall yng Nghaernarfon ym 1880 ar y testun "Athrylith".

Cymysg fu hanes achos y Methodistiaid Calfinaidd am rai blynyddoedd, ond fe ddaeth mwy o lewyrch ar bethau yn nechrau'r ganrif hon, gyda gweinidogaeth y Parch. W. E. Pearce—"Pearce, Porth-cawl", fel yr adwaenem ni ef yn nyddiau fy mhlentyndod, pan ddeuai ar ei rawd i'n capel ni yng Ngorseinon. Parhaodd y llewyrch hwn o dan weinidogaeth y Parch. D. I. P. Jones, a fu farw fis Rhagfyr 1970.

Y mae'n rhyfedd gymaint o ffydd oedd gan ein hynafiaid yn eu hachosion. Y Bedyddwyr, er enghraifft, yn mentro ar godi capel a dim ond naw o aelodau, a'r gost rhwng £500 a £600—arian mawr yn y dyddiau hynny. Dyma gapel Gilgal, heddiw, a merch i'r fam-eglwys Pisgah. 'Wn i ddim pam y dewiswyd yr enw hwn. Ebr yr Ysgrythur : "A'r Arglwydd a ddywedodd wrth Joshua, heddiw y treiglais ymaith waradwydd yr Aifft oddi arnoch : am hynny efe a alwodd y lle hwnnw Gilgal." A symudwyd rhyw waradwydd Eifft-aidd yn hanes yr achos hwn? Ond efallai mai adnod arall oedd ym meddwl y rhai a ddewisodd yr enw. "Yna Samuel a ddywedodd wrth y bobl, Deuwch, fel yr elom i Gilgal, ac yr adnewyddom y frenhiniaeth yno." Ond hanes Gilgal yn y diwedd oedd troi'n Saes-neg, ac erbyn hyn mae capel newydd yn y dref. Ond nid dyna'r hanes i gyd. Fe godwyd Eglwys Gymraeg yn y dref ym 1937— Eglwys Noddfa, yn Philadelphia Road. Y gweinidog oddiar 1955 yw'r Parchedig R. Gwyn Thomas.

Nid oes ofod i fanylu ar holl achosion yr ardal, ond 'rwy' wedi dweud digon, gobeithio, i ddangos rhywbeth o draddodiadau crefyddol Notais a'r Drenewydd, a rhai o olynwyr y 'tadau' Ym-neilltuol yn y plwyf. Y mae rhyw swyn rhyfedd i mi yn hanes dechreuadau pethau.

Wedi sgawt o gwmpas capeli'r plwyf, aeth Mr. Nicholas â mi i Gwrt Notais, lle y gwnaeth baratoadau ymlaen llaw i mi gael ym-weld â'r tŷ. Saif ym mhen draw'r pentref, ar lain o dir wrth ymyl ffordd B.4283. Gyferbyn a'r tŷ, â'r heol rhyngddynt, y mae *"Nottage House"*, lle trigai, gynt, reolwr y relwe, neu'r tramwe, y deuai wagenni ar hyd-ddi yn cario glo o ardal Maesteg i harbwr Porth-cawl. Hon oedd *The Duffryn Llynfi and Porth-cawl Railway Company.* Go frith fu hanes y relwe hon, ac o'r braidd y bu hi o fantais ariannol i'r perchnogion, lleol gan mwyaf, oherwydd anaws-terau ynglŷn â'r doc ym Mhorth-cawl, y bu raid suddo miloedd ar filoedd o bunnoedd i'w ehangu a'i ddyfnhau. *'Narrow gauge'* oedd y tramwe cyntaf, ond yn 1855 fe'i gwnaed yn *'broad gauge'* gydag injan stêm yn lle'r ceffylau a ddefnyddid gynt. Fe gedwid y ceffylau hyn yn stablau *Nottage House,* sydd dros y ffordd i Gwrt Notais. Yn y diwedd fe ddisodlwyd Porth-cawl fel porthladd allforio pan agorwyd dociau'r Barri ac Aberafan. Ym 1892 yr oedd Porth-cawl yn borthladd digon prysur, ond cyn pen ychydig o flynyddoedd yr oedd ar y goriwaered, i beidio byth â dychwelyd i'w hen ogoniant.

Hen dŷ urddasol, Tuduraidd yw Cwrt Notais. Yn y Canol Oesoedd yr oedd y tir yn nwylo Abaty Margam, un o'i ydlannoedd gwerthfawr. Fe adnewyddwyd y Cwrt yn go lwyr ym 1560. Fe'n derbyniwyd i'r tŷ gan Miss Blundell, un o ddisgynyddion teulu'r Knights a fu'n byw yng Nghwrt Notais o'r ddeunawfed ganrif ymlaen.

Mae rhestr achau'r Knights yn gymhleth, ond nid yn fwy, felly, nag eiddo unrhyw deulu bonheddig. Mae cysylltiad agos rhwng teulu Cwrt Notais a Knights Cwrt Llandudwg nepell i ffwrdd. Ymhellach yn ôl mae'r teulu yn ymgysylltu â'r Loughers a'r Twrbiliaid, a oedd yn arglwyddi maenordai Herbert, Lougher a Phenfro. Fe unwyd teuluoedd Lougher o'r Sger, trwy briodas, ag aeres Twrbiliaid Llandudwg, yn oes Harri'r Wythfed.

Daeth y Blundells i mewn i'r teulu pan briododd Lucy Knight, merch y Parchedig Edward Doddridge Knight, a fu farw ym 1873, â'r Parchedig A. R. Blundell, Ficer Llanfihangel Crucornau, Sir Fynwy, a phriododd eu mab, George Edward Blundell â Barbara Tiddeman, ac etifeddodd ef faenor Penfro trwy ewyllys ei dadcu. John Blundell, brawd Miss Blundell, a'i deulu sy'n byw yng Nghwrt Notais ar hyn o bryd. Symudodd eu mam oedrannus i fyw yn Camberley, Llundain, tua dwy flynedd yn ôl. Yr oedd hi, ebr Mr. Nicholas, yn wraig ddiwylliedig, a gwnaeth lawer o gymwynasau yn y lle o bryd i'w gilydd.

Yr oedd Miss Blundell newydd ddychwelyd o'r *Windward Islands,* lle y bu hi'n gweithio am flynyddoedd yn Adran Astudiaethau Allanol y Brifysgol yno.

"Pam gadael 'nawr?" gofynnais.

" 'Rwy' wedi dod i deimlo, fel llawer eraill, fod dydd y dyn gwyn ar ben ac mai'r peth gorau, bellach, yw dychwelyd adref, a gadael iddynt hwylio'u cwch eu hunain."

Yna troisom i gael golwg ar rai o greiriau'r ystafelloedd.

"Dyma ichi'r darluniau yma," ebr Miss Blundell, "hwn o Kate Lougher, yr olaf i gael ei geni yma, cyn dyddiau'r Blundells."

Yr oedd Kate yn ferch ieuanc brydweddol, yn uchelwraig bob modfedd ohoni, ond ys gwn i faint o ramantiaeth yr artist sydd yn y darlun. Mae'n debyg fod y cyfnod yn galw am i'r artist seboni ychydig, fel y gwnâi'r beirdd yn eu hawdlau i'w noddwyr.

Safwn o flaen darlun o ŵr bonheddig o'r ddeunawfed ganrif. "Dyna Henry Knight", ebr Miss Blundell, "y gŵr a ail-adeiladodd Gwrt Llandudwg. Wrth gwrs, fe wyddoch fod Knights yn byw yno o hyd? Henry Knight sydd yno 'nawr, o ran hynny, ac mae'n syndod y tebygrwydd rhyngddo a'r darlun hwn."

Bu farw'r Henry Knight hwn yn 1772. Yr oedd yn briod â merch i Ddeon Caergaint, ac yr oedd iddynt ddau fab, Henry a Robert.

Ychwanegodd Miss Blundell : *"Robert Knight became the Vicar of Tewkesbury, and if you look around you, you will see plenty of evidence of this; these tapestries, for instance."*

Yno ar y muriau yr oedd tapestrïau Ffleminaidd; un ohonynt yn darlunio stori Noah a'i wraig, a'r llall stori o'r cyfnod clasurol, Anthony a Cleopatra, efallai. Fe ddaeth y tapestrïau hyn o Abaty Tewkesbury.

Sylwais ar forder hynod o gywrain o bren cerfiedig o gwmpas y lle tân.

"Ydi hwn, hefyd, o'r Abaty?"

"Ydi, ydi, fel llawer o'r creiriau eraill. Dyma i chi hwn, cerfiad mewn pren, yn darlunio mewn tri darlun, megis,—yn lle'r saith arferol—oes gyfan dyn."

Yr oedd Angel gosgeiddig yn dal *'hour glass'* yn symbol o enedigaeth, yna gŵr ar bwys ei ffon, ac yn olaf arch fechan, a ffigur ynddi. Yr oedd yno gist gerfiedig o'r Eidal, a llu o bethau y byddai'n anodd dod i ben â'u disgrifio. Yr oedd yr ystafelloedd yn gymharol dywyll, eto'n urddasol, a'r muriau wedi'u cuddio â phanelau pren, cerfiedig.

"'Rŷch chi'n gwybod, wrth gwrs, mai yma yr ysgrifennodd R. D. Blackmore *The Maid of Sker*?" Gwyddwn hyn, neu o leiaf, mai yma y *dechreuodd* ysgrifennu'r nofel.

Yr oedd Richard Doddridge Blackmore, awdur *The Maid of Sker* yn fab i John Blackmore, sgolor o'r radd flaenaf ym myd y clasuron, a hannai o deulu yn Nyfnaint. Ei fam oedd Anne Bassett, merch hynaf y Parchedig Robert Knight, ficer Tewkesbury, yr ydym wedi crybwyll ei enw eisoes. Yr oedd ei famgu yn ferch i Philip Doddridge, gweinidog enwog gyda'r Ymneilltuwyr yn Lloegr; y gŵr hwn sy'n gyfrifol am y Doddridge yn enw'r awdur. Pan oedd R. D. Blackmore yn llanc, 'roedd ei ewythr Henry Hey Knight yn byw yng Nghwrt Notais. Bu farw ei fam dri mis ar ôl ei eni. Yr oedd ei deulu, bryd hynny, yn byw yn Longworth, Berkshire, ond wedi'r brofedigaeth hon symudodd ei dad, yn gyntaf i Culmstock, yn ymyl Barnstable, ac wedi hynny i Ashford yn yr un sir. Anfonwyd y mab Richard i fyw gyda'i famgu, ar ochr ei fam, yn *Newton House,* yn y Drenewydd; wedi tymor o ysgolia, aeth i fyny i Rydychen, a deuai yma yn ystod gwyliau'r haf, i aros gyda'i ewythr yng Nghwrt Notais. Yma y cychwynnodd ar ei nofel, *The Maid of Sker,* ond nid oedd yn fodlon ar yr hyn a ysgrifenasai, a gadawodd hi heb ei gorffen. Flynyddoed yn ddiweddarach aeth yn ôl ati, ei newid gryn lawer, a'i gorffen.

Ond fe ddown yn ôl at Blackmore a'i nofel, pan ymwelwn â Sger.

Fe wnaeth Henry Knight gyfraniadau sylweddol i fywyd y rhan hon o'r Fro, ac i ysgolheictod yng Nghymru. Heblaw bod yn offeiriad diwyd, yr oedd yn awdur llu o draethodau hynafiaethol, ac yn awdur *An Account of Newton Nottage,* yng nghyfrol 1853 o'r *Archaeologia Cambrensis.* Fe fu'n rheithor Castell Nedd, cyn symud i'r Drenewydd, pan fu farw ei frawd Robert. Fel y dywed R. T. Jenkins, gofalodd am Gwrt Notais, "â gofal hynafiaethol manwl."

Ond rhaid inni symud ymlaen. Yr oedd Mr. Nicholas yn awyddus imi gael digon o amser i weld y Drenewydd yn Notais, a'r hen eglwys yno. Felly i ffwrdd â ni, ond yr oedd yn rhaid inni aros ar y ffordd i weld "Y Ffynnon Fawr", ar ochr yr heol. Ar hon fe roddwyd dau bennill Cymraeg, fel hyn :

> Mae dŵr yn fendith angenrheidiol
> Roddes Duw i ni ar lawr,
> Cofiwn awdur pob daioni
> Wrth yfed dŵr o'r Ffynnon Fawr.
>
> Ond dŵr naturiol nid yw'r mwya
> O'r bendithion sydd gerllaw,
> Cais y dŵr o'r ffynnon loyw
> Dardd i fywyd 'ochor draw.
>
> Ioan 4, 14.

Gadael y ffynnon, ac ar ein ffordd i Drenewydd sylwi ar ambell enw Cymraeg ar y strydoedd, megis Heol-y-goedwig, a Mr. Nicholas yn esbonio imi sut y cafodd gais gan Gyngor y Dref i baratoi enwau Cymraeg ar gyfer strydoedd newydd y dref. Trueni na fyddai *pob* tref trwy Gymru yn mabwysiadu polisi fel hwn.

Yn niwedd y ddeunawfed ganrif a dechrau'r ganrif ddiwethaf, bu cryn fri ar y Drenewydd fel *sea-side resort*. Mae un o haneswyr y plwy, D. Charles Davies, yn dyfynnu hysbyseb o ddiwedd y ddeunawfed ganrif a ymddangosodd mewn papur a gyhoeddwyd yng Ngorffennaf 1793.

> *"Sea Bathing—Glamorganshire"*
>
> *"James Marment begs leave to return his most grateful acknowledgements for the encouragement given to his house at Newton, and respectfully informs the Nobility and Gentry that he has now opened it for the reception company. Bathing Machines, Goat Milk, Whey, etc. . . .*

Ond erbyn canol y ganrif ddiwethaf aeth teithiwr heibio i'r Drenewydd a nodi nad oedd yn ddim mwy na *"A decayed bathing village"*.

Ond mae llawer o rin yr hen bentref yn aros. O gwmpas llain o dir gwyrddlas mae'r tai, gan gynnwys y *Jolly Sailor,* tafarn y clywir llawer amdani yn *The Maid of Sker,* ac eglwys urddasol Sant Ioan Fedyddiwr. Ym mhen draw'r lawnt, y mae ffynnon *Sandford's Well,* wedi'i chysegru ar enw Sant Ioan Fedyddiwr, lle'r âi rhai o gymeriadau nofel Blackmore i adrodd cyfrinachau allan o gyrraedd clustiau'r chwilfrydig. Un o hynodion y ffynnon yw ei bod yn llanw gyda'r trai, ac yn gwagio gyda'r llanw. Mae agoriad wedi'i guddio ag adeilad carreg, a drws pren yn y fynedfa iddi. Yr oedd hwn ynghlo. Ar y mur y mae llinellau Lladin, a chyfieithiad Saesneg odditano, o waith Syr John Stradling, Sain Dunwyd. Fe roes ef wybod am y ffynnon i Camden, a cheir nodyn amdani yn *Brittania'r* gŵr hwnnw.

Dyma'r cyfieithiad :

> *With troublous noise and roaring loud, the Severn Nymph doth cry*
> *New-towne on thee: and bearing spite unto the ground thereby,*
> *Castes up and sends with violence maine drifts of hurtful sand,*
> *The neighbour parts feel equal loss by this her heavy hand;*
> *But on thy little well she laies the weight which she would woo*
> *And faine embrace, as virgin she along the shore doth goe,*
> *Call'd though he be, he lurkes in den, and striveth hard againe,*
> *For, ebbe and flow continually by tides they keepe, both twaine*
> *Yet diversly: for as the Nymph doth rise, the spring doth fall,*
> *Go she back, he com's on, in spite and fight continuall.*

Ond prif atyniad y pentref yw eglwys Sant Ioan Fedyddiwr; adeilad cyhyrog, â thwr cadarn castellog, gyda tho cyfrwy (*saddle back*) sy'n nodweddiadol o lawer iawn o eglwysi'r Fro. Perthyn yr eglwys gan mwyaf i'r bymthegfed ganrif. Wrth fynd i mewn iddi, yr hyn sy'n tynnu ein sylw gyntaf yw'r pulpud hynod. Pulpud carreg ydyw, ag arno gerfiad amrwd o'r Fflangelliad. Uwchben iddo mae bwa ag arno gerfiad o ddau angel yn dal y Cwpan Santaidd yn eu dwylo; ar ymyl y pulpud mae border cerfiedig o ddail y winwydden. Mae rhai ysgolheigion sy'n arbenigwyr ar symbolau artistiaid y Canol Oesoedd, yn honni bod yn yr addurniadau hyn gyfeiriad cudd at y geiriau *Ecce Agnus Dei,* "Wele Oen Duw". Yn sicr, mae'r pulpud cyn-Refformasiwn hwn yn un prin iawn, nid yn unig yng Nghymru, ond ym Mhrydain oll.

Yn naturiol gwelir yma gofebau i deulu'r Knights, ac mae un gofeb i Cradock Nowell o'r Notais. Dywed R. D. Blackmore iddo'n blentyn syllu llawer ar y gofeb yma yn ystod y bregeth. Rhaid ei fod yn fyfyrdod ffrwythlon, oherwydd fe roes enw'r gŵr yma yn deitl i un o'i nofelau. Bu Cradock Nowell unwaith yn berchen Cwrt Notais, ac yn y nofel fe geir mwy na chipolwg ar y Fro. Ynddi llwyddodd i greu cymeriad credadwy o'r Craddock Nowell y breuddwydiodd amdano yn ei sedd ar y Sul, ac mae ymhlith y goreuon o gymeriadau ei nofelau. Y mae cofeb yma hefyd i Richard Lougher a gafodd y fraint amheus o arwyddo gwarant i

59. Eglwys Sant Ioan, y Drenewydd yn Notais.   David Jones

restio'r Pabydd, y Tad Phillip Evans, a ddienyddiwyd yng Nghaer-
dydd ym 1679.

Cyn ymadael â'r eglwys, aeth Mr. Nicholas a minnau o gwmpas
y fynwent. Yr oedd ef am i mi weld lle gorwedd y Parchedig John
Blackmore, tad y nofelydd, a briododd Anne Bassett Knight yn yr
eglwys hon. Gorwedd, fel mae'n weddus, yn ymyl gweddillion
teulu'r Knights.

Ar fedd un Watkin Bevan, a fu farw ym 1854 yn 57 mlwydd oed,
ceir yr englyn praff hwn :

> Caeth garchar daear yw diwedd y doeth
>   A'r annoeth yr unwedd;
>   Daw'r afrifed dorf ryfedd
> Feirwon byd i farn a bedd.

Ni wyddai Mr. Nicholas na minnau, ai bardd lleol a gyfansoddodd
yr englyn, ai bardd cydnabyddedig. Ni welais i ef o'r blaen. Ond
mae'n werth ei nodi.*

Ar garreg fedd wrth ymyl porth deheuol yr eglwys ceir y pennill
hwn. Mae mwy o flas y bardd lleol ar hwn, nag ar yr englyn.

> Fy'm ffrynds a'm glan berthnasau hoff
>   'Rwy'n adael ar y llawr,
> Na wylwch wrth fy ngweld yn mynd
>   Tua'r tragwyddoldeb mawr,
> Ar fyr o dro dowch ar fy ôl
>   Gael treio'r glorian fawr
> A dyna'r pryd cawn weld i gyd
>   Pwy fydd yn pwyso i'r llawr.

Yr oedd yn bryd inni adael cysgodion yr ywen er mwyn cael
amser, cyn bod cysgodion y nos ar ein gwarthaf, i ymweld â Chyn-
ffig a'r Sger.

Nid oes dref yng Nghynffig, bellach; fe'i gorchuddiwyd dan y
twyni tywod mawr. Wyth gan mlynedd yn ôl yr oedd Cynffig yn
ddinas brysur, ac yn ganolfan i'r wlad o gwmpas. Mae olion hen
gastell yma o hyd. Hefyd, daethpwyd o hyd i olion sy'n awgrymu
bod muriau'n amgylchynu'r dref bryd hynny. Yn *Britannia* yr
hanesydd Camden, ceir y nodyn yma am Gynffig. Dyfynnaf o
gyfieithiad 1607.

* Wedi cysodi'r uchod, cefais wybod gan Bedwyr Lewis Jones, mai Eben
Fardd, "un o feistri'r englyn beddargraff", piau esgyll yr englyn hwn.

*"There is a little village on the east side of Kenfig (a small brook)
and a castle both in ruin, and almost chokid and devoured with
the sands of the Severne se ther castith up. Kenfik was in Clare's
time a borow town . . . It was burnt by the Welsh in 1167, and
again by Owen Glendower."*

Ond o dipyn i beth y tywod a orfu, ac yn yr unfed ganrif ar
bymtheg daeth storom fawr i wastrodi'r fwrdeisdref â thywod, "A'i
lle nid edwyn mohoni mwy."

Pan ddaeth Leland heibio rywbryd tua chanol yr unfed ganrif
ar bymtheg, gwelodd bentref a chastell adfeiliedig, wedi'u tagu gan
y tywod. Mae'n naturiol fod pob math o ramantu, ac ofergoelion
wedi ymgasglu o gwmpas y dref a ddiflannodd dan y tywod. Yn ôl
un chwedl, nid dan y tywod, ond dan donnau mân llyn Cynffig
(*Kenfig Pool*) y diflannodd, ac y gellir gweld, ar ddiwrnod tawel,
dai yr hen fwrdeisdref, a chlywed cloch yr eglwys, "yn canu dan y
dŵr".

Fe ddiddymwyd siarter y fwrdeisdref a'i chorfforaeth, yn derfynol
gan y *Municipal Corporation Act, 1883,* a heddiw nid oes yn aros
o'r gogoniant a fu, ond cyfarfodydd y Cyngor Plwyf, a gynhelir
mewn ystafell uwchben tafarn y *Prince of Wales,* a oedd unwaith
yn ganolfan gweinyddol y fwrdeisdref. Eir i'r ystafell ar hyd grisiau
carreg y tuallan i'r adeilad. Yma, ar y Suliau mae'r Methodistaidd
Calfinaidd yn cynnal Ysgol Sul.

Ar draeth Cynffig, yn y ganrif ddiwethaf, a'r canrifoedd cyn
hynny, mae'n debyg, y deuai pobl y Fro ac ardaloedd y Pîl a Mar-
gam. i chware bando; rhyw fath o *hockey,* gallwn feddwl, yn ôl y
disgrifiad a geir yn *Siencyn Penhydd,* Edward Matthews, Ewenni.
Yn y cofiant hwnnw mae'n disgrifio gornest fawr rhwng y Pîl a
Margam. Yr oedd mab Siencyn Penhydd, Tomos, yn wron ym myd
y bando, ac "yn aelod ffyddlon o'r gymdeithas hon, ac nid y lleiaf
mewn bri ymhlith y *gamesters.* Yr oedd yn cyrraedd ergydion cywir
arni (y bêl) yn aml, a phob tro y tarawai hi, cai ganddo wynt i
bellter anferthol, ac nid anfynych y byddai ergydion Tomos yn ei
danfon yn *headlong* i gôl."

Yr oedd cymaint bri ar y chware hwn ag sydd i *soccer* heddiw.
"Cyfodai y wlad o'r bron gyda hwynt mewn cerbydau, ar feirch,
ar fulod, ar asynnod, ac ar draed, pob gradd a phob oedran, a
phawb yn ddiwahaniaeth yn dân gwyllt o blaid rhyw ochr."

Gyda llaw, mi ddaeth y Tomos, y sonia Matthews amdano, yn

60. Ffermdy'r Sger.   David Jones

ffermwr cefnog yn y Fro, a thrigai yn y Sger. Ond cyn troi draw
am y Sger, efallai yr hoffech chi fwrw ymlaen ar hyd y ffordd tua'r
Pîl, i gael golwg ar hen eglwys .Mawdlam, sy'n sefyll ar fryn yn
edrych dros erwau twyni tywod Cynffig. Islaw mae'r Pîl, a'r eglwys
a godwyd, efallai, pan oddiweddwyd Cynffig gan y tywod. Mae'r
eglwys ar enw Mair Fagdalen, a hyn a roes yr enw Mawdlam i'r
pentref. Perthyn y bedyddfaen gyda'i addurn 'scallop', tebyg i'r hyn
sy ar fedyddfaen Llanilltud Fawr, i'r cyfnod Normanaidd. Os oes
gennych ddiddordeb mewn hen eglwysi, fe fydd yn werth ichi roi
tro i weld eglwys Mawdlam.

Y prynhawn yr ymwelodd Mr. Nicholas a minnau â Chynffig,
yr oedd yn chwythu'n arw, ac yn ei gwneud hi'n anodd i ddyn
gadw ar ei draed. Ffoisom i noddfa'r car, a brysio tua'r Sger.

Yr oedd yn rhaid inni adael y ffordd fawr, a throi tua'r arfordir
ar hyd lôn ffermdy'r Sger, a chyn pen eiliad dyma'r hen dŷ'n codi
ei furiau hunllefol i'r awyr, a chymylau'n sgubo'n fygythiol heibio
i'r llu simneiau tal. Ni allaf wneud yn well i ddisgrifio'r olwg a
gefais, na dyfynnu o nofel Blackmore, *The Maid of Sker.*

"This always was, and always must be, a very sad and lonesome place, close to a desolate waste of sand, and continual roaring of the sea on the black rocks. A great grey house with many chimneys, many gables, and many windows, yet not a neighbour to look out on, not a tree to feed its chimneys, scarce a firelight in its gables in the very depth of winter."

A rhyw awyrgylch felly a geir yno heddiw. Aethom i lawr i fuarth y ffarm, ond nid oedd neb yn y golwg. Curwyd ar ddrws y tŷ, ond nid oedd llais na neb yn ateb, ond daeth sŵn cyfarth ci yn y pellter, a ddyfnhaodd y teimlad anniddig a gefais wrth agosáu at y ffarm.

Mae hynafiaeth y tŷ hwn yn amlwg yn ei furiau cymhleth, a'i simneiau niferus. Yn gyffredinol perthyn i'r oes Duduraidd, ond mae rhannau ohono yn mynd â ni nôl i'r bymthegfed ganrif. Mae golwg ddi-raen arno heddiw, ac nid yw hyn yn syndod o gofio ei faint, a'r gost o gadw unrhyw fath o lun arno. Hefyd bu'n wag am gyfnodau go faith. Pwy, mewn gwirionedd, fyddai'n chwennych tŷ o faintioli hwn? Tybir mai tarddiad Sgandinafaidd sydd i'r enw Sger, a cheir llawer o enwau â'r elfen yma ynddyn-nhw, ar hyd arfordir Bro Gŵyr. Mynaich Margam bioedd y tŷ a'r tir o'i gwmpas o'r ddeuddegfed ganrif tan ddyddiau Harri'r Wythfed.

Fe gafodd gŵr o'r enw Richard Lougher lês ar y tŷ yn y bymthegfed ganrif. Symudodd ef i'r Sger o Gwrt-y-carnau ar lan afon Llwchwr, rhan o diroedd Abaty Nedd. Mae hon yn ffarm gynefin i mi. Yr oedd Mr. Roberts a oedd yn ei ffarmio pan oeddwn i'n blentyn, yn flaenor yn ein capel ni yng Ngorseinon. Treuliasom ni blant lawer i brynhawn hyfryd o haf yno. Yr oedd rhyw hud yn perthyn i'r lle, oherwydd, mae'n debyg, yr hanesion amdano. Yr oedd un traddodiad, di-sail, debygwn i, yn dweud bod twnel o'r ffarm i Gastell Llwchwr, ryw filltir neu ddwy i ffwrdd. Yr oedd y waliau trwchus, unigrwydd y lle, a'r awyrgylch hynafol, yn creu rhyw awyrgylch o ddirgelwch a rhamant.

Yn ystod teyrnasiad Harri'r Wythfed, fe ddaeth un o ddisgynyddion Richard Lougher, trwy briodas ag aeres Twrbiliaid Llandudwg, yn *Lougher of Tythegston* (Llandudwg). Felly bu hi hyd ddechrau'r ddeunawfed ganrif, pan welwn un o deulu'r Knights yn priodi aeres Twrbiliaid Llandudwg a'r Drenewydd, ac o hynny ymlaen hyd heddiw, Knights sy'n cyfaneddu Cwrt Llandudwg.

Erbyn 1561 yr oedd y Sger yn nwylo'r Twrbiliaid, un o'r teulu-oedd mwyaf dylanwadol, os ystormus o ymrafaelgar, yn y Fro. Fe gewch hanes y cwerylon rhwng y Twrbiliaid a theuluoedd y Fro yng nghyfrol Syr Ifan ab Owen Edwards, *"Star Chamber Proceedings relating to Wales"*. Bu cwerylon mawr rhwng Twrbiliaid Sger a Thwrbiliaid Pen-llin, a rhwng Twrbiliaid Pen-llin a Charniaid Ewenni a Bassetiaid y Bewpyr. Ar waelod y ddalen yng nghyfrol J. M. Traherne o ohebiaeth Stradlingiaid Sain Dunwyd, gwelais y nodyn hwn. *"It should seem from the Penrice papers, that the state of society in Glamorganshire was very unsettled at this period. We may may adduce as an instance, a serious affray in June 1576, between the Bassetts of Baupré and the Turbervilles of Penlline, who fought in the street of Cowbridge with swords. Legal proceedings took place in the Star Chamber, but nothing is said of the result."*

Ond ar waethaf eu buchedd afreolus, yr oedd Twrbiliaid y Sger, a Phen-llin yn gefn i achos y ·Pabyddion yn y Fro, mewn cyfnod pan oedd hi'n gofyn am gryn wroldeb i ddatgan eich ochr ym materion crefydd. Dau ymwelydd cyson â'r Sger yn yr ail ganrif ar bymtheg oedd y Tad John Lloyd, a'r Tad Philip Evans, y ddau yn aelodau o Urdd yr Iesu, y Jesiwitiaid, fel y'u gelwir yn aml. Dyma'r cyfnod pan godwyd Prydain i stad o hysteria rhagfarnllyd yn erbyn y Pabyddion, ar sail cyhuddiadau di-sail Titus Oates, a ddaliai fod cynllwynio yn erbyn bywyd y brenin Siarl yr Ail, ymhlith y Pab-yddion.

Yn y Sger, ar yr ail o Ragfyr, 1678, restiwyd y Tad Evans, ar warant Richard Lougher, Cwrt Llandudwg. Cyhuddwyd a chon-denmniwyd ef ar air rhyw druanes o wraig a honnodd iddi ei weld yn gweinyddu'r Offeren yn y Sger. Yr un adeg restiwyd y Tad John Lloyd ym Mhen-llin. Diwedd y cwbl fu dienyddio'r ddau, rywle yn ardal Richmond Road, Caerdydd. Anerchodd y Tad Evans y dorf yn Gymraeg ac yn Saesneg. Wynebodd y ddau eu diwedd erchyll yn dawel, a hyd yn oed yn llawen. Os trowch chi i mewn i Eglwys Gadeiriol Dewi Sant, Caerdydd, fe gewch fur-luniau o'r ddau.

Canoneiddiwyd hwy, a phedwar Cymro arall, gan y Pab yn Rhufain ar Hydref 25, 1970. Beth bynnag yw ein barn am ganon-eiddio, 'rwy'n credu y cytuna pawb fod ffyddlondeb di-ŵyro'r dynion hyn, a'u haberth dros yr hyn a gredent, yn destun teilwng

o'n hedmygedd. Rhaid i ninnau fel y bardd Waldo Williams sefyll
mewn syndod uwchben hanes

Y talu tawel, terfynol. Rhoi byd am fyd,
Rhoi'r artaith eithaf am arweiniad yr Ysbryd,
Rhoi blodeuyn am wreiddyn a rhoi gronyn i'w grud.

Y diberfeddu wedi'r glwyd artaith, a chyn
Yr ochenaid lle rhodded ysgol i'w henaid esgyn
I helaeth drannoeth Golgotha eu Harglwydd gwyn.

Mawr ac ardderchog fyddai y rhain yn eich chwedl,
Gymry, pe baech chwi'n genedl.

Os ŷch chi am gael blas ar awyrgylch Sger, a'r wlad o gwmpas,
yna darllenwch *The Maid of Sker,* os na wnaethoch hynny eisoes.
Nid yw'n nofel fawr, er y credai Blackmore mai hon oedd yr orau
o'i holl nofelau. Ond beirniaid sâl yw awduron, gan amlaf, ar eu
gwaith eu hun. *Lorna Doone* yw'r nofel a fu byw, a hi a ystyrir ei
nofel orau. Ond mae gwaeth nofelau na'r *Maid of Sker.* Atgofion
plentyndod a llencyndod yw ei ddeunydd, gan mwyaf, ac mae'n
werth sylwi mor Gymreig a Chymraeg yw ei chefndir. Cymro Cym-
raeg yw traethydd y nofel, a thro ar ôl tro mae'n cyfeirio at ei fam-
iaith. Yn wir fe ddywed mai ei bwrpas wrth adrodd y stori yw
ceisio cyflwyno'r Cymry i'r Saeson.

"But the object of my writing is to make them (y Saeson) *
understand us, which they never yet have done . . ."*

Ceir cyfeiriadau aml at iaith y cymeriadau.

*"Wreck ashore!" he cried out in Welsh, having scarce a
word in English",*

ebr ef am Evan Thomas, tenant y Sger. (Fe ddylid rhoi rhybudd
fan yma. Er bod Blackmore yn sôn llawer am dai yr ardal, fel Cwrt
Notais, Cwrt Llandudwg, Y Sger, ac yn y blaen, ac wedi defnyddio
enwau hanesyddol am eu perchnogion, y mae wedi cymysgu'r enwau
yn fwriadol. Rhaid dal i gofio mai nofel yw hon, ac nid traethawd
ar hanes).

Faint o Gymraeg a wyddai Blackmore? Mae'n anodd dweud,
ond gallwn gytuno â'r hyn a ddywed R. T. Jenkins am y nofel :
"Wrth raid, dros ysgwydd Blackmore yn unig, fel petai, y canfyddir
bywyd Cymraeg y Fro. Eto mae'r darlun at ei gilydd, yn llawer
iawn manylach (heb sôn am fod yn fwy credadwy) nag a geir yng

nghorff mawr y rhamantau Saesneg a leolwyd yng Nghymru."

Ceir cryn sôn am y *wreckers* yn y stori, sy'n amlygu nodweddion mwyaf anhyfryd cymeriad pobl y rhan yma o'r Fro. Ond nid yw'n wahanol, mewn gwirionedd, i'r hyn a geir ymhlith ardaloedd arfordir Lloegr, megis, yn Nyfnaint neu Gernyw. Fe goffèir recwyr Sger mewn triban a geir yng nghasgliad Cadrawd.

> Rocau'r Scer le garwa',
> Lle strandws llong 'Marina',
> A bwmbast gwyn i wŷr y Pil,
> Gwerth pedair mil o bunna'.

Mae'n ddiau mai'r hyn a gadwodd enw'r Sger yn fyw yng nghof y werin oedd yr alaw boblogaidd 'Y Ferch o Sger'. Fel 'Y Ferch o Gefn Ydfa' fe achosodd yr alaw yma gryn drafferth i ysgolheigion. Mae'r hanes yn un cymhleth ac nid oes ofod yma i'w adrodd. Os oes gennych ddiddordeb yn y pwnc, mynnwch weld llyfryn a gyhoeddwyd ym 1869 gan Thomas Morgan, "Llyfnwy", ac fe gewch hanes y gerdd a chefndir ei chyfansoddi. Y traddodiad yw i'r geiriau gael eu cyfansoddi gan David Llewelyn o Drenewydd yn Notais, a'r alaw gan y telynor Thomas Evans o'r un lle. Ganwyd Thomas Evans, yn ôl Llyfnwy, yn Sir Gaerfyrddin, a'i symud yn blentyn i Drenewydd yn Notais. Yn ôl y traddodiad fe syrthiodd Thomas Evans mewn cariad â'r Ferch o'r Sger. Ond cariad ofer ydoedd, oherwydd gorfodwyd y ferch i briodi rhyw Mr. Kirkhouse, syrfeiwr o Gastell Nedd. Fel y dangosodd Gwenallt, yr oedd y thema yma o ŵr tlawd yn syrthio mewn cariad â merch gyfoethog yn un cyfarwydd 'yn rhai o'r baledi Cymraeg ac yn rhai o nofelau George Sand'. Lluniwyd y gerdd ar ffurf deialog rhwng mab a merch, ond fe sylwodd y Dr. R. T. Jenkins, y torrir ar y patrwm trwy roi pennill ychwanegol i mewn, sy'n fwy neu lai amherthnasol i'r gân. Mae rhediad y gân yn gyson os eir o'r chweched pennill i'r wythfed. Yn y pennill hwn, sef y seithfed, y ceir yr unig gyfeiriad at delynor, ac yn wir, at y Ferch o'r Sger.

> Os bydd gofyn pwy yw'r glanddyn,
> Deffro mae'n y dyffryn draw,
> Mab all wneyd i'r mud a'r meirw
> Ddweud yn groyw tan ei law.
> Rhai sy'n ceisio fy nhroi heibio,

Mwstwr mawr sy'n min y'môr,
Os ca'i nghariad o'r un fwriad,
Cai'r ferch o Scer pe baent hwy *score.*

A yw'r ddamcaniaeth hon yn gywir, wn i ddim, ond mae rhywbeth
i'w ddweud, mae'n debyg, yn erbyn dryllio rhamantau'r gorffennol.
Ni fu cymaint bri ar *Y Ferch o'r Sger* ag ar *Y Ferch o Gefn Ydfa;*
ni chlywais ei chanu ers blynyddoedd, ond clywaf yr olaf yn aml.

Soniais eisoes mai fy nghydymaith ar y daith hon i Sger, oedd
yn fuddugol ar y faled, "Y Ferch o'r Sger", yn Eisteddfod Gened-
laethol, Aberafan ym 1966. Yn y faled ogleisiol honno mae'n sôn
am Thomas Evans, y telynor, flynyddoedd wedi i'r 'Ferch' briodi
Thomas Kirkhouse, yn canu'r delyn yn Abertawe, nes ail-gynneu
marwydos cariad ym mynwes y Ferch o'r Sger, a oedd yn bresennol.

Un min hwyr yn Abertawe
Clywodd eto'r alaw bêr,
A daeth hoen ac angerdd bywyd
Eto'n ôl i'r ferch o'r Sger.
Tomos Ifan y telynor!
Oedodd, syllodd arno'n syn,
'Roedd ei lygaid gloywon arni
Ac fe ganai'r geiriau hyn :

Mab wyf fi sy'n byw dan benyd
Am f'anwylyd fawr ei bri,
Gwaith ei charu fwy na digon,
Curo wnaeth fy nghalon i.
Gwell yw dangos beth yw'r achos
Nag ymaros dan fy nghur,
Dere'r seren ata' i'n llawen,
Ti gei barch a chariad pur.

O'r faled wreiddiol y daw'r ail bennill, wrth gwrs. Dywed Llyfnwy
yn ei lyfryn, *The Cupid: "It is stated that Mrs. Kirkhouse always*
went to hear Thomas Evans when he played in the neighbourhood
of Neath, and that this was the cause of constant trouble between
herself and her husband. We were informed that her wedded life
was short in years, and that she never fully recovered from her
love of the harper."

Fe'i claddwyd hi yn Llansamlet, ar Ionawr 9, 1779.
Deiliad ffermdy'r Sger heddiw yw un o deulu Gelli Lenor, y teulu
yr hannodd fy nghyfaill y Parchedig E. Gwyn Evans, gweinidog

Capel Charing Cross Road, Llundain, ohono.

Ond rhaid gadael Sger a'i hanes gwaedlyd a'i 'ramant' serch di-rwymedi, a throi yn ôl i Borth-cawl. Cyn ymadael â'm cyfaill, a'r dref, yr oedd yn rhaid imi ofyn am gael fy nwyn i gael golwg ar y capel bach y bu'r Dr. R. T. Jenkins yn 'oedi' o'i flaen ac yn syn-fyfyrio'n afiaethus hanesyddol, adeg Eisteddfod Genedlaethol Pen-y-bont ym 1948.

Ac i ffwrdd â ni trwy strydoedd dierth cyrion Porth-cawl, nes cyrraedd y capel, sy'n dwyn peth o olion pensaernïaeth y Puritan-iaid; ond rhaid imi gydnabod imi weld capeli harddach. Fe berthyn i enwad y Bedyddwyr Cyffredinol; dau arall sy gan yr enwad yng Nghymru, y naill yn y Wig, yn y Fro hon, a'r llall yn ardal Castell Newydd Emlyn,—Pant Teg. "Capelau Undodaidd yw'r tri erbyn hyn," ebr R. T. Jenkins, "A dyma fi bellach wedi cael gweld y tri." Dau a welais i, hyd yma, ond y tro nesaf y byddaf yn ardal Castell Newydd Emlyn, bydd yn rhaid imi chwilio am Bant Teg, oherwydd yn fy myw y medraf fi gofio'i enwi yn fy nghlyw.

Tan 1786, fe fyddai'r Bedyddwyr Cyffredinol, ebr hanesydd Porth-cawl, Leonard S. Higgins, yn ei lyfr gwerthfawr a manwl, *Newton Nottage and Porthcawl,* yn cyfarfod mewn bwthyn yn Notais. Ym 1789 rhoed i fyny ran o'r bwthyn i fod yn fan cyfarfod, *"for the worship and service of God by the Society or Congregation of Protestant Dissenters called Baptists".* Fel yn hanes llawer o gapeli'r cyfnod hwn, ysywaeth, bu ymraniadau, ac ym 1806 ymadawodd y Calfiniaid â'r ddiadell, a gadael y capel yn nwylo'r Arminiaid, hynny yw, y Bedyddwyr Cyffredinol. Ac yn y flwyddyn honno y daeth y Parchedig Evan Lloyd, o Nanhyfer, Sir Benfro, yn weinidog ar y cynulleidfaoedd yn Notais a'r Wig. Ffaith ddiddorol am y gŵr hwn yw ei fod yn aelod o'r milisia yn Abergwaun, pan laniodd y Ffrancod. Bu'r achos yn Notais a'r Wig dan ofal Evan Lloyd a'i ddisgynyddion tan 1920, cyfnod o ryw gant ac ugain o flynyddoedd. Mae cofeb i Evan Lloyd yn y capel yn Notais.

Troi o'r capel bach i gartref Mr. Nicholas, a chael croeso hawdd-gar a chynnes "gwraig y gweinidog". Pobl na chawsant hanner y clod a'r anrhydedd sy'n ddyledus iddynt yw gwragedd gweini-dogion. Ond nid âf i ymhelaethu! Wedi mwynhau cwpaned o de hyfryd a lluniaeth amheuthun, cychwyn ar fy siwrne adre, trwy Landudwg i'r pwrtwai, ac mor gyflym ag y gallai olwynion y car fy ngyrru i'r cartre bach yng Nghaerdydd, wedi diwrnod wrth fy modd, a chwmni o gyffelyb fryd.

Rhestr o Enwau Lleoedd

ABERDDAWAN, *Aberthaw*
ABEROGWR, *Ogmore-by-sea*
ABERTHIN, *Aberthyn*
AFON DDAWAN, *Thaw*
AS FACH, YR, *Nash*
AS FAWR, YR, *Monknash*
BARRI, Y, *Barry*
BEWPYR, Y, *Bewper, Beaupré*
BONT-FAEN, Y, *Cowbridge*
BRITWN, Y, *Burton*
BRYN OWEN, *Stalling Down*
CANTWN, *Canton*
CAPEL LLANILLTERN,
     Capel Llaniltern
CAS-BACH, *Castleton* (Mynwy)
COEDRHIGLAN, Coedarhydyglyn
COLCOED, *Colcot*
COL-HUW, *Colhugh*
CORNTWN, *Corntown*
COTREL, Y, *Cotrel*
CYNFFIG, *Kenfig*
DRENEWYDD YN NOTAIS,
     Newton Nottage
DWN-RHEFN, *Dunraven*
EGLWYS BREWYS,
     Eglwys Brewis
EGLWYS FAIR Y MYNYDD,
     St. Mary Hill
EWENNI, *Ewenny*
FFONTYGARI, *Fontygari*
FFWL-Y-MWN (FFON-MON),
     Fonmon
GLANELAI, *Lanelay*
GWENFÔ, *Wenvoe*
LARNOG, *Lavernock*
LECWYDD, *Leckwith*
LLANBEDR-Y-FRO,
     Peterston-super-Ely
LLANBYDDERI, *Llanbethery*
LLANCATAL, *Llancadle*
LLANDOCHAU FACH
     Llandough (Penarth)
LLANDUDWG, *Tythegston*
LLANDŴ, *Llandow*
LLANDDUNWYD,
     Welsh St. Donats

LLAN-FAIR, *St. Mary Church*
LLANFIHANGEL-AR-ELÂI,
        Michaelston-super-Ely
LLANFIHANGEL
  Y BONT-FAEN, *Llanmihangel*
LLANFIHANGEL-Y-PWLL,
        Michaelston-le-pit
LLANFLEIDDAN, *Llanblethian*
LLAN-GAN, *Llangan*
LLANGRALLO, *Coychurch*
LLANHARI, *Llanharry*
LLANILLTUD FAWR,
        Llantwit Major
LLANSANFFRAID-AR-ELÂI,
        St. Bride's-super-Ely
LLANSANFFRAID-AR-OGWR,
        St. Bride's Minor
LLANSANWYR, *Llansannor*
LLANTRIDDYD, *Llantrithyd*
LLWYNELIDDON, *St. Lythan's*
LLYSWYRNY, *Llysworney*
MAERUN, *Marshfield* (Mynwy)
MARCROES, *Marcross*
MEISGYN, *Miskin*
PENDEULWYN, *Pendoylan*
PEN-LLIN, *Penlline*
PENTRE-BAEN, *Pentrebane*
PENTREMEURIG, Pentre-Meyrick
PÎL, Y *Pyle*
PORTH-CAWL, *Porthcawl*
PORTHCERI, *Porthkerry*
RHWS, Y, *Rhoose*
SAIN DUNWYD, *St. Donat's*
SAIN FFAGAN, *St. Fagans*
SAIN NICOLAS, *St. Nicholas*
SAIN SIORYS,
        St. George-super-Ely
SAINT ANDRAS,
        St. Andrews Major
SAIN TATHAN, *St. Athan*
SAINT HILARI, *St. Hilary*
SAINT-Y-BRID, *St. Brides Major*
SGER, Y, *Sker*
SILI, *Sully*
SILSTWN, *Gileston*
TREBEFERED, *Boverton*
TREFFLEMIN, *Flemingston*
TREGATWG, *Cadoxton*
TREGAWNTLO,
  TREGANTLLO, *Candleston*
TREGLEMENT, *Clemenston*
TREGOLWYN, *Colwinston*
TRE-HYL, *Tre-hill*
TRE-OS, *Tre-oes*
TRESIGIN, *Siginston*
TRESIMWN, *Bonvilston*
TREWALLTER, *Walterston*
TYLLGOED,
        Fairwater (ger Caerdydd)
WIG, Y, *Wick*

Personau

A Becket, Tomos, *sant,* 77
Alcock, Leslie, 33
Alfred, *brenin,* 166
Allom, Syr Charles, 176
Aneirin, 161
"Ap Caledfryn", gw. Williams, Wm.
"Ap Gerallt", gw. Jones, W. E.
Ap Robert, Hywel, 94
Ashton, Glyn, 123
Aubrey, John, 180
Awstin, *Sant Eglwys* (Penarth), 35

Ballinger, *Syr* John, 37
Baring-Gould, S., 1, 81, 173, 202
Baruch, *Sant,* 119
Basset, *teulu,* 168, 170, 208, 220, 238
Basset, Anne, 230
Basset, Christopher, 13, 79, 143, 144, 145
Bassett, Huldah, 128
Basset, Jane, 202
Basset, Miles, 11
Bazley, *Mr. a Mrs.* W. R., 82
Bawdrem, *teulu,* 134
Bebb, Ambrose, 97
Berclos, *teulu,* 2, 3, 221
Berclos, Gwenllian, 221
Berclos, *Syr* Lawrens, 2, 3, 221
Berclos, *Syr* Roger, 2
Berclos, *Syr* Wiliam, 2
Betjeman, John, 93
Bevan, W. J., 207
Bevan, Watkin, 234
Biddyr, George, 75
Bishop, Morchard, 155
Blackmore, John, 234
Blackmore, R. D., 230, 232, 239
Blake, Wiliam, 105
Bundell, A. R., 229
Blundell, George Edward, 229
Blundell, John, 229
Blundell, *Miss,* 229
Boon, Ron, 126
Boothby, *Syr* Hugo, 135, 137
Bowen, E. G., 2
Bowen, George, 221
Bowen, Hugh, 221
Bowen, Kenneth, 79
Brewys, *sant* (?) 11
Brid, *Santes,* 201

Brown, D. a'i Feibion, 206
"Brutus", gw. Owen, David
"Brynfab", gw. Williams, Thomas
Buckley, Sarah, 125
Burrows, Stuart, 111
Bute, *Ardalydd,* 37
Butler, *teulu,* 202, 208
Butler, John, 202
Butlin, gwesyll, 119
Butterfield, William, 35, 90, 91

"Cadrawd", gw. Evans, T. C.
Camden, William, 183, 232, 234
"Caradog", gw. Jones, Griffith Rhys
Carne, *teulu,* 6, 83, 85, 169, 170, 173, 238
Carne, *Syr* Edward, 55, 57, 83
Carne, Elizabeth, 86
Carne, Howell, 83
Carne, John, 57, 70, 83, 86, 161, 163, 170
Carne, John Nicholl, 174, 181, 186
Carne, Thomas, 83
"Ceiriog", gw. Hughes, John Ceiriog
Chancey, *Dr.,* 15
Charles, Charlotte, 80
Charles, Thomas, 80
Christie, Agatha, 78
Christopher, *Sant,* 166
Cochrane, A. L., 133, 134
Coleridge, S. T., 149, 155
Cooper, *Syr,* Ninian, 32
Cope, William, 87
Corbett, James A., 37, 96
Corbett, John Stuart, 36, 37
Colyn, Dolphyn, 181
Couch, J. H., 20
Craddock, Richard, 203, 227
Cromwell, Oliver, 26, 31
Crookes, *Syr* Richard, 100
"Crwys", gw. Williams, W. Crwys
Cunedda, 2
Curig, *Sant,* 130
"Cynan", gw. Evans-Jones, *Syr* Albert

Dafydd Benwyn, 220
"Dafydd Morganwg", gw. Jones, David
Dafydd, Dafydd William, 53
Dafydd, Philip, 79, 80

Lleoedd a Phethau